July 3, 2002

Dear Ronald & June,

Quel fromage!!

love,

Beth

&

Jason

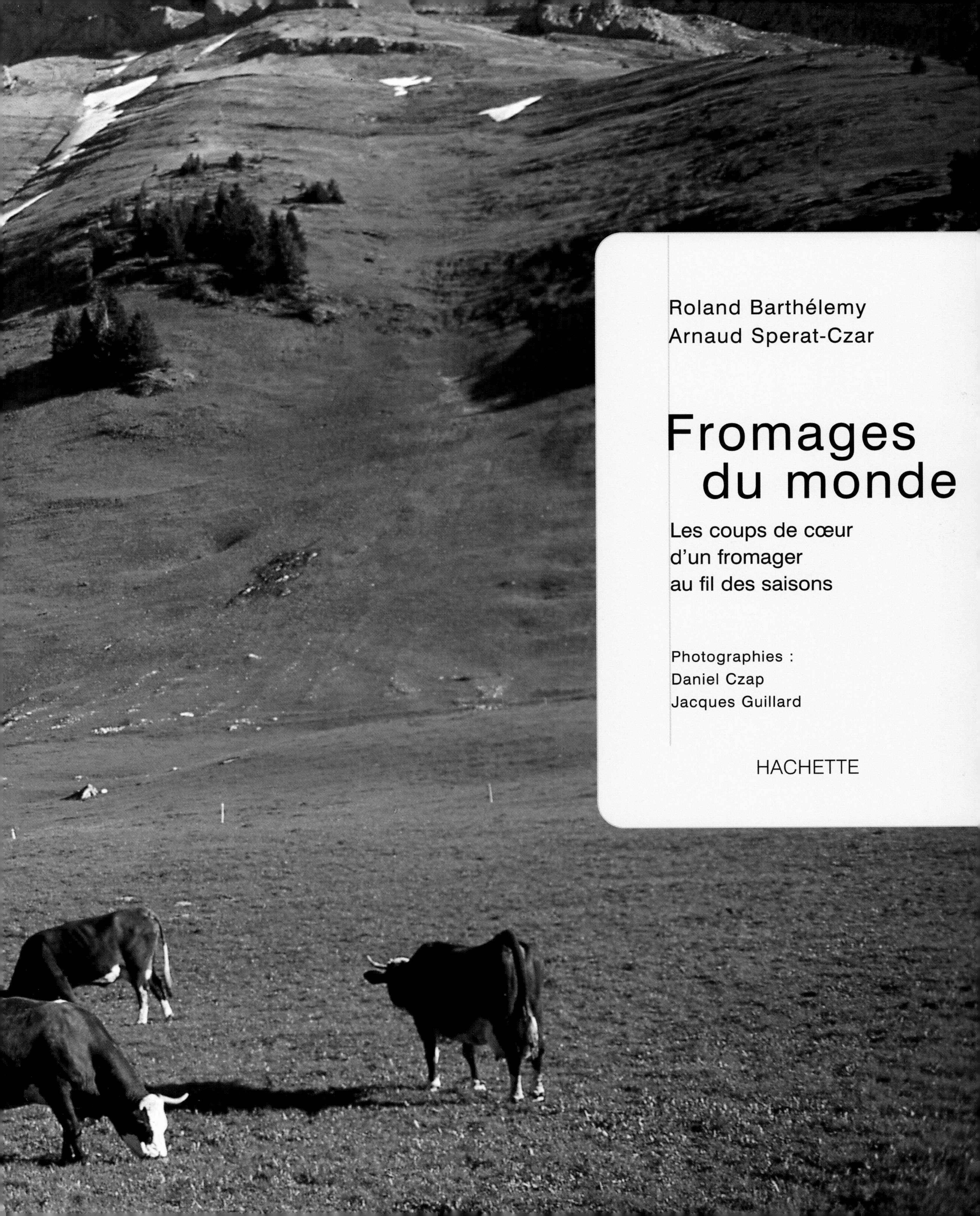

Roland Barthélemy
Arnaud Sperat-Czar

Fromages du monde

Les coups de cœur d'un fromager au fil des saisons

Photographies :
Daniel Czap
Jacques Guillard

HACHETTE

Sommaire

Avant-propos

Aussi loin que je fouille dans ma mémoire, mes premières émotions fromagères remontent au temps où je découvris, accroché à la main de mon père, les Halles de Paris, alors en plein cœur de la capitale. Je devais avoir six ou sept ans, et je regardais d'un œil fasciné le spectacle inouï et gargantuesque de tonnes de fromages et de beurres venus des quatre coins de France, triés, pesés, emballés, charriés, empilés les uns sur les autres à même le sol. Les conditions d'hygiène n'étaient pas ce qu'elles sont devenues. La profusion des formes donnait le vertige : les massives meules d'emmental faisaient de l'ombre aux modestes crottins ; les bries de Meaux ou d'ailleurs donnaient des leçons d'élégance aux fourmes d'Auvergne trapues ; les distinguées pyramides de fromages de chèvre snobaient les rustres pavés du Nord... Le foisonnement des couleurs (orange, noir, roux, brun, jaune, crème) et le vertige des odeurs (végétales, beurrées, soufrées, terreuses) avaient de quoi stimuler mes sens en éveil. Curieux, admiratif, impressionné, je laissais mon père me guider à travers ce capharnaüm. Il devait y avoir dans mes yeux l'éclat du bonheur. Le spectacle était aussi dans l'animation trépidante des lieux, assurée par les « forts des halles », ces costauds débordant d'énergie. Leur gouaille, leurs intonations, leurs accents trahissaient des origines que mes oreilles, séduites par tant d'exotisme, avaient bien du mal à identifier. À moi, le fils de Cantalien jaloux de ses racines, cette initiation a donné le goût de la diversité d'une manière radicale et définitive. Les Halles étaient un carrefour fabuleux où convergeaient tous les terroirs d'Europe. J'ai appris à voir dans chaque fromage bien plus qu'une promesse gastronomique : un univers condensé, un prisme à travers lequel évoluent des hommes, des atmosphères, des saisons, des souvenirs... Cette richesse, ce foisonnement, je souhaite vous les faire découvrir ; de la même façon que j'espère, au fil des pages, vous communiquer ma passion et vous faire partager mes coups de cœur.

R. Barthélemy

Roland Barthélemy, à l'âge de sept ans, accompagnant son père, Jean-François, aux Halles de Paris.

D.O.P
FEB·01

La magie de l'or blanc

À tous ceux qui craignent que la mondialisation soit synonyme de banalisation, de standardisation, de nivellement par le bas, cet ouvrage devrait apporter quelque réconfort et des raisons de ne pas désespérer : le rouleau compresseur de la modernité aura beaucoup à faire s'il veut uniformiser ce gigantesque patrimoine fait de traditions et d'innovations, de fidélité et de ruptures. Nous citons, au fil des pages de cet ouvrage, quelque mille deux cents fromages. Ils viennent de France, bien sûr, l'un des rares pays au monde où il suffit de parcourir trente kilomètres pour avoir le sentiment de passer une frontière. D'Europe, cela va de soi, où plusieurs pays se disputent le titre d'« autre pays du fromage ». Mais aussi du monde entier, même si ces fromages-là sont moins connus, naissance plus récente oblige.
Ces mille deux cents fromages ne représentent qu'une faible partie d'un univers en perpétuelle évolution. Il se crée chaque jour autant de produits qu'il en disparaît. Des contrées en déshérence fromagère, comme la Grande-Bretagne, connaissent soudainement une renaissance, exhument de vieux grimoires et ressuscitent des recettes oubliées. Nés dans la culture du cheddar anglo-saxon, les Québécois se sont lancés avec engouement dans des productions plus originales à partir des années 1970. Leur passion pour les fromages au lait cru date de moins de dix ans. Beaucoup de produits intéressants sont ainsi nés dans la Belle Province depuis les années 1990, tels le Victor et Berthold, le ciel de Charlevoix ou le saint-basile, dont les noms sont autant d'invitations au voyage.
De même, les États-Unis se sont dotés, au début des années 1990 à Madison, dans le Michigan, d'une association de producteurs fermiers sous les auspices de la Guilde des fromagers, que préside Roland Barthélemy. Des pays vierges de toute histoire fromagère, comme le Japon, prennent goût aux saveurs lactées : un groupe normand vient d'apprendre aux Japonais à fabriquer du camembert selon la recette traditionnelle. Les lieux décrits, les produits évoqués, les hommes et femmes cités dans ce livre ont tous été choisis par

Traditions patiemment transmises, gestes cent fois répétés : tel le *parmigiano reggiano*, certains fromages semblent issus du fond des temps. Dans la pénombre des caves, les hommes veillent au lent épanouissement de leurs saveurs (fromagerie Rolando Rossi).

Roland Barthélemy, détaillant affineur parisien de grande réputation, qui vous ouvre ainsi son carnet d'adresses et les portes de son imaginaire. Sa fromagerie est l'une des plus courues au monde, mais aussi l'une des plus modestes. Vue de l'extérieur : une façade aux tons crème, une gravure champêtre, quelques carreaux de terre cuite et deux vitrines minuscules, qui changent toutes les semaines. Vue de l'intérieur, c'est un espace presque exigu, où les employés ont pris l'habitude de se contorsionner pour laisser l'œil du client vagabonder sur les étals, qui grimpent jusqu'au plafond. Sous un présentoir, un escalier raide comme une sente de montagne plonge dans la cave où les fromages mûrissent patiemment avant de sortir au grand jour. Ce n'est pas un magasin, c'est un repaire ; ce n'est pas une boutique, c'est un antre. Délicieusement ordonné, ce petit univers de marbre, de verre, de bois et de faïence abrite tous les trésors fromagers du monde.

Le « 51, rue de Grenelle » est une source constante d'étonnement et d'émerveillement. Dans *Palomar,* le romancier italien Italo Calvino a magnifiquement dépeint cette caverne d'Ali Baba des fromages, cette boîte de Pandore des saveurs. Les palais fins y apprécient une sélection rigoureuse de produits proposés parfaitement à point. Les hommes de gestion calculent avec admiration la valeur ajoutée au centimètre carré. Issu d'une famille de fromagers cantaliens, Roland Barthélemy s'y est installé alors qu'il était tout juste âgé d'une vingtaine d'années, en 1971, et fut rejoint trois ans plus tard par Nicole, son épouse. Ils officient à tour de rôle au fond du magasin, entre deux colonnes de fromages. Claire, leur fille, vient s'y installer pour les fêtes de fin d'année.

Roland Barthélemy a vécu, comme tous ses confrères, les transformations brutales du monde fromager. Le mouvement de modernisation et de concentration qui s'est amorcé après-guerre n'a cessé depuis, stimulé par une volonté rarement démentie : augmenter les volumes tout en contrôlant l'hygiène (l'une des réponses a été

Des pâturages du pays d'Auge, en Normandie, aux chalets d'alpages suisses, sur les hauteurs de Gstaad, le succès de l'alchimie fromagère repose avant tout sur une grande méticulosité et une connaissance intime de la matière première.

la pasteurisation). Le fromage, il faut le rappeler, est né fermier, immédiatement transformé après la traite sur le lieu de l'exploitation afin de ne pas laisser le temps aux microbes indésirables de se développer. La création des laiteries, qui ramassent le lait de plusieurs éleveurs, et l'élargissement du rayon de collecte ont radicalement changé la donne : les laits sont refroidis pour n'être parfois transformés que quarante-huit ou soixante-douze heures plus tard. L'activité microbiologique a le temps de se développer. Il faut désormais « sécuriser » ces collectes.
Suivez le trajet du lait dans une exploitation moderne : la traite s'effectue mécaniquement avec des trayeuses nettoyées quotidiennement au désinfectant et part directement dans un tank en Inox, sans aucun contact avec l'ambiance extérieure. Le lait est alors refroidi à 4 °C environ pour que soit réduite l'activité microbienne. De nombreux ferments y laissent déjà leur peau, le camion-citerne ne passant parfois que tous les deux jours. Les laits se sont ainsi considérablement appauvris en germes, utiles ou indésirables.
Les divers laits mélangés dans la citerne sont transportés à la laiterie, où ils prennent la direction du pasteurisateur. Car certains microbes pathogènes n'ont pas peur du froid. En outre, les micro-organismes qui aiment le froid donnent généralement de l'amertume. La pasteurisation, qui consiste à chauffer le lait à plus de 70 °C pendant quelques poignées de secondes, fait le ménage.
Le lait est ultrapropre, autrement dit « mort » !

Il faut donc le réensemencer avec des ferments dûment sélectionnés pour redonner une saveur « typique » au fromage.
Ce qui tombe bien : les fromages très industrialisés sont destinés à la grande distribution, où un goût très régulier tout au long de l'année est un critère de « qualité » et de référencement ; le consommateur qui identifie et reconnaît facilement son produit, n'est pas dérouté.
Seulement, ce n'est pas avec quelques ferments, aussi bien sélectionnés soient-ils, que l'on donne de l'ampleur et de la complexité à un fromage. Si l'on peut parvenir à reproduire un arôme assez proche de l'original avec un nombre restreint de molécules, il lui manquera toujours le caractère et la profondeur. Un fromage au lait pasteurisé est incomparablement moins goûteux qu'un fromage au lait cru. L'un est standard, l'autre a des humeurs saisonnières.
Gardons-nous cependant d'idéaliser un passé où la qualité était pour le moins très inégale. Il ne fait guère de doute que l'échelle des valeurs s'est resserrée,

Page de gauche, la fabrication du salers à la ferme Salat, à Cussac.
Ci-dessus, le retournement du cabécou de Thiers dans son moule, à la ferme des Bergerettes.

Affectueusement dénommée « la mamma », madame Brunelli a transmis à son fils l'art de faire le *brocciu*. Mais c'est encore souvent elle qui met la main à la pâte.

que la qualité moyenne des produits a nettement progressé. Il suffit de relire la description brossée par Zola il y a plus d'un siècle dans *le Ventre de Paris* : les fromages y sont évoqués avec leur cortège de « puanteurs », de « vapeurs de soufre », de vers, etc. Les bonnes surprises sont peut-être moins fréquentes, mais les produits insupportables pour nos estomacs contemporains ont disparu.
Roland Barthélemy a bâti sa réputation sur un choix scrupuleux de produits à forte personnalité, authentiques, quasiment toujours au lait cru. Vous allez en découvrir une grande partie au fil de ces pages. Pour réaliser cet ouvrage, il a dû procéder à une sélection, forcément imparfaite, subjective à coup sûr. Elle est le fruit de ses pérégrinations et de ses engouements... de ses oublis, aussi. Les fromages pour lesquels il a un petit faible font l'objet de fiches « coup de cœur », égrenées ici et là au fil des chapitres telles des pépites gastronomiques.
Chaque fromage porte l'empreinte de la main de l'homme qui l'a imaginé, façonné, élevé. Et il s'agit souvent de la main d'une femme. Dans le monde paysan, l'homme vaque traditionnellement aux travaux des champs et s'occupe des bêtes. La femme de l'éleveur œuvre à la transformation du lait et aux soins des fromages. Depuis Marie Harel, créatrice officielle du camembert, toutes les grandes dynasties fromagères doivent beaucoup aux femmes, capables de transformer le lait en « or blanc ».

Citons quelques-unes d'entre elles : la mère Richard, qui a tant fait pour le saint-marcellin, à Lyon, et dont la fille a pris la relève ; Jacqueline Chévenet, modeste fermière productrice de mâconnais, qui a donné à son fils l'ambition de constituer le plus grand élevage de chèvres européen ; Bernadette Arnaud, à Poligny, dont le fils vient d'acquérir le somptueux fort des Rousses, havre de paix pour des milliers de meules de comté ; à Lapoutroie, dans les Vosges, c'est encore une femme, Virginie Haxaire, qui a pris brillamment le relais de son père... Initiatrices de génie ou légataires inspirées, toutes ces femmes portent en elles la culture fromagère dont elles savent, mieux que personne, assurer la transmission.

Fromagerie en Haute-Provence, sur le plateau de Valensole. Traditionnellement, les hommes s'occupent des travaux des champs et de l'élevage, les femmes de la fabrication.

Le secret des grands fromages réside en majeure partie dans la conduite de l'affinage. Ici, le brossage des saint-nectaire de la maison Jaubert (Saint-Nectaire).

Les plus entreprenants sont parfois les étrangers qui, à la suite d'un coup de foudre pour un morceau de France, s'y sont installés pour produire du fromage. *A priori* moins « légitimes «, ils ont tout à prouver. Parmi ceux-là, citons au hasard ce couple d'Allemands, Claudia et Wolfgang Reuss, qui produit une excellente bruyère de Joursac dans un coin perdu du Cantal, à 1 100 mètres d'altitude. Dans l'Ariège, au col del Fach, c'est une Canadienne, Marie-Suzanne Garros, qui a eu l'idée d'un étonnant « vacherin » au lait de chèvre. C'est une constante dans l'histoire de l'agriculture : le renouveau vient souvent d'ailleurs. Du côté de Forcalquier, n'est-ce pas le Provençal d'adoption Charles Chabot qui s'est fait le plus ardent ambassadeur du fromage historique local, le banon ?

Tous ces personnages sont attachants. Ils vivent intensément leur passion, se sentent personnellement touchés lorsqu'on leur dit être déçu par le dernier arrivage – cela peut arriver pour les produits fermiers, plus capricieux que les produits industriels. Pour vous faire découvrir cet univers passionnant, nous avons choisi une approche par saison. Elle vous permet de saisir pourquoi et comment la physionomie des étals change tout au long de l'année. Elle vous aide à choisir de manière plus judicieuse les produits quand ils sont à leur optimum. Elle vous plonge dans la réalité quotidienne des éleveurs, des producteurs, des affineurs. Au fil des mois, vous allez ainsi pénétrer les arcanes de l'univers fromager, découvrir les secrets des hommes et des femmes qui le façonnent, comprendre ses contraintes et l'origine de sa prodigieuse diversité. Un classement par ordre alphabétique et par famille d'appartenance vous est également proposé, en fin d'ouvrage, sous la forme d'annexes très détaillées.

Cet ouvrage est un hommage. Un hommage à un métier que Roland Barthélemy exerce passionnément depuis plus de trente ans, celui de fromager affineur : un travail d'artisan, fait de soins méticuleux et de respect attentif du détail. Un hommage à un univers qu'il côtoie quotidiennement, haut en couleurs, chaleureux, généreux : celui des producteurs et des transformateurs de lait.
Un hommage à une matière première d'une malléabilité inouïe, le lait, capable de se métamorphoser en une pléthore de trésors, aussi multiformes que savoureux.
Un hommage à un principe de conduite, l'humilité, car tous les acteurs cités dans ce livre ne sont rien sans le concours des autres. Un hommage à une histoire, enfin, celle de tous ceux qui, depuis la nuit des temps, ont œuvré à cette alchimie.

Jean-François Brunelli (*ci-dessus*), dans la cave où il affine ses tommes corses.

Printemps

Le parfum exquis de l'herbe fraîche

L'arrivée du printemps est synonyme d'explosion de saveurs sur les étals. Les animaux sortent des étables, des bergeries ou des chèvreries, où ils ont passé tout l'hiver, et retrouvent l'air libre et l'herbe fraîche. Les laits sont alors abondants et savoureux.

Comme pour tous mes collègues fromagers affineurs, l'année commence pour moi en avril, et pas avant. Avec l'arrivée du printemps, les caves se remplissent en l'espace de quelques semaines. Une farandole ininterrompue ! Les produits affluent de tous les coins de France et d'Europe. La nature, engourdie par l'hiver, explose de générosité. Avec les beaux jours, les animaux reprennent le chemin des pâtures. Fini le foin et les aliments secs de toutes sortes dont ils ont dû se contenter en hiver. L'herbe fraîche est de nouveau au menu ! Dans les bidons, le lait coule à flots.

C'EST NOTAMMENT LE GRAND RETOUR DES FROMAGES DE CHÈVRE. Réduits à la portion congrue en hiver, ils envahiraient volontiers les étals si on ne réfrénait leur esprit de conquête. Traditionnellement, les biquettes sont taries en hiver. Elles ne donnent du lait que de février jusqu'à la fin octobre, voire jusqu'à la mi-novembre (soit environ deux cent quatre-vingts jours par an). Commence alors le cycle de gestation. Elles mettent bas à la fin de janvier et au début de février. Leurs mamelles sont gonflées par l'afflux de lait, mais il faut encore patienter : au début de la lactation, le lait contient du colostrum, excellent pour la croissance du jeune mais guère favorable à la fabrication des fromages. La nature, prévoyante, fait en sorte que les petits puissent trouver dès qu'ils seront en mesure de paître, après leur sevrage, une bonne herbe fraîche et nourrissante.

LES FROMAGES DE CHÈVRE LES PLUS PRÉCOCES viennent logiquement des régions les mieux nanties par le climat, c'est-à-dire du pourtour méditerranéen : c'est le cas du *pecorino*, du *bra* ou du *robiola* italiens, de l'*aragon* ou de l'*ibores* espagnols, de l'*evora* portugais. En France, la Drôme, le Gard, l'Ardèche, la Haute-Provence se distinguent les premiers : pélardons, picodons et autres banons atteignent plus rapidement l'excellence. Sur mes étals, je propose donc les fromages de chèvre du centre de l'Hexagone avec quelques longueurs de retard, le temps qu'ils atteignent à leur tour leur optimum.

À Rotolo, près d'Ajaccio, la famille Brunelli élève cent vingt brebis. En raison d'un climat très favorable, le *brocciu* apparaît très précocement sur les étals. *Double page précédente :* le troupeau de chèvres de la ferme des Bergerettes, à Thiers.

Les pâturages de montagne, accessibles uniquement aux beaux jours, ont la réputation de fournir les laits les plus savoureux. *Page de gauche :* fabrication du morbier à La Chapelle-du-Bois.

POUR LES BREBIS, le rythme est légèrement décalé et la période de lactation plus courte, puisqu'elles fournissent traditionnellement du lait de la mi-décembre à la mi-juin. L'agneau naît vers le 15 novembre et les bergers ne commencent à traire que vers le 15 décembre. En Corse, mon ami fromager Jean-François Brunelli transforme du lait, grosso modo, de novembre à juillet. Ses premiers broccios m'arrivent par avion dès le début de l'année. Les brebis sont loin d'être de grandes productrices de lait, mais celui-ci est particulièrement riche en protéines (deux fois plus que le lait de vache). Sur l'ensemble d'une année, une brebis donne 200 litres de lait alors qu'une chèvre peut en donner jusqu'à 1 000 et une vache jusqu'à 9 000, voire 10 000, à raison de 20 à 30 litres par jour. La date de « mise à l'herbe » peut être plus ou moins tardive selon le relief. Dans les massifs montagneux, les animaux ne sortent qu'une centaine de jours dans l'année. Il faut attendre la disparition du manteau neigeux pour qu'ils puissent accéder aux alpages : la haute montagne, souvent enneigée jusqu'à la fin du printemps, ne devient accessible que dans le courant du mois de juin et, dès la fin de l'été, les chaleurs estivales jaunissent les pâtures. Ces pâturages de montagne, dans les Alpes comme dans les Pyrénées, les Vosges ou encore le Jura, ont la réputation, grâce à la richesse de leur flore, de produire les laits les plus savoureux.

DES ANNÉES D'EXPÉRIENCE me permettent d'affirmer que rien ne vaut le « lait d'herbe fraîche ». Pardonnez-moi de raisonner, en l'occurrence, en mode binaire : pour moi, l'année se divise en deux grandes saisons, celle de l'herbe fraîche et celle du foin. Le lait est à son meilleur au cours de la seconde moitié du printemps. Auparavant, la nature déploie, dans son réveil, une activité biologique si intense qu'elle se traduit par des fermentations excessives, qui peuvent être préjudiciables au fromage (même si l'herbe

Les brebis de race corse de Jean-François Brunelli. Une espèce parfaitement adaptée au climat et à la végétation locale.

Ne me demandez pas l'impossible !
Cessez de me demander avec insistance du fromage de chèvre pour vos plateaux de fin d'année ou un « excellent » camembert au mois de février, même s'il m'est difficile de vous dire non. Le fromage, surtout lorsqu'il est produit dans des conditions artisanales, est un produit saisonnier qui a ses hauts et ses bas, et parfois même des absences. Il faut lui pardonner et accepter que ce soit lui qui fixe les rendez-vous. Le mont-d'or n'est fabriqué que du 15 août au 15 mars, et le salers uniquement du 15 avril au 15 novembre. Il est tout de même malheureux que la période la plus prodigue ne soit pas la plus courue : vous consommez beaucoup plus de fromages lorsque le temps est rigoureux que lorsqu'il fait très bon !

Le meilleur du printemps
Le printemps est la saison de prédilection de la plupart des fromages. Voici quelques indications pour bien profiter de cette période faste.
• ***Les fromages de chèvre*** effectuent alors un retour en fanfare. Leur courte durée d'affinage (d'une dizaine de jours à un mois) les rend disponibles rapidement. Ils affluent du centre de la France (sainte-maure-de-Touraine, selles-sur-cher, crottin de Chavignol), du Poitou-Charentes (chabichou), de la région Rhône-Alpes (brique du Forez, chevrotin, persillé des Aravis), du sud du Massif central (rocamadour, picodon, pélardon) et, enfin, de Provence (banon, tomme d'Annot, brousse). L'embarras du choix !
• ***Les fromages à pâte molle***, à croûte fleurie (camembert, brie, chaource) ou lavée (maroilles, livarot, époisses), exigent un affinage rarement inférieur à un mois. Ils sont à leur optimum, sur les étals, dans le courant du mois de mai.
• ***Les pâtes pressées non cuites*** (saint-nectaire, reblochon) ne sont à leur sommet qu'un peu plus tard en raison d'un affinage plus long : il faut souvent attendre la mi-juin pour qu'elles donnent le meilleur d'elles-mêmes.
Les fromages d'alpage à pâte dure (comté, beaufort, gruyère, emmental), produits l'été précédent, commencent à devenir très intéressants. Les tommes auvergnates ou pyrénéennes ne sont pas de reste.

offre une appétissante couleur vert tendre). Lors de la mise à l'herbe des bêtes, le lait manque surtout de matières sèches, les fameuses caséines en particulier qui donnent sa tenue au fromage. Le passage à l'herbe est donc toujours délicat. Après une phase de stabilisation, le lait arrive à maturité, puis sa qualité baisse généralement au cours de l'été, avec de grandes variations selon le climat. Pour le fromager, la fabrication est assez différente par rapport à la période hivernale tant le lait change dans sa composition et sa richesse.

DANS LES PAGES SUIVANTES, je vous propose six fromages qui, dans leur version traditionnelle, ont la chance de porter dans leur cœur la signature des saisons.
Les variations de cette nature tendent depuis des années à devenir moins marquées, beaucoup de producteurs ayant pris l'habitude de désaisonner leurs élevages en déclenchant les mises bas à la période qui leur convient. De cette manière, ils parviennent à avoir un volume de lait plus régulier tout au long de l'année. Cette pratique est quasi générale dans les élevages de vaches, et de plus en plus fréquente dans les chèvreries et dans les bergeries. Faut-il le regretter ? Je n'en suis pas certain : la qualité des fromages ne s'en ressent aucunement. Je suis beaucoup plus inquiet, en revanche, lorsque des animaux restent à l'étable toute l'année !

L'égouttage du saint-marcellin (fromagerie de l'Étoile du Vercors), sur planches rainurées, à Saint-Just-de-Claix, sur les bords de l'Isère.

Brocciu

France (Corse)
Lait et petit-lait de brebis ou de chèvre

Fromage saisonnier, le *brocciu* (ou broccio) est au meilleur de sa forme au printemps. Ce produit modeste, de pays sec, est élaboré à partir de presque rien : du petit-lait qui reste dans le chaudron du fromager après la fabrication des tommes. Il contient suffisamment de protéines pour donner naissance, avec l'appoint de lait non écrémé, à un fromage. Qu'importe l'espèce animale qui a fourni le lait. En Corse comme ailleurs, les brebis n'en donnent qu'au cours de la première partie de l'année. Dès le printemps, les chèvres prennent le relais, et ce jusqu'à l'automne. Aujourd'hui encore, tous les producteurs font varier les proportions selon les disponibilités.
Une température élevée, de l'ordre de 80 °C, est nécessaire pour que les protéines s'agrègent (floculation). Le fromager doit, en outre, brasser énergiquement le liquide. Le terme « broccio » serait ainsi issu de *brousser*, qui signifie « battre », « fouetter ».
Au bout d'une heure, les grains de caillé remontent à la surface sous forme de flocons. Le fromager les rassemble avec une écumoire pour les agglomérer dans un moule. Il s'agit traditionnellement d'un panier de jonc, le *caciagia*, ou, de plus en plus, de faisselles en plastique. Le *brocciu* se consomme généralement très frais, mais on peut aussi le préférer *passu*, c'est-à-dire assez sec.

Cabri ariégeois

France (Midi-Pyrénées)
Lait de chèvre

Avec sa sangle et sa boîte, il a tout à fait l'allure d'un petit mont-d'or. Mais sous sa croûte ondulée, la pâte, coulante à souhait, est au lait de chèvre. Une sacrée prouesse technique que l'on doit à un ancien soixante-huitard en quête d'originalité. Philippe Garros élève cent quatre-vingts chèvres dans une vallée du comté de Foix, sans âme qui vive sur 4 kilomètres alentour. Son produit réalise un mariage heureux et étonnant entre les tannins de l'épicéa et le lait de chèvre. Le fromage est affiné de quatre à cinq semaines, au terme desquelles il pèse environ une livre. Alimentation naturelle, arrêt de la production pendant l'hiver (les chèvres sont taries de la mi-novembre à la mi-janvier) : le fromage reparaît sur les étals à partir du mois de mars et devient rapidement excellent. Il exige des soins très attentifs (il faut notamment laver sa croûte tous les jours ou un jour sur deux) et une surveillance rigoureuse de tous les paramètres de fabrication : le lait de chèvre n'est pas fait *a priori* pour cela. Par ailleurs, il faut le sangler, le retourner, le mettre dans sa boîte. Philippe avoue que sa femme, Marie-Suzanne, est bien plus experte que lui dans ces exercices. « Un vrai travail d'amoureux », confie-t-il. C'est sans doute pour cela que le cabri ariégeois est si épanoui.

Pont-l'évêque

France (Basse-Normandie)
Lait de vache

On le sent parfois à l'étroit dans sa boîte carrée, dont il aime déborder légèrement. Le pont-l'évêque est un fromage généreux, comme les gras pâturages normands dont il est issu et qu'il sublime à merveille. Il est né en pays d'Auge, prodigue région de bocage qui a également donné naissance au livarot et au camembert. Pont-l'Évêque est le nom d'une petite bourgade située entre Deauville et Lisieux. La zone d'appellation compte seize fabricants, dont la moitié sont des producteurs fermiers. On peut rencontrer sur les étals deux types de pont-l'évêque selon la méthode d'affinage choisie. Le premier est brossé régulièrement en cave : sa croûte se couvre d'une fine moisissure pâle et prend des teintes gris rosé, laissant apparaître des stries rougeâtres. Le fromage acquiert un goût noiseté caractéristique. C'est ce type de pont-l'évêque que l'on trouve le plus fréquemment dans les rayons de la grande distribution en raison de sa plus grande facilité de conservation. Le second, qui a ma préférence, est « lavé » régulièrement en cave avec de l'eau salée. Cette méthode favorise le développement du « ferment du rouge » qui donne à la croûte une teinte orangée et affermit le caractère de la pâte. Un bon pont-l'évêque ne libère totalement sa richesse qu'au bout de cinq à six semaines d'affinage. Cela en vaut vraiment la peine, vos papilles vous le confirmeront !

Saint-marcellin

France (Rhône-Alpes)
Lait de vache

Né il y a plusieurs siècles et alors réalisé à partir de lait de chèvre, le saint-marcellin est fabriqué aujourd'hui exclusivement au lait de vache. Les biquettes qui broutaient à peu de frais le long des chemins ont progressivement disparu du paysage. Ce fromage, délicieusement crémeux lorsqu'il est bien affiné, a toujours su s'entourer de prestigieux parrains.
Le futur Louis XI, gouverneur du Dauphiné, fait sa fortune en 1445 après une partie de chasse mouvementée : seul face à un ours, il est sauvé par deux bûcherons. Ils lui font ensuite goûter le fromage du pays, qui enthousiasme le dauphin. La demande explose avec l'arrivée du chemin de fer à Saint-Marcellin dans les années 1860-1870 : les grands marchés urbains sont désormais accessibles.
Le lait de chèvre, qui alors ne suffit plus, est fréquemment mélangé avec du lait de vache avant d'être totalement abandonné au fil des décennies.
À Lyon, Paul Bocuse et la mère Richard œuvrent à la renommée du saint-marcellin, qui devrait bientôt être couronné par une AOC centrée sur le Dauphiné. Ce fromage est irrésistible lorsqu'il s'épanche, et les laits de printemps favorisent cette propension. Une coupelle est alors nécessaire pour le présenter. Je fonds pour ceux de la fromagerie de l'Étoile du Vercors dont certains hâloirs donnent directement sur l'Isère, qui coule au pied de la laiterie. L'atmosphère est parfaite pour ces fromages qui apprécient l'humidité.

Stilton

Royaume-Uni
(centre de l'Angleterre)
Lait de vache

Moins salé que le roquefort aveyronnais, moins crémeux que le gorgonzola lombard, le stilton est le plus moelleux de cette grande trilogie européenne de bleus, particulièrement au printemps et en été. Très équilibré, puissant sans être piquant quand il est affiné dans les règles de l'art, il gratifie ses amateurs d'une longueur en bouche peu commune. Cette belle ampleur justifie son titre de « roi des fromages anglais ». Ses origines, beaucoup plus récentes que celles, millénaires, du roquefort ou du gorgonzola, remontent sans doute à trois ou quatre siècles. Originellement, la moisissure bleue apparaissait spontanément dans la pâte, le plus souvent de manière capricieuse, au grand dam des fromagers. Aujourd'hui, le stilton est produit dans une dizaine de laiteries. Toutes ont malheureusement renoncé à travailler au lait cru. Il est fabriqué uniquement dans les régions du Leicestershire, du Derbyshire et du Nottinghamshire. Il atteint son optimum après dix à quinze semaines d'affinage. Ensuite, il se marbre, noircit, et certains arômes commencent à disparaître. Impossible de ne pas citer son association magique avec le porto. En revanche, la préparation qui consiste à mêler le breuvage à la pâte du fromage fait moins l'unanimité.

Pougne cendré

France (Poitou-Charentes)
Lait de chèvre

Le pougne cendré a au moins vingt-cinq ans d'existence. S'il ressemble à un selles-sur-cher dans un format plus petit, c'est d'un fromage régional aujourd'hui disparu qu'il s'inspire : le cendré de Niort. Un pougne cendré affiné pèse environ 150 grammes.
Le jeune fermier Sébastien Gé est le seul à en produire, et la fabrication est assez traditionnelle. Pour faire un fromage, il faut environ 1,25 litre de lait, lequel est travaillé immédiatement après chaque traite. Le moulage à la louche est effectué dans les vingt-quatre à quarante-huit heures suivant le caillage. On procède au cendrage (au charbon végétal) de vingt-quatre à trente-six heures après la mise en faisselle. Le pougne (nom d'une ancienne localité, mariée à celle de Hérisson) se déguste frais (excellent au printemps !) ou affiné. La clientèle locale l'apprécie assez sec, lorsqu'il a bénéficié d'un mois et demi à deux mois d'affinage. Sébastien Gé ne recherche pas l'apparition de fleur bleue à la surface du fromage.
Il encourage au contraire la formation d'un duvet blanc *(Geotrichum)* qui, en se mêlant au charbon végétal, donne une teinte grisâtre à la croûte. Celle-ci a tendance à former de légères rides. Les fromagers disent qu'elle frise… et c'est un signe de qualité !

Dans la pénombre des caves, chacun à sa place !

Sur les étals, les fromages se bousculent joyeusement. Les odeurs et les couleurs se mêlent dans un ballet virevoltant. Mais dans la fraîcheur des caves, saturées d'humidité, un ordre tout autre règne. Suivez-moi…

Ah le joli mois de mai ! Mes étals et mes caves regorgent de fromages. Les produits s'affinent patiemment. Ici naissent des odeurs de pomme verte, là de champignon, là encore de levure… Étonnante diversité d'arômes, de formes, de couleurs, liée aux terroirs, aux manières de faire et aux particularités propres à chaque type de lait. Les fromages de chèvre, l'avez-vous remarqué, sont très souvent de petit gabarit. Les fromages au lait de vache, de l'imposante meule de beaufort au modeste langres, semblent au contraire à l'aise dans toutes les catégories. Quant aux fromages de brebis, ils ne se hasardent qu'assez rarement dans le domaine des textures molles (le pérail constitue une exception), semblant préférer les pâtes dures, à l'image des fromages de brebis des Pyrénées.

LES FROMAGERS sont aujourd'hui capables de fabriquer, à partir de n'importe quel lait, tous les types de fromages, des pâtes les plus coulantes aux plus dures, des plus douces aux plus corsées… Rien ne s'oppose par exemple, au prix de quelques recherches et adaptations, à la réalisation d'un gruyère de chèvre. Il s'en fabrique d'ailleurs en Crète, sous le nom de *graviera*. Reste qu'il s'agit plutôt d'une exception. Traditionnellement, les troupeaux de chèvres sont de taille modeste et ont bien du mal à fournir les 500 litres de lait nécessaires à la fabrication d'une meule de type comté. Il ne faudrait pas loin de deux cents chèvres pour fournir une telle quantité en un seul jour, ce qui est très loin d'être la norme !

AUTRE FACTEUR IMPORTANT : le lait de chèvre est plutôt pauvre en protéines, or ce sont elles qui donnent l'ossature des fromages. Au stade du moulage, une meule de fromage de chèvre présenterait le risque de ne pas garder sa forme, de s'étaler ou de se casser à la sortie du moule. Les plus gros fromages de chèvre de France ne dépassent

Les pays du pourtour méditerranéen (*ci-contre, à gauche*, les environs de Nuoro, en Sardaigne) sont des terres de prédilection pour les chèvres et brebis. *Page de droite :* les *pecorini* de la fromagerie sarde Podda.

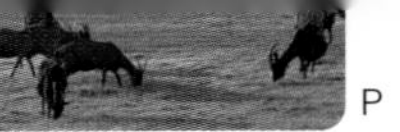

Du lait au fromage : le minimum à connaître
Fruit de tâtonnements empiriques et de certitudes scientifiques, la fabrication du fromage repose sur une séquence immuable : tout fromage est du lait que l'on a fait coaguler, plus ou moins égoutté et éventuellement affiné.

• ***Le lait*** est très souvent utilisé partiellement écrémé (de manière traditionnelle, la crème sert à faire le beurre). Un lait gras confère en principe plus de souplesse à la pâte. Utilisé cru, il offrira le maximum de son potentiel gustatif. Qu'il ait subi une pasteurisation ou une thermisation (pasteurisation partielle), il donnera, la plupart du temps, un produit plus standardisé. Les sous-produits du lait (petit-lait, ou lactosérum) et du beurre (babeurre), qui contiennent des protéines résiduelles, peuvent également permettre de fabriquer des fromages.

• ***La coagulation*** est un processus qui va lier entre elles les protéines du lait. Elle s'opère spontanément lorsqu'on laisse le lait à température ambiante : il « tourne » et caille sous l'action de ses propres ferments et des bactéries présentes dans l'atmosphère. Pour favoriser ce processus, le fromager peut adjoindre au lait d'autres ferments lactiques (il y est contraint lorsque le lait est trop pauvre ou a été pasteurisé), voire de la présure naturelle (issue de l'estomac de jeunes veaux) ou encore des enzymes coagulantes d'origine microbienne. Les caillés à dominante lactique donnent en général des fromages qui durcissent et se dessèchent en s'affinant (c'est le cas pour la majorité des fromages de chèvre), tandis que les caillés à dominante présure (on parle aussi de « caillé doux ») favorisent les textures plus souples (de type brie ou munster).

• ***Le caillé***, une fois mis en moule (pour acquérir la forme souhaitée), doit être égoutté de son sérum, plus ou moins selon le but recherché : moins il comporte d'humidité, plus le fromage se conserve longtemps. L'égouttage peut ainsi être lent et spontané, ou bien accéléré : pour cela, il suffit de découper le caillé ou de l'émietter par brassage, voire de le presser ou même de le chauffer (à environ 50 °C).

• ***L'affinage*** s'opère sous l'action de différents micro-organismes, telles les bactéries, les moisissures ou les levures, qui œuvrent en surface ou à l'intérieur de la pâte. La croûte se forme (avec l'aide de sel), la pâte se transforme, la saveur s'affirme…

pas la taille d'une tomme d'une vingtaine de centimètres de diamètre. C'est aussi la raison pour laquelle le sainte-maure-de-Touraine est transpercé par une paille, dont la vertu n'est pas de l'aérer, mais de le rendre plus solide.

LES LAITS ONT AINSI, selon l'animal dont ils proviennent, des aptitudes qui rendent leur utilisation plus ou moins facile pour certaines recettes. Un œil averti le remarque dès l'arrivée du lait à la fromagerie. C'est une question de consistance. Les laits de vache et de chèvre sont d'une couleur assez blanche et d'un aspect assez fluide par rapport au lait visqueux, opaque et odorant des brebis. Une telle texture révèle déjà, à l'aspect, de belles qualités fromagères. Avec 1 litre de ce lait, on produit deux fois plus de fromage qu'avec 1 litre de lait de vache, lui-même plus riche que le lait de chèvre. Les brebis sont les championnes de l'aptitude fromagère !

CÔTÉ ODEURS, en revanche, tous les laits ont au départ tendance à se ressembler. Il faut du temps pour que la personnalité des uns et des autres puisse s'exprimer. Pour le lait de chèvre, il faudra attendre soit un stockage prolongé au froid, soit la transformation en fromage pour que le « goût de chèvre » s'épanouisse. Cette odeur est surtout liée à la présence de certains acides gras. Le bleu des Causses (vache), proche cousin du roquefort (brebis) en termes de fabrication, est pourtant très différent car il ne s'agit pas des mêmes acides gras. Ce sont les corps gras du lait qui, à la fois, fixent et développent les arômes. Pour s'en convaincre, il suffit d'observer la capacité irritante du beurre à prendre toutes les odeurs du réfrigérateur. Le gras est une formidable éponge à arômes.

SUR LES ÉTALS, j'ai tendance à regrouper les fromages, selon la saison, en fonction de l'espèce animale qui a fourni le lait ou par similitude de taille. En cave, c'est une autre logique qui prévaut, bien plus stricte, celle du type de recette utilisée : les fromages sont affinés par famille, dans des ambiances très spécifiques.

PAS QUESTION, par exemple, de laisser se côtoyer des fromages à croûte lavée (munster, époisses, maroilles, etc.), qui nécessitent beaucoup de fraîcheur et d'humidité, avec des fromages qui préfèrent les atmosphères plus sèches, comme une grande majorité de fromages de chèvre. Un *caprini* du Piémont n'aura aucune envie d'être recouvert, en l'espace de quelques jours, par les ferments rougeâtres d'un envahissant herve de Belgique.

C'EST POURQUOI, EN CAVE, ranger les fromages selon l'espèce animale dont provient le lait ou selon leur terroir d'origine n'a aucun sens. Les saint-marcellins au lait de vache font cave commune avec des pérails (brebis) et des gramats (chèvre), tandis que les tommes des Bauges (vache) partagent la compagnie des tommes des Pyrénées (brebis) ou celle des chevrotins des Aravis (chèvre). Question d'affinités et de parentés de fabrication…

SI L'ON DEVAIT FAIRE une « arche de Noé des fromages traditionnels », comme l'a imaginé par exemple l'association italienne Slow Food (créée en réaction aux *fast foods* et apôtre de la diversité), il faudrait que de bons professionnels veillent à éviter toute pagaille. Chacun à sa place pour conserver son intégrité, ses couleurs et ses saveurs ! J'ai le souvenir de camemberts de Normandie colonisés, par accident, par la moisissure bleue de fromages de chèvre de Touraine. Imprésentables !

LES PAGES SUIVANTES mettent en scène des fromages dont la forme est éclatante au printemps : des fromages à croûte naturelle (crottin), brossée (chevrotin), fleurie (royal briard), lavée (vieux-boulogne), etc. Cette juxtaposition peut s'imaginer pour un buffet mais, vous l'avez compris, est impensable en cave !

Chevrotins des Bauges, dans les caves de Denis Provent, à Chambéry. Les fromages sont brossés en fin d'affinage.

Crottin de Chavignol

France (Centre)
Lait de chèvre

Chavignol est une petite commune du centre de la France, que l'on aperçoit depuis la butte de Sancerre, accolée à la Loire. La vigne est omniprésente. L'histoire de ce fromage est étroitement liée à celle du vin : la chèvre était la « vache du pauvre », celle des vignerons modestes.
Le crottin de Chavignol a été beaucoup galvaudé ; en France, on fabrique des « crottins » dans tout le pays. Je fais confiance à une jeune fermière, Magali Legras, installée en bordure du vignoble, dans le Pays-Fort, région bocagère très vallonnée et assez humide, aux prairies permanentes.
Une peupleraie entoure l'exploitation, bâtie autour d'une ferme typique en pierre noire du Berry. Ses quatre-vingt-dix chèvres sortent en période estivale, ce qui est devenu rare dans la région.
Ses crottins se couvrent progressivement, comme il se doit, d'une fine moisissure bleue tout en conservant leur fraîcheur. Magali est prête à renoncer au label AOC, lasse de se voir reprocher des « fromages trop riches » ! S'il le faut, je la suivrai sur ce chemin. On appellera ses fromages « crottins fermiers ». Si vous passez dans la région, n'hésitez pas à lui demander de goûter ses crottins « repassés », affinés jusqu'à trois mois dans des pots en grès, crémeux à cœur, comme le faisaient les anciens. Papilles sensibles s'abstenir !

Chevrotin des Bauges

France (Rhône-Alpes)
Lait de chèvre

C'est du tout bon ! Le chevrotin des Bauges, toujours fabriqué au goûteux lait cru de montagne, respire le naturel avec sa croûte épaisse et grisâtre où affleurent, selon la saison, des pigments jaunes, rouges et même roses l'été. Ils sont trois ou quatre à fabriquer ce produit au sein des Bauges, massif qui forme une entité naturelle bien délimitée entre Annecy, Chambéry et Albertville, à cheval sur la Savoie et sur la Haute-Savoie.
Les Bauges culminent à 2 200 mètres d'altitude, et les villages sont situés entre 600 et 1 100 mètres. Ce pays, dédié à la tomme de vache, fabrique depuis fort longtemps cette version au lait de chèvre. Un chevrotin nécessite environ six litres de lait et d'un à deux bons mois d'affinage pour que sa pâte devienne moelleuse. Je laisse ce soin à Denis Provent, affineur à Chambéry, qui connaît tous les coins et recoins du massif. Il travaille notamment avec un producteur qui a scindé son troupeau en trois groupes pour décaler les périodes de lactation. Cela évite d'avoir de trop longs mois de coupure… et de frustrer les amateurs de sports d'hiver de passage dans la région. Denis m'assure qu'un gamay de Savoie honore très bien un chevrotin. À vous d'essayer !

Dôme du Poitou

France (Poitou-Charentes)
Lait de chèvre

Le dôme, forme peu courante pour les fromages, donne pourtant d'excellents résultats : l'affinage se fait de manière parfaitement homogène, et la découpe est bien plus aisée que pour les fromages en forme de pyramide. Hélène Servant produit ainsi depuis sept ans à Melle, dans les Deux-Sèvres, grande terre d'élevage caprin, ce fromage volontiers crémeux et de gabarit modeste. Le modèle de moule lui a été apporté par un client intéressé par ce format. Après plusieurs années d'expérience comme productrice fermière, Hélène a décidé de se concentrer sur la seule transformation (une quinzaine de produits différents sortent de son atelier !) : elle a cessé d'élever des chèvres et utilise le lait que lui apporte un éleveur voisin. Sa méthode est des plus traditionnelles : travail au lait cru, moulage à la louche, exclusion des ferments industriels… Hélène est toujours désolée lorsque des clients de passage lui demandent des fromages frais, elle qui recommande au moins deux mois d'affinage pour son dôme du Poitou. Celui-ci, dont la croûte ne bleuit qu'exceptionnellement, existe également en version cendrée. Ce fromage, assez doux en bouche mais doté d'une authentique identité de produit de terroir, a fière allure !

Pecorino sardo

Italie (Sardaigne)
Lait de brebis

Les *pecorini* forment en Italie une très prolifique et hétéroclite famille de fromages, dont la plupart disparaissent en cuisine, râpés, émincés ou détaillés en copeaux pour parfumer et agrémenter non seulement les pâtes mais aussi toutes sortes d'autres plats. Ici on les consomme frais, là durs comme du caillou. Leur origine se perd dans la nuit des temps (Pline l'Ancien les évoquait déjà). Seul trait commun, à l'origine de leur nom, l'utilisation de lait de brebis. Chaque région ou presque dispose de sa propre version, les plus connues étant celles du *pecorino romano* (fabriqué à la fois dans le Latium et en Sardaigne), du *pecorino toscano* (élaboré en Toscane) et du *pecorino sardo* (dit aussi *fiore sardo*), qui est l'un des plus exportés. Celui-ci se présente sous la forme d'un cylindre au talon joliment bombé, d'un poids rarement inférieur à 1,5 kilo et pouvant aller jusqu'à 4 kilos. Bénéficiant d'une appellation d'origine contrôlée, c'est un produit saisonnier, fabriqué essentiellement durant la première partie de l'année. Sa version *dolce*, affinée de vingt à soixante jours, offre une pâte tendre. Le *maturo* nécessite au minimum une année d'affinage : sa pâte est dure et cassante. Comme beaucoup de fromages de brebis à pâte pressée, le *pecorino sardo* libère des arômes légèrement citronnés lorsqu'il est jeune et qui peuvent devenir piquants au fur et à mesure qu'il vieillit.

Vieux-boulogne

France (Nord)
Lait de vache

Le quart nord-est de la France est la terre d'élection des fromages à pâte molle et à croûte lavée, dont mon confrère affineur de Boulogne-sur-Mer, Philippe Olivier, s'est fait le héraut : il est à l'initiative de la naissance du vieux-boulogne. Après avoir beaucoup tâtonné avec un jeune fromager, il a présenté pour la première fois en 1982 ce fromage dont l'aspect évoque un pont-l'évêque. Depuis, trois artisans fabriquent du vieux-boulogne (construction verbale fréquente dans le Nord : il existe aussi du vieux-lille et du vieux-gris-de-Lille). Ils font paître leurs vaches entre les caps Blanc-Nez et Gris-Nez, où un vent souvent généreux porte les embruns salés jusqu'aux pâtures, sélectionnant ainsi une flore très spécifique. La pâte, légèrement pressée, est très liée et laisse apparaître des trous de fermentation. De manière plus originale, sa croûte est lavée régulièrement à la bière Saint-Léonard. Ce fromage est affiné en moyenne pendant deux mois. Autant vous préciser qu'il a du caractère et de la présence… Cette initiative est heureuse, car elle montre la vitalité du monde paysan. Si des produits traditionnels, souvent ancestraux, disparaissent régulièrement, d'autres réussissent à naître et à fonder de nouvelles traditions.

Royal briard

France (Île-de-France)
Lait de vache

Tous les affineurs de la région parisienne proposent leur propre version du brillat-savarin, fromage triple crème inventé au début du siècle dernier. Cela n'a rien d'usurpé, car la conduite de l'affinage de ce type de produit, assez fragile, exige un grand savoir-faire. Il n'est pas rare que des goûts âcres de savon apparaissent sous la croûte lorsqu'il n'est pas correctement mené. Tout se joue pratiquement au cours des premiers jours suivant la fabrication : l'affineur doit notamment surveiller de près la prise de flore et la manière dont le fromage perd son humidité en hâloir. Gérard Gratiot, affineur dans les Hauts-de-Seine et grand spécialiste des fromages à pâte molle et croûte fleurie de l'Île-de-France, propose ainsi ce royal briard, fabriqué en Seine-et-Marne et affiné dans ses caves d'Asnières. Il le travaille de quatre à six semaines. Au fur et à mesure, le fromage perd du poids dans le hâloir, pouvant passer de 600 à 450 grammes. Sa pâte grasse et onctueuse en fait un vrai produit de fête. Ses deux grosses périodes de vente sont d'ailleurs les fêtes de fin d'année et Pâques.

En route vers les cimes !

À la fin du printemps, dans les massifs montagneux, les troupeaux montent dans les alpages où ils vont séjourner une centaine de jours. Même si les animaux sont de plus en plus souvent acheminés par camion, la transhumance reste une pratique vivace. Et un gage de qualité !

C'est un rituel indémodable. À la fin du printemps, dans toutes les régions montagneuses d'Europe, les troupeaux s'ébrouent pour prendre le chemin des cimes et aller goûter à la bonne herbe des pâturages d'alpage. J'essaie toujours de me rendre sur le terrain à cette période pour assister à ce spectacle plein de gaieté, notamment à Allanches, dans mon pays du Cantal.

AU SORTIR DES ÉTABLES, l'excitation règne. Les sabots claquent sur le sol. Au début, le troupeau gambade littéralement, coupe les lacets au plus court, marche au train. Mais plus le soleil monte dans le ciel, plus le rythme ralentit. Au fur et à mesure que la pente s'élève, le troupeau perd sa forme compacte et s'allonge en file indienne. Les belles commencent à tirer la langue, s'accordent des pauses sous les ombrages, prennent le temps, au détour d'un virage, de laisser vagabonder leur regard en direction du village, désormais enfoui dans la verdure…

Fête de la transhumance dans l'Aubrac, dans le Massif central. Pour prendre leurs quartiers d'été, les vaches revêtent leurs plus beaux oripeaux.

C'EST LA TRANSHUMANCE, qui donne souvent lieu à des festivités. Les vaches sont parées de grosses cloches et de rubans, un cortège aux allures folkloriques s'élance dans leur sillage à l'assaut des alpages. Cette tradition remonte au Moyen Âge. En France, elle est encore vivace dans les Alpes et dans les Pyrénées, mais aussi en Auvergne, dans les Vosges ou dans le Jura.
Le principe de la transhumance repose sur un souci pratique d'économie et d'utilisation optimale des ressources : exploiter les herbages d'altitude permet de garder, pour l'hiver, les fourrages de plaine, conservés sous forme de foin. Le séjour en alpage dure grosso modo cent jours. Bien sûr, les transhumances s'effectuent désormais le plus souvent par camion et sans le moindre folklore, mais le travail en altitude reste toujours aussi exigeant, avec de longues journées de labeur : il faut à la fois surveiller et soigner les bêtes, transformer le lait deux fois par jour, entretenir l'estive (voir pages 92 à 100)...

DANS LES MASSIFS ALPINS, la pratique de la transhumance est assez sophistiquée : elle s'effectue par paliers successifs, s'échelonnant de 1 500 à 2 500 mètres d'altitude (2 800 mètres, exceptionnellement). Les cycles de la végétation y sont plus rapides qu'en plaine.
Un premier cycle démarre avec le départ de la neige et dure environ un mois. L'herbe pousse en dix à quinze jours après la disparition de la neige. Une semaine plus tard, elle est bonne à être pâturée. S'il pleut suffisamment, le milieu de l'été voit se développer une petite repousse, qui sera consommable trois semaines plus tard.

LES ANIMAUX suivent ainsi la progression de la pousse de l'herbe, de plus en plus tardive au fur et à mesure que l'altitude s'élève. Vers la moitié du mois d'août,

Pâturages à Jarsy, dans le massif des Bauges.
La pratique de l'estive reste vivace dans tout le massif alpin.
Ci-contre, à droite : ancien moule en bois, musée de la Maison du val d'Abondance.

Quelle confiance accorder aux labels de qualité ?
Label rouge, appellation d'origine contrôlée, fromage fermier, lait cru, produit de l'agriculture biologique, charte de qualité maison : de multiples signes de qualité apparaissent sur les étiquettes. Difficile de s'y retrouver et de leur accorder une totale confiance…
Le fromage est en effet le fruit d'une très longue chaîne, qui sollicite plusieurs métiers et divers savoir-faire, de l'éleveur au fromager et de l'affineur au détaillant. Un camembert produit avec les meilleurs laits peut rester insipide par défaut d'affinage.
De plus, comme tout produit naturel, vivant et capricieux, la qualité d'un fromage peut varier de manière importante d'une semaine à l'autre, surtout lorsqu'il est fabriqué au lait cru.
Dès lors, tout label prétendant garantir *a priori* la qualité intrinsèque d'un fromage traditionnel relève de la publicité mensongère. À mon sens, le plus sage est de s'en remettre à la compétence du professionnel placé au bout de la chaîne, le fromager détaillant. Il connaît parfaitement ses produits (de leurs conditions de fabrication à leur durée d'affinage), en fait régulièrement le tri, sélectionne ceux qui se présentent sous leur meilleur jour au moment souhaité, est en mesure de vous faire partager ses coups de cœur et de justifier ses choix… sans besoin d'invoquer tel label ou telle appellation.
Ces signes de qualité sont nécessaires et utiles. Ils fournissent des indications, mais pas des certitudes. Ils peuvent induire des préjugés favorables : la mention « lait pasteurisé » ne m'annonce rien de fameux, et le sigle de certaines AOC particulièrement exigeantes (elles ne le sont pas toutes) me rassure. Sachez aussi que la première impression est généralement bonne conseillère : un fromage qui ne provoque aucun désir révèle rarement de divines surprises.

La fête de la transhumance,
à Allanches, au pays du cantal.
Un grand rendez-vous rituel.

les troupeaux sont au plus haut. En redescendant, ils consomment la seconde pousse des quartiers de juillet, puis, pour finir, la seconde pousse des quartiers de juin.

LA SAVOIE, par exemple, compte quatre-vingts ateliers de fabrication fermière en alpage, où sont élaborés beaufort, tomme de Savoie, tome des Bauges, reblochon, bleu de Termignon, chevrotin des Aravis ou persillé de Sainte-Foy… Avec près d'un millier d'alpages, dont la taille peut aller de 30 à 800 hectares, c'est l'une des premières terres de transhumance de France.

CETTE PRATIQUE connaît un certain regain par rapport aux années 1970, où les alpages étaient largement sous-utilisés. Contrairement à une idée reçue, ce sont les ovins et les caprins qui fréquentent le plus les alpages savoyards : ils sont cent cinquante mille (contre trente-huit mille bovins), dont quatre-vingt-dix mille en provenance du sud de la France, principalement des Bouches-du-Rhône,

Ci-contre et à droite : fabrication fermière de l'abondance, dans le massif du Chablais, chez André Girard. Température de la cuve : près d'une cinquantaine de degrés.

sous forme de gros troupeaux atteignant facilement deux mille têtes. Seuls mille quatre cents bovins font le même déplacement. De nombreux éleveurs du Sud — et ce n'est pas un hasard — sont des Savoyards « expatriés ». La transhumance concerne essentiellement les vallées de la Maurienne et de la Tarentaise. Les troupeaux du Beaufortin commencent à y pâturer à la fin du printemps, puis basculent dans la Tarentaise pendant le plein été avant de revenir dans le Beaufortin début septembre.

DANS LES VOSGES, où le relief est beaucoup plus doux, ni montée par paliers, ni changement de vallées : en un peu plus de deux heures de marche, le troupeau de vaches accède aux « chaumes », les alpages vosgiens, situés à 1 000 mètres d'altitude. Après avoir traversé les forêts de conifères, puis les hêtraies, il parvient enfin sur un épais tapis de verdure ponctué de taches de couleur : myosotis, œillets, marguerites, pissenlits, pieds-de-poule, arnicas... Là-bas, comme partout, le jour choisi ne doit rien au hasard : « On ne fait la transhumance que le mardi, le jeudi ou le samedi, m'a confié un éleveur. Les autres jours sont réputés maudits ; ce sont, dit-on, les sorcières qui font la transhumance. »

EN SUISSE, à Martigny, le retour dans la vallée, à l'automne, donne lieu à un spectacle pittoresque : le combat rituel des « reines ». Il oppose, dans les arènes gallo-romaines de la ville, les vaches qui se sont imposées pendant l'été à la tête de chaque troupeau. À l'issue d'épreuves éliminatoires, de ruades et de coups de corne, une hiérarchie s'établit. Le dernier combat couronne la « reine des reines ».

LA TRANSHUMANCE, grand mouvement saisonnier, relève de traditions séculaires. Mais le système a été fortement ébranlé par l'industrialisation de l'agriculture et par l'exode rural qui ont marqué le siècle dernier. L'importance actuelle accordée à l'aménagement du territoire lui redonne aujourd'hui un rôle de premier plan. Ce ne sont pas nous, les fromagers, qui allons nous en plaindre !

Le pressage des fromages permet d'accélérer l'égouttage et de leur donner une forme parfaite. Particularité de l'abondance : le talon du fromage est concave.

Idiazabal

Espagne
(Provinces basques et Navarre)
Lait de brebis

L'*idiazabal* est né sous les sommets pyrénéens, là où les troupeaux de brebis (de races lacha et caranzana) parcouraient la montagne, l'été, en toute liberté. En septembre, lorsque le temps tournait et que les premiers coups de froid s'annonçaient, les bergers redescendaient dans la vallée avec leur cargaison de fromages, légèrement fumés à la suite de leur séjour prolongé dans les cabanes d'altitude chauffées au feu de bois.
Il existe toujours une version fumée de l'*idiazabal*, produite soit par des fermiers, soit par des artisans. Les fabrications plus industrielles ignorent cette variante. Ce produit de caractère, qui aime porter gravés sur sa croûte des emblèmes basques, se présente sous la forme de cylindres épais dont la pâte est constellée de petits trous épars. Sa texture est assez sèche, mais un affinage de six mois finit par l'assouplir. Il présente de nombreuses similitudes avec les tommes de brebis du versant français mais, des deux côtés de la frontière, l'attachement à des races locales permet à chacun de conserver une réelle spécificité.

Grataron d'Arèches

France (Rhône-Alpes)
Lait de chèvre

Attention, fromage en voie de disparition ! Denis Provent, affineur à Chambéry, ne cesse de me le répéter : les trois derniers producteurs de grataron d'Arèches sont déjà assez âgés et leur exploitation est de taille trop modeste pour intéresser d'éventuels repreneurs. Ce serait une perte très dommageable, car ce produit au charme fort est assez unique. C'est, à la connaissance de Denis, le seul fromage de chèvre à pâte molle et à croûte lavée des Alpes. Il est produit à environ 1 500 mètres d'altitude, au sein du Beaufortin, dans un fond de vallée, et il n'a jamais fait d'émules hors de ces frontières. Au début du XXe siècle, il était fabriqué dans chaque maison. Les paysans le lavaient, sans doute pour enlever le « poil de chat », cette moisissure grise caractéristique des tommes de Savoie qui se fait envahissante quand le temps est très humide. Ils en fabriquaient surtout l'hiver. L'été, quand le lait était plus abondant, la tomme prenait le relais. Le fromage est régulièrement lavé en cave avec une éponge trempée dans de l'eau salée. Sa croûte devient peu à peu orangée à ocre, et sa texture moelleuse. Elle évoque celle du reblochon mais avec le parfum d'une tomme et une petite pointe de sel supplémentaire qui lui confère un très bon caractère.

Abondance

France (Rhône-Alpes)
Lait de vache

Il faut de 60 à 70 litres de lait pour fabriquer une meule d'abondance, fromage reconnaissable à son talon concave (incurvé vers l'intérieur) qui évoque celui du beaufort. L'abondance est née dans le Chablais, dans le nord des Alpes, sous le lac Léman.
Sa méthode de fabrication est assez proche de celle des « gruyères », avec pour différence essentielle un moindre chauffage du caillé, d'où une pâte moins dure. Ainsi, l'abondance ne peut s'affiner aussi longtemps qu'un beaufort : six mois lui suffisent pour atteindre son optimum. Elle se distingue par sa texture souple, voire fondante. Les fromages fermiers se reconnaissent à la présence, sur la croûte, d'une plaque de caséine bleue de forme carrée (ovale pour les fromages fabriqués en laiterie).
Mon ami Daniel Boujon, détaillant à Thonon-les-Bains et fin connaisseur des fromages savoyards, tient à la petite amertume — très caractéristique — de l'abondance et ne prêche que pour les produits artisanaux fabriqués en alpage. « Ceux que l'on élabore en laiterie, c'est la page bien écrite et sans rature, mais sans personnalité, a-t-il coutume de dire. Le produit artisanal développe un arôme que jamais le meilleur des fromages laitiers n'atteindra. Certes, il présente parfois des défauts, n'a pas toujours des petits trous bien ronds comme le voudrait l'appellation d'origine contrôlée. Mais ces défauts sont souvent source de richesse et la signature de grands fromages. » J'adhère totalement à son propos.

Saint-nectaire

France (Auvergne)

Lait de vache

Le saint-nectaire sent bon la terre et l'humus : c'est un rustique. Sous sa croûte, parfois couverte de fleurs jaunâtres ou rougeâtres, la pâte, souple et moelleuse, allie délicatesse et ampleur gustative. C'est un mondain distingué. N'avait-il pas les honneurs de la table du Roi-Soleil, où il fut introduit, vers 1655, par un maréchal de France auquel il doit son nom, Henri de la Ferté-Senneterre ? Né dans la région du massif du Mont-Dore, au cœur de l'Auvergne, son terroir est constitué de terres volcaniques, couvertes de prairies bien grasses. Si la majeure partie de la production est aujourd'hui industrielle, quelque cinq cents producteurs fermiers assurent sa vitalité. Mon ami Philippe Jaubert, affineur qui dirige une maison créée en 1908 par son grand-père, a travaillé jusqu'en 1990 selon la méthode d'affinage ancestrale : sur paille de seigle, à même la terre battue. Il affine, dans des caves naturelles, vieilles de cent cinquante ans, les fromages de six ou sept producteurs, dont certains pratiquent encore l'estive. Le saint-nectaire est soit à croûte brossée grisâtre, comme le faisaient les paysans en montagne, soit à croûte lavée tirant sur l'orange, comme cela se pratique en plaine. Et chacun d'eux a ses amateurs !

Persillé de Tignes

France (Rhône-Alpes)

Lait de chèvre

Ce fromage me donne l'occasion, à l'invitation de Denis Provent, de rectifier un abus de langage fréquent : un fromage à pâte persillée n'est pas un fromage bleu, mais un produit dont le caillé a été « recuit », ainsi qu'on le disait en vieux français. Ainsi ce persillé de Tignes présente-t-il une pâte uniformément blanche ! La recette des caillés recuits est une spécialité montagnarde que l'on trouve également en Auvergne : le fromager laisse reposer le caillé pendant toute une journée, puis le réchauffe avec le caillé frais du lendemain. Le tout est rebrisé et remoulé. Cette technique très empirique permettait, autrefois, de conserver plus longtemps les fromages. Produit dans la vallée de Tignes, reconnaissable à son goût assez franc, ce persillé a été sauvé d'une disparition probable par le succès de la station de sports d'hiver. Les touristes en demandent et en redemandent : les trois ou quatre producteurs fermiers ont du mal à satisfaire leur gourmandise, et l'affineur peine à garder les fromages au moins un mois en cave. Dans le temps, on les affinait jusqu'à six mois, et du bleu finissait par apparaître dans la pâte.

Tome des Bauges

France (Rhône-Alpes)

Lait de vache

Même si leurs versants extérieurs sont grignotés par l'urbanisation, les Bauges restent un massif traditionnel habité par des montagnards. C'est là que se fabriquent les meilleures tommes de Savoie, produit de plus en plus industrialisé et banalisé. La naissance d'une AOC « tome des Bauges » est ainsi en bonne voie, fondée sur de sérieux critères : lait cru obligatoire, interdiction d'aliments fermentés, races locales prioritaires (vaches tarine ou abondance), prohibition des pompes à caillé jugées trop brutales, affinage minimal de cinq semaines dans la zone d'appellation… Les tomes des Bauges que je propose à mes clients ont plus de deux mois. Elles m'ont été préparées par Denis Provent, qui va les ramasser, parfois sous les sommets, chez Alfred, Dominique, Stéphane, René, François et les autres, membres de la vingtaine de producteurs fermiers qui assurent la vitalité de ce fromage. Comme les autres tommes, la tome des Bauges se signale par sa croûte grisâtre au goût prononcé de champignon, qui abrite une pâte assez souple. Elle arbore parfois, l'été, des teintes roses sur le talon et, l'hiver, des traces jaunes de soufre. Avec le sens consommé du caprice propre aux produits fermiers…

Savez-vous compter les fromages ?

Personne n'a jamais été en mesure de dresser un inventaire complet des fromages, univers en constante mutation. Seule certitude : la France continue d'offrir une diversité inégalée, mais peut-être pas inégalable...

La question m'est souvent posée : combien existe-t-il de fromages en France et ailleurs ? J'avoue ne pas savoir répondre. Avancer un nombre précis me semble impossible tant se posent de problèmes de définition. Si l'on considère que le moindre fromage fermier — baptisé du nom de son producteur ou du lieu-dit où il est produit — mérite d'être recensé, ce nombre atteint sans doute plusieurs milliers rien que pour l'Hexagone. Savez-vous que la France compterait à elle seule environ vingt-cinq mille producteurs fermiers, dont plus de dix-sept mille élèveraient des chèvres ? Si l'on ne prend en compte que le type de recette utilisée (parfois très proche d'une ferme à l'autre), le nombre doit en revanche chuter considérablement. L'art fromager, c'est toute sa richesse, autorise d'innombrables déclinaisons et variations, comme en témoignent les six fromages que j'ai choisi de vous présenter dans ce chapitre.

Égouttage de picodons tout juste démoulés : les trous des faisselles sont encore visibles en surface.

SELON LES RESSOURCES EN HERBAGES dont ils disposent, la diversité de leur géographie et leur tempérament propre, les pays sont plus ou moins inventifs. En caricaturant, on pourrait aller jusqu'à dire que les Hollandais déclinent une seule et même recette, celle du gouda, que les Suisses explorent perpétuellement avec un égal talent toutes les facettes de la famille des gruyères et que les Espagnols nourrissent un amour quasi exclusif pour les tommes de brebis. Hors de ces sentiers battus, leurs autres productions sont marginales. En revanche, des contrées comme la France, l'Italie et, à un moindre degré, le Royaume-Uni maîtrisent avec bonheur plusieurs types de techniques.

DANS MA BOUTIQUE, j'ai personnellement en permanence environ deux cent cinquante références différentes. Du côté de Rungis, l'un des plus importants grossistes estime ses propres références à plus de deux mille cinq cents produits. Nombre d'entre eux sont nés au cours des deux dernières décennies, lorsque la politique des quotas laitiers a encouragé des éleveurs à mieux valoriser leur lait. Cela a été le cas en France et, de manière plus spectaculaire, en Grande-Bretagne, où une véritable renaissance fromagère a eu lieu. Parallèlement, d'autres produits ont disparu, souvent parce que leur producteur ne trouvait pas successeur ou que le renforcement des normes d'hygiène et la lourdeur des investissements nécessaires incitaient à baisser les bras.

Le moulage à la louche, folklore ou nécessité ?
Le geste n'a pas pris une ride depuis plus de deux siècles. Dans les milliers de fermes et d'ateliers artisanaux où l'on fabrique des fromages de chèvre, de brebis ou de vache à pâte molle et de petit gabarit, la louche est l'outil indispensable du fromager et, le plus souvent, de la fromagère. Car le geste exige de la précision, de la régularité, de la délicatesse : pas question de fracturer le caillé ! Ainsi, dans un atelier à camemberts, la fromagère commence par remplir sa louche d'un tour de poignet vif et fluide dans la bassine de lait caillé, dont la surface parfaitement lisse est recouverte d'une légère pellicule de petit-lait. Devant elle, sur la table à moulage, sont placés des centaines de moules hauts d'une vingtaine de centimètres. Elle dépose avec soin le contenu de chaque louche au fond du moule. Le geste est propre et précis. Il faut ainsi cinq passages successifs — un toutes les heures —, pour fabriquer un camembert.
Pourquoi tant de précautions ? Le fromage doit s'égoutter et se séparer de son petit-lait très lentement, en près de dix heures. Un caillé brisé accélère au contraire l'égouttage et, quand le petit-lait s'écoule trop rapidement, le fromage a tendance à être plus sec, plus friable. Pour les fromages de chèvre, l'usage de la louche permet aussi d'avoir une texture parfaitement lisse. La technique du moulage par répartiteur (le caillé est déversé directement sur la table de moulage) a malheureusement tendance à se répandre : c'est beaucoup de temps et de main-d'œuvre économisés, mais les fromages n'ont pas tout à fait la même prestance. Un caillé maltraité devient sablé et donne une pâte granuleuse, plus irrégulière, moins liée.
Autre souci : certaines laiteries industrielles, notamment pour le camembert AOC, utilisent des robots-mouleurs, qui permettent d'augmenter considérablement les cadences de fabrication. Les derniers artisans réclament que la mention « moulé à la louche » soit réservée à ceux qui effectuent cette opération à la main. On les comprend !

DANS CE PAYSAGE EN PERPÉTUELLE ÉVOLUTION, aucun jour ne s'écoule sans que s'opère la naissance ou la disparition d'un fromage. Bien difficile, dès lors, de déterminer un nombre exact de produits. On peut en revanche affirmer avec une totale certitude que la France est bien le « pays du fromage », le seul à pouvoir proposer, mois après mois, des produits totalement différents. Vous connaissez bien sûr le camembert, le brie ou le roquefort, mais avez-vous déjà dégusté de l'écir de l'Aubrac, de la tomme capra ou encore du cœur Téotski ? Derrière tous ces noms se cachent des microterroirs très spécifiques, qui ont su cultiver et préserver leur identité au fil des siècles.

CETTE RICHESSE REMONTE AU HAUT MOYEN ÂGE, comme j'ai pu le lire sous la plume de Jean-Robert Pitte, professeur d'histoire à la Sorbonne. Celui-ci raconte qu'à cette époque la France s'est repliée sur ses particularismes, que les contacts commerciaux se sont restreints. Il s'agissait d'une régression par rapport à la période gallo-romaine, qui avait constitué un pas vers l'unification des territoires. Dans ce nouveau contexte, la production de fromages a surtout été destinée à l'autoconsommation, d'où une extraordinaire diversité, reflet de la variété des terroirs. Dans chacun d'eux, aussi petit soit-il, les laits, les pâturages, les ferments naturels, les tours

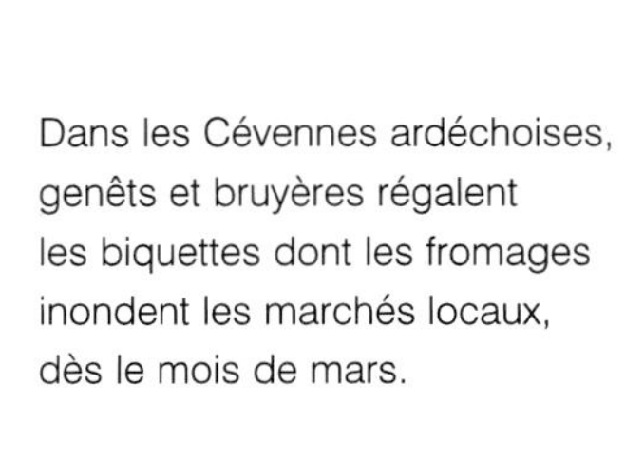

Dans les Cévennes ardéchoises, genêts et bruyères régalent les biquettes dont les fromages inondent les marchés locaux, dès le mois de mars.

Valençays cendrés de la ferme de Diou. Pour « cendrer » ces fromages, on utilise désormais du charbon végétal.

de main sont différents. Des alpages savoyards au bocage normand, des plaines fourragères du Nord à l'arrière-pays provençal, les touristes qui visitent la France ne cessent, en effet, de s'étonner devant la richesse de ses paysages et la diversité de ses climats.

DERRIÈRE CE FOISONNEMENT se cachent tout de même des lignes de force et des constantes. L'observation de la carte de France, dit encore en substance Jean-Robert Pitte, fait apparaître schématiquement deux grands types de régions : celles à dominante de pâtes fraîches ou molles, où les fromages sont plutôt de petite taille, et celles à dominante de pâtes dures, où ils sont de taille imposante. Les premières régions occupent la plaine, les secondes la montagne. L'explication principale de ce schéma tient tout simplement aux difficultés d'acheminement en altitude. Les fromages fabriqués en estive ne peuvent être commercialisés qu'après la descente en vallée, et seuls des fromages à pâte dure sont susceptibles de se conserver ainsi plusieurs mois (voir pages 84 à 91).

PEU À PEU, explique l'historien, une sélection s'est opérée : les fromages périssables et fragiles à transporter ont été produits dans la périphérie des villes ; les fromages durs, à pâte pressée (crue ou cuite) ou persillée, dans les zones d'élevage situées loin des foyers urbains, dans les montagnes principalement. La révolution des transports et des moyens de conservation a depuis bouleversé ce schéma. C'est par exemple la Bretagne, pays du beurre, très longtemps fermée aux produits fermentés, qui aujourd'hui fabrique une bonne partie de l'emmental français !

Parsemé de graines de fenouil et d'aromates, le gardian se déguste frais, le jour même de sa fabrication.
Ci-dessus, à droite : tomme de brebis d'Arles, fabriquée sur les mêmes terroirs.

Picodon

France (Rhône-Alpes)
Lait de chèvre

Fabriqué dans l'Ardèche et dans la Drôme, mais aussi dans une petite partie du Gard et du Vaucluse, le picodon est à son avantage dès le mois de mars. Il bénéficie d'une AOC aux contours un peu larges, d'où une offre assez hétérogène en termes de qualité. En tout cas, c'est le seul fromage à avoir fait le tour de la terre en navette spatiale : l'astronaute français Jean-Jacques Favier avait embarqué quatorze picodons à bord de Columbia en avril 1996. C'est vrai qu'avec ses 7 centimètres de diamètre, il ne prend guère de place (en langue d'oc, *picho* signifie « petit »). L'un de mes préférés vient de la ferme Peytot, située dans les Cévennes ardéchoises. Christian Moyersoen élève quelque cent vingt chèvres, confiées à une bergère, au milieu des châtaigniers, des bruyères, des genêts… La ferme est à 750 mètres d'altitude, au bout d'une piste forestière. Sur les marchés locaux, où il réalise l'essentiel de ses ventes, Christian arrive avec quatorze caisses correspondant à autant d'affinages différents : des picodons bleus, des marrons, des noirs, des blancs, des « méthodes Dieulefit » (affinage en cave humide) un peu mats, etc. La production laitière explose de février à avril, mais le gros de la consommation s'effectue en été (tourisme) et en fin d'année (fêtes). D'où l'obligation impérative de garder les fromages et donc de savoir les affiner… ce qu'il fait avec talent !

Gardian

France (Provence-Côte d'Azur)
Lait de chèvre

Christian Fleury appartient à la génération des « néoruraux » : il a acquis ses premières chèvres en 1968. Depuis 1976, il est installé dans la plaine du comtat Venaissin, près de Saint-Rémy-de-Provence, aux confins du pays d'Arles. Il y élève une cinquantaine de chèvres, qu'il nourrit essentiellement de cet excellent foin de la plaine voisine de Crau. Il fabrique en particulier une petite tomme fraîche que je vous recommande tout particulièrement, le gardian : ce fromage très doux, couvert d'une feuille de laurier, est parsemé de graines de fenouil, de poivre et, souvent, de quelques graines d'aneth. Sans oublier un filet d'huile d'olive. Très frais en bouche, c'est typiquement un fromage d'entrée de repas plus que de sortie. Si vous souhaitez néanmoins le déguster en dessert, je vous conseille de l'accompagner d'une petite douceur, de miel par exemple. Le gardian est commercialisé le jour même de sa fabrication. Il en existe une version affinée dont la pâte, à l'issue de trois semaines, devient onctueuse, presque crémeuse. C'est ainsi qu'on l'apprécie en pays d'Arles. Dans le temps, avec le mistral, ce fromage avait plutôt tendance à devenir très sec. Dans les mas, on l'humectait alors de vin blanc ou d'eau-de-vie, puis on le faisait macérer dans une jarre pour qu'il veuille bien ne pas fatiguer les mâchoires…

Selles-sur-cher

France (Centre)
Lait de chèvre

Le selles-sur-cher est un fromage que je recommande de consommer plutôt jeune, tout particulièrement au printemps et en été, lorsque ses parfums sont les plus épanouis. C'est ainsi que s'expriment le mieux, à mon avis, toute sa subtilité et sa légèreté. Sa forme est assez inhabituelle : il s'agit d'un palet biseauté d'environ 10 centimètres de diamètre pour 3 centimètres de hauteur. Cette présentation a été imaginée pour le différencier de ses nombreux voisins : le chavignol (crottin), le sainte-maure-de-Touraine (bûche), le pouligny-saint-pierre et le valençay (pyramides). La zone d'appellation d'origine contrôlée est centrée autour du village de Selles-sur-Cher, dans le département du Loir-et-Cher. Elle intègre la basse Sologne, la Champagne berrichonne et la moyenne vallée du Cher. Reconnaissable à sa saveur noisetée rehaussée d'une pointe de sel, le selles-sur-cher reste un produit essentiellement artisanal, élaboré à la ferme ou dans de petites laiteries. Sa croûte cendrée et sa faible épaisseur le rendent peu propice à la cuisson : évitez donc de le passer au four ! Vous pourrez en revanche l'incorporer à une salade verte, découpé en fines lamelles, en compagnie de pignons et de noix par exemple. Il trouve des accords naturels avec des sauvignons de Loire, mais aussi avec des chardonnays de Bourgogne.

Besace de pur chèvre

France (Rhône-Alpes)

Lait de chèvre

La création de ce fromage à la forme incertaine revient à un fermier imaginatif de Tarentaise. C'est un « pré-égoutté de chèvre » qui évoque le début de la recette de la mozzarelle ! Après avoir fait prendre le lait, le fromager laisse le caillé s'égoutter dans des toiles suspendues au plafond. C'est l'opération du pré-égouttage, une vieille méthode également utilisée pour le tarentais ainsi que pour le persillé de la haute Tarentaise. Après un certain délai, le fromager malaxe de nouveau le caillé en bassine avec du petit-lait chaud et du sel. Puis, d'une poigne énergique, il le presse au torchon, en une seule fois. Plusieurs petits malins, par l'odeur du succès alléchés, ont voulu l'imiter. En pure perte ! Le torchon est retiré juste après le pressage. La forme du fromage, qui pèse environ 250 grammes, évoque une besace de berger : ce nom s'est donc tout naturellement imposé lorsqu'il s'est agi de le baptiser. Au cours de l'affinage (de trois à quatre semaines, tout au plus), une fine croûte blanchâtre se forme, aussi légère que celle d'un saint-marcellin. La grande qualité de cette besace est sa douceur en bouche.

Charolais

France (Bourgogne)

Lait de chèvre

Dans tous les monts du Charolais, les chèvres vivent dans l'ombre de la prestigieuse vache locale, la charolaise. L'annonce de l'octroi d'une AOC pour le fromage de chèvre local, le charolais, commence à valoir aux biquettes un peu plus de considération. Car ces dernières peuvent être fières de ce fromage racé, en forme de tour, qui se distingue par sa pâte dense et compacte. Successeur des « racotiers » d'antan, qui passaient dans les fermes ramasser fromages, volailles, œufs et lapins, Bernard Sivignon est l'un des grands artisans de cette évolution. Il affine (sous la marque Clacbitou) les produits d'une cinquantaine de fermiers et, principalement, de fermières, qui ont suivi l'exemple de leur mère. Il faut de 2 à 2,5 litres de lait pour fabriquer un fromage selon une méthode qui exige patience et délicatesse (caillage très lent, moulage à la louche, égouttage sur plusieurs jours, etc.) : c'est le prix à payer pour obtenir une « pâte de marbre », très lisse et très homogène sans être cassante. Bien affiné (jusqu'à quatre semaines), le charolais libère des arômes de fruits secs (amande, noisette). La présence de fleur bleue sur sa croûte — à condition qu'elle ne soit pas trop envahissante — lui confère des goûts de champignon et de cave.

Feta

Grèce

Lait de brebis ou de chèvre

La *feta* est un très ancien fromage grec dont l'origine se perd dans l'Antiquité. Mais ce sont aujourd'hui les Danois qui en produisent les plus gros volumes. Les producteurs français ne sont pas en reste, surtout du côté de Roquefort où l'on a pris l'habitude de transformer ainsi les surplus de lait de brebis. On trouve même de la *feta* au lait de vache pasteurisé. Voilà ce qui arrive lorsqu'on se préoccupe trop tardivement de protéger le nom d'une recette traditionnelle… L'Europe est en train de s'y atteler, et la Grèce va ainsi retrouver l'usage exclusif de son patrimoine. Retour aux sources : terre pauvre et aride, la Grèce, comme tout le bassin méditerranéen, est vouée à un élevage extensif qui convient parfaitement aux chèvres et aux brebis. Le lait est mis à cailler rapidement (car il fait chaud), au sortir du pis (grâce à de la présure). Puis il est séparé de son petit-lait, par égouttage et léger pressage, dans des sacs en toile ou dans des moules avant d'être plongé dans de la saumure. Lorsque la *feta* est bien ferme, il ne reste plus qu'à la consommer. C'est très simple. Rafraîchissante, largement utilisée dans les salades estivales, la *feta* peut même avoir un goût très aromatique et plutôt acidulé. Mais, pour vraiment en juger, il faut se rendre sur les marchés grecs, où des fermières proposent encore leur *feta* dans des paniers ronds tressés…

C'est la foire !

Le fromage, tout comme le vin, se prête au partage et à la convivialité. Dès la fin du printemps, foires, chapitres et concours de toutes sortes célèbrent avec gourmandise sa générosité.

Avec leur afflux de touristes, la fin du printemps puis l'été sont propices aux grandes foires gastronomiques. Plusieurs d'entre elles célèbrent en grande pompe les fromages du terroir local, sans négliger les vins qui aiment à les accompagner. La plupart affectionnent les mois de mai et de juin. En Estrémadure, la *fiera nationale de caso de Trujoilo* a des allures de foire médiévale. En France, l'une des foires les plus fameuses est celle de Sainte-Maure-de-Touraine, à quelques kilomètres de Tours, qui se tient chaque premier week-end du mois de juin et donne lieu à un grand concours de fromages fermiers. Le même mois, en Auvergne, Ambert accueille les Fourmofolies. Mais peut-être préférerez-vous aller faire un tour, à la même période, du côté de Rocamadour, qui met à l'honneur le petit palet de chèvre local.

JUSQU'À LA FIN DE L'ÉTÉ, il n'est pas de week-end qui ne célèbre un fromage de terroir. Citons, au hasard, la Fête du picodon, en plein juillet à Saou, la Fête du bleu d'Auvergne, au mois d'août à Riom-es-Montagnes, ou encore la Fête des terroirs fromagers d'Europe, en septembre à Lausanne. Le défilé se poursuit ainsi jusqu'en octobre, avec la Fête de la fourme, à Montbrison. Sans oublier, bien sûr, les nombreuses fêtes des transhumances, qui peuvent commencer dès le mois de mai, et toutes les foires locales dont le fromage est un invité parmi d'autres.

LE TABLEAU SERAIT TRÈS INCOMPLET si je ne vous conviais à assister à l'une des manifestations de la Guilde des fromagers-Confrérie de Saint-Uguzon, association dont j'ai l'honneur de présider le conseil prévôtal depuis 1992. Plus de quatre mille personnes sont ou ont été membres de la Guilde (réservée aux professionnels) et de la Confrérie (réservée aux amateurs). Présente dans trente-deux pays,

La très pittoresque foire aux fromages d'Alkmaar n'est plus destinée aux négociants mais aux seuls touristes (Pays-Bas).

cette association est fréquemment invitée à présider ou à animer des concours fromagers, et elle organise elle-même très régulièrement ses propres chapitres (plus de trois cents depuis sa création, en 1969). Ces rendez-vous alternent visites de sites fromagers, festivités et moments de détente, le tout à la gloire du fromage et dans des endroits parfois insolites. Chaussures de marche souvent conseillées !

DES EXEMPLES RÉCENTS ? Ces manifestations nous ont conduits dans le Bessin, le long des prés salés d'Isigny, ou dans les alpages de Gstaad, en Suisse. Dans l'ambiance sacrée de l'abbaye belge d'Orval ou dans celle, majestueuse, des caves monumentales de l'ancien fort militaire des Rousses, dans le Jura (avec un prodigieux jeu de lumière autour de milliers de meules de comté). Sur la mer, au large de l'île de Ré, ou au sommet du mont d'Or. Dans les maquis de l'île de Beauté ou sur les lacs de la Belle Province. Aux États-Unis, pour défendre les fromages de tradition au lait cru, ou à Saint-Jean-de-Cuculles, dans les Cévennes, pour célébrer les noces des vins et des pélardons... L'exceptionnelle richesse du patrimoine fromager permet, il est vrai, de varier les plaisirs !

TOUS CES CHAPITRES — une dizaine par an — se tiennent sous les auspices de saint Uguzon, berger au grand cœur sorti de l'oubli par Pierre Androuët, l'un des fondateurs de la Guilde. Ce pâtre élevait des brebis en Lombardie, sur la commune actuelle de Cavargna. Il avait pris l'habitude de distribuer du fromage et des agneaux aux pauvres. Son maître, peu compréhensif, finit par le tuer. La légende raconte que, sur le lieu du crime, se mit à jaillir une source dont les eaux sont bénéfiques pour les maux d'yeux. Un oratoire, situé à la frontière italo-suisse, est dédié au saint berger, et la Guilde y a déjà effectué deux pèlerinages. La fête d'Uguzon se célèbre le 12 juillet.

Vaches de race holstein dans les environs d'Alkmaar. L'élevage intensif est, en Hollande, une grande tradition.

À la foire d'Alkmaar :
les meules d'édam et de gouda
sont posées sur des tapis,
à même le sol.

AU-DELÀ DES TITRES DÉCERNÉS PAR DES CONFRÉRIES (compagnon, garde et juré, prud'homme, maître-fromager) et d'une once de folklore bon enfant (ses membres revêtent, lors des réunions officielles, la tenue historique des marchands parisiens), la Guilde repose d'abord sur une philosophie généreuse, qui entend rassembler tous les membres de l'univers fromager, du berger jusqu'à l'amateur de bonnes choses.

POUR VOUS FAIRE COMPRENDRE L'ESPRIT qui nous anime, j'aimerais évoquer le périple qu'a suivi l'un de nos membres, un jeune Québécois, Ian Picard. Sous nos auspices, il a effectué, une année durant, un tour de France initiatique qui l'a conduit, dans le plus pur esprit du compagnonnage, chez des professionnels de toute la filière fromagère membre de la Guilde : producteurs, affineurs, détaillants… Son père, Marc, entraîneur de hockey, avait découvert le fromage en s'occupant d'une équipe suisse ; il avait alors décidé d'en faire son métier et d'ouvrir une boutique à Montréal. Avec nous, le fils a parcouru la Normandie, le val de Loire, le Quercy, les Cévennes, les Pyrénées… Il s'est fait introniser au-dessus de Courchevel, sur fond de mont Blanc. Désormais il est, outre-Atlantique, l'un des plus dynamiques représentants des fromages de tradition, et ne désespère pas, depuis ses bases montréalaises, de convertir l'Amérique aux « vrais fromages ».

À visiter : la foire d'Alkmaar

Chaque vendredi matin, d'avril à fin septembre, entre 10 heures et midi, la place de la petite ville d'Alkmaar, au nord d'Amsterdam, se couvre de centaines de boules et de meules jaunes d'édam et de gouda. Ce marché aux fromages est l'un des plus célèbres des Pays-Bas. S'il a perdu sa fonction originelle — permettre aux producteurs des alentours de vendre leur marchandise aux négociants et aux détaillants —, il est devenu une grande attraction touristique.
Avec sa Confrérie des porteurs de fromages, le folklore est au premier rang. Tout de blanc vêtus, couverts d'un chapeau sombre ceint d'une bande de couleur, les couples de porteurs transportent les fromages sur une « civière » accrochée à leurs épaules par des ficelles. Genoux hauts, bras écartés, ils traversent la place à toute allure et à un rythme saccadé parfaitement synchronisé pour conduire leur précieux chargement jusqu'aux carrioles des négociants.
Une splendide maison à façade crénelée surplombe la place : le « poids public ». C'est là que l'on pesait les fromages pour déterminer la redevance à verser à la municipalité. Le poids public d'Alkmaar, qui date de quatre siècles, était le plus important des Pays-Bas. Seules quelques villes avaient le privilège d'en posséder un, et celui d'Alkmaar était encore en usage au début du siècle dernier.

Meilleur ouvrier de France !

Depuis 1998, les fromagers peuvent tenter de décrocher le prestigieux diplôme de « meilleur ouvrier de France », qui a couronné déjà tant de grands chefs. Le concours a lieu tous les trois ans.
En septembre 2000, quatre de mes confrères ont ainsi obtenu le précieux ruban : la Parisienne Marie Quatrehomme (première femme lauréate dans la catégorie des métiers de bouche), le Lyonnais Christian Janier, le Roannais Hervé Mons et le Parisien Laurent Dubois. La partie la plus spectaculaire du concours consistait en la réalisation d'une pyramide des saveurs, « œuvre esthétique comportant la présentation de plusieurs grosses pièces de fromage accompagnées de pièces individuelles ou en morceaux ». Je me suis investi personnellement, pendant quinze ans, pour convaincre les pouvoirs publics d'ouvrir le concours au métier de fromager. Que de chemin parcouru depuis l'après-guerre où les détaillants en beurre, œufs et fromages souffraient d'une mauvaise image. Il suffit de relire l'ouvrage de Jean Dutour, *Au bon beurre*… Je me souviens des réflexions de mes camarades qui, à la récréation, me traitaient de « fils de crémier ». C'est une fierté personnelle que d'avoir contribué à faire en sorte que mon métier soit reconnu par un diplôme d'État et devienne synonyme d'excellence.

Rocamadour

France (Midi-Pyrénées)
Lait de chèvre

Ce petit palet rond et plat est recouvert d'une fine peau ivoire, légèrement veloutée. Il appartient à l'illustre famille des cabécous, ces fromages méridionaux au lait de chèvre dont les origines remontent peut-être aux invasions arabes. En langue d'oc, *cabécou* signifie « petite chèvre ». Le rocamadour emprunte son nom à un magnifique village du Lot adossé au flanc d'une falaise. Ce haut lieu touristique, halte traditionnelle sur le chemin de Saint-Jacques-de-Compostelle, s'appuie sur un plateau calcaire où les chèvres bénéficient d'une végétation très variée, riche en plantes aromatiques. Il faut au rocamadour une douzaine de jours pour être à point. Sa peau a alors bien du mal à ne pas se dérober. Si vous souhaitez le conserver bien crémeux, emballez-le et mettez-le impérativement à l'abri du froid sec, qui le dessécherait à coup sûr. Mais le plus sage reste de le déguster sans trop attendre, avec un blanc sec léger et parfumé, de cépage sauvignon par exemple. C'est par excellence un fromage du printemps (sa foire se tient en juin) et de l'été. Il reste délicieux jusqu'à l'automne. Un concentré de plaisir !

Gouda fermier

Pays-Bas
Lait de vache

De la Hollande fromagère, le monde entier connaît surtout les produits au lait pasteurisé destinés à l'exportation. Mais ce pays, champion de la productivité et de l'élevage intensif, bichonne aussi des fromages fermiers moins passe-partout. Pas moins de six cents fromagers produisent ainsi du gouda fermier au lait cru, le *boërenkaas*, du côté du « Pays d'eau » par exemple, parc naturel situé au nord d'Amsterdam. Le gouda, qui doit son nom à un petit port proche de Rotterdam, se présente sous la forme d'une meule enrobée de paraffine jaune. Une très ancienne tradition commerciale a conduit le pays à privilégier des fromages capables de faire des voyages au long cours, c'est-à-dire des fromages à pâte ferme. Souple et doux lorsqu'il est jeune, le gouda devient dur et cassant en vieillissant, avec une pointe de sel et de piquant. Les meilleurs peuvent être affinés plus de deux ans. La croûte arbore toujours un cirage impeccable, ou presque : sur certains goudas, les aromates et les épices laissent deviner leur présence. Cumin, paprika, ortie, poivre noir, ail, romarin ou graines de moutarde… les fromagers néerlandais se souviennent que leur pays a longtemps eu le goût de l'exotisme. Leur plus belle vitrine est la foire d'Alkmaar (voir page 51), aussi pittoresque que divertissante.

Fourme d'Ambert

France (Auvergne)
Lait de vache

Elles étaient mariées, elles veulent désormais vivre chacune leur vie : la fourme d'Ambert et celle de Montbrison, réunies au sein de la même AOC, souhaitent reprendre leur nom de jeune fille de crainte qu'on ne les confonde, comme cela a fini par arriver pour le munster et le géromé, ou encore pour le valençay et le levroux. Si elles se partagent les monts du Forez, l'une regarde à l'est (Montbrison), l'autre à l'ouest (Ambert). Cette dernière se distingue par la couleur grise de sa croûte sèche, où affleurent parfois des petites taches rouges. Tandis que la première, affinée sur des claies de sapin, arbore une belle couleur orangée. À l'intérieur, la fourme d'Ambert, plus « sauvage », est davantage veinée de bleu que celle de Montbrison. Ce divorce à l'amiable, déjà matérialisé par des foires séparées, n'est pas seulement une histoire à la Clochemerle : il montre l'attachement culturel des paysans à leur produit, et s'inscrit dans un mouvement de renaissance. En 1996, après une vingtaine d'années d'absence, une fourme d'Ambert fermière — au lait cru — a revu le jour. Je ne vous cache pas ma sympathie pour ces producteurs qui ont un sens aigu du terroir.

Maquis Brunelli

France (Corse)

Lait de brebis

Sarriette, romarin, baies de genièvre, piments, origan : de Bastia à Bonifacio, de Corte à Ajaccio, les herbes et épices du maquis affluent sur tous les marchés de l'île de Beauté.
Les fromagers corses s'en servent traditionnellement pour parfumer et mieux conserver les tommes ainsi que le *brocciu passu*. C'est une technique qui permet de « reporter », pour une consommation ultérieure, une partie des fromages produits durant les mois d'abondance. Les fromages sont mis à sécher et roulés dans des herbes et des épices. Parfois même, on les fait macérer dans du marc de pays : leur goût n'en est que plus… corsé. Avec Jean-François Brunelli, nous avons ainsi mis au point ce petit fromage, une tomme fraîche enrobée d'un mélange d'herbes trois jours exactement après sa fabrication. Cette production est saisonnière : les cent vingt brebis de Jean-François, nourries d'herbe fraîche et de céréales, ne fournissent du lait que de novembre à juillet. Elles sont toutes de race corse, une espèce rustique qui peut coucher dehors hiver comme été et dont les couleurs vont du blanc au noir en passant par le gris et par le brun. Ce troupeau chatoyant fournit des laits de très bonne qualité fromagère : ce maquis en est le fruit éclatant. Chaque année, en avril, il est très en vue lors d'un concours qui fait de plus en plus référence en Corse, celui des producteurs fermiers de Cauro, un village situé à 10 kilomètres de Porticcio.

Pavé de Gâtine

France (Poitou-Charentes)

Lait de chèvre

Le pavé de Gâtine a été créé par un jeune fermier âgé d'une trentaine d'années, Sébastien Gé. Ses parents sont arrivés dans les Deux-Sèvres en 1976, sans aucune culture fromagère mais avec beaucoup de bonne volonté. Sébastien a pris leur suite en 1995 et élève désormais une centaine de chèvres, dont il transforme la totalité du lait en fromage. L'exploitation est située à 25 kilomètres de Niort, dans un décor qui évoque la Bretagne : de gros rochers, lourds de plusieurs tonnes, sont posés sur le sol tels des menhirs. Sébastien y fabrique environ deux cents fromages par jour, dont ce pavé de Gâtine, de forme carrée, qui est élaboré au lait cru et moulé à la louche. La fabrication d'un pavé nécessite 2 litres de lait. En raison de la faible épaisseur de ce fromage, la conduite de son affinage réclame une grande attention. Un léger duvet blanc de *Geotrichum* se développe à sa surface, où point parfois un peu de pénicillium bleu épars. Quand le fromage est bien égoutté en hâloir, Sébastien le pose sur une feuille de châtaignier pour rendre sa présentation plus agréable. Il va cueillir lui-même les feuilles à l'automne, directement sur les arbres, et les fait sécher devant la cheminée puis dans un local assez sec. Juste récompense, ce pavé moelleux s'illustre toujours, année après année, au concours régional des fromages de chèvre de Niort, qui se tient début mai.

Sainte-maure-de-Touraine

France (Centre)

Lait de chèvre

Loin des flamboiements méditerranéens ou de l'opulence normande, la Touraine se complaît dans les demi-mesures et les ambiances raffinées, à l'image de ces levers de soleil sur les brumes matinales de la Loire. Le « jardin de la France » a ainsi enfanté un fromage aussi fin que racé : le sainte-maure-de-Touraine. Fabriqué au lait cru, il se distingue par sa saveur équilibrée et son grain d'une grande finesse. Long d'une trentaine de centimètres, il est transpercé de part en part d'une paille (facultative), qui permettait autrefois aux fermiers de ressouder les fromages cassés ou de les solidifier. Malheur à celui qui l'entame par le bout le plus étroit, car « c'est couper le pis de la chèvre », dit un adage. Près d'une cinquantaine de fermiers produisent ce fromage délicat, imité, dans la France entière, sous le nom de « sainte-maure ». Les saisons influencent son goût : l'été, il offre des arômes de foin sec qui se transforment, l'automne venu, en flaveurs noisetées. Il se présente soit blanc (jeune), soit bleuté (affiné de trois semaines à un mois), ou encore cendré, selon une vieille technique qui permettait de mieux le conserver. Un vouvray pétillant l'accompagne toujours avec bonheur.

L'affinage fait la différence

Un mauvais affineur peut massacrer d'excellents produits, mais un bon affineur ne parviendra jamais à redonner de l'éclat et de la qualité à un produit terne ou médiocre. Ce métier, véritable révélateur de talents digne de Pygmalion, est aussi crucial que méconnu.

Le fromage se sert à point et pas autrement, c'est-à-dire affiné, parvenu à juste maturité. Ni trop ni pas assez. Tout le monde comprend très bien cela pour les fruits : personne ne veut d'une poire encore verte ou d'un abricot dur comme du caillou. Chacun l'admet pour le vin, même s'il nous arrive d'être impatient et d'ouvrir les bouteilles avant qu'elles ne donnent leur meilleur. Pour les fromages, il faut bien l'avouer, toute une éducation reste à faire.

Que de bonheurs frôlés ou simplement entrevus lorsque l'on déguste un produit trop jeune, alors fade et sans relief ! Soyez-en convaincu : la plupart des fromages gagnent à vieillir. Mais cela exige du savoir-faire.

LE MÉTIER D'AFFINEUR suppose une connaissance intime des produits, de leurs rythmes de vie, des ambiances qui savent les rendre heureux. J'ai appris ce métier, comme tous mes confrères, sur le tas, en observant, en écoutant, en tâtonnant... Car le chemin qui mène du lait tout juste caillé à l'étal du fromager peut être très long : jusqu'à trois ans pour certains fromages !

DE L'ATELIER DU FROMAGER sortent des fromages moulés, qui ont déjà acquis leur forme définitive mais sont aussi nus qu'un fromage en faisselle. Leur pâte est d'une saveur acide, lactique, aigrelette. L'affinage va consister à doter cette dernière d'une croûte, à rendre sa texture agréable au palais, à révéler les arômes et les saveurs enfouis en son cœur. Un métier d'accoucheur !

Patrick Beaumont, créateur du lavort. Ce fromage en forme de boulet de canon se satisfait de quatre mois d'affinage. Au-delà, sa croûte s'épaissit au détriment de la pâte.

La fabrication du lavort :
le lait est mis à cailler,
à l'aide de présure,
dans de grands bacs.

JE NE VOUS ENCOMBRERAI PAS L'ESPRIT avec des détails techniques, car chaque famille de fromages relève d'une approche spécifique et chaque fromage est un cas d'espèce. Ce travail est par nature du « cousu main ». Il sollicite tous les sens. L'œil, qui s'alarme lorsque le talon du fromage s'affaisse trop ou que des moisissures se développent anormalement. Le nez, qui flaire une fermentation excessive. La main qui, d'une simple pression, devine la consistance de la pâte. L'oreille, enfin, qui permet de sonder par exemple la texture d'une boule de mimolette… Seule l'expérience permet de faire la différence.

SCHÉMATISONS. Tout d'abord, le fromage va sécher par évaporation de l'eau encore présente après l'égouttage. Parallèlement, une flore constituée de levures et de moisissures va peu à peu se développer à sa surface, formant un duvet soyeux, puis une croûte. C'est elle qui protège le fromage d'un dessèchement excessif et contribue à la naissance des saveurs. Il faut, quasiment pour tous fromages, les retourner régulièrement afin que l'humidité s'évacue de manière homogène, parfois les laver avec une éponge imprégnée d'eau salée (maroilles, *taleggio*, vacherin suisse, époisses, etc.) ou bien les frotter avec un mélange d'autres produits, secret de chaque fromager (comme la mixture d'herbes qu'utilisent les fabricants d'appenzell). Parfois même, il faut les brosser, ainsi qu'on le fait pour de nombreuses tommes.

Peut-on affiner chez soi ?

Espérer améliorer l'affinage du fromage dans son réfrigérateur est un mythe : la température y est trop basse et l'humidité insuffisante pour lui permettre de poursuivre une maturation harmonieuse.
Le réfrigérateur est uniquement un outil de conservation. Si vous êtes l'heureux propriétaire d'une bonne cave bien saine, vous pouvez envisager de poursuivre l'affinage de certains fromages.
La température doit être d'une dizaine de degrés et l'hygrométrie relativement élevée et à peu près constante.
Il faudra vous contenter cependant de fromages qui n'exigent pas de soins particuliers, comme ceux à croûte fleurie, que vous placerez dans un garde-manger à l'abri des insectes. Vous pourrez ainsi espérer, au bout d'une semaine, voir s'assouplir un camembert crayeux ou se relever la saveur trop pudique d'un brie de Meaux.
Évitez d'entreposer dans la cave des fromages de chèvre, ils préfèrent le froid sec. Dans les milieux trop humides, ils risquent des fermentations indésirables. Bannissez les fromages à croûte lavée (munster, par exemple) car, à moins d'être mis sous Cellophane alimentaire, ils risquent d'être colonisés rapidement par les diverses moisissures présentes dans l'atmosphère de la cave. C'est avec les grosses meules de type gruyères que vous prendrez le moins de risques (à condition que d'éventuels rongeurs, par l'odeur alléchés, ne viennent pas y planter leurs incisives).
Le conseil de bon sens est d'acheter chez votre détaillant, lorsque c'est possible, les fromages à point et de les consommer sans trop attendre. C'est ce que finissent en général par faire tous ceux qui ont été déçus par des expériences hasardeuses. N'oubliez pas que les fromages sont des produits vivants et fragiles, qui exigent de bonnes conditions bactériologiques. Ne jouez pas aux apprentis sorciers !

Au supermarché

La grande distribution a beaucoup de mal à proposer des fromages à point, par manque d'équipement et de savoir-faire, mais aussi par stratégie commerciale : la recherche de volumes et de bas prix ainsi que les impératifs de rotation rapide des stocks ne permettent pas de soigner les produits comme il se devrait. Il est donc très difficile de trouver dans ce type de magasins des fromages de très grande qualité (ils sont d'ailleurs très souvent au lait pasteurisé). Dans les linéaires et jusque dans les rayons à la coupe, les fromages sont en général bloqués à 4 °C, sans la moindre possibilité de s'affiner et s'épanouir. C'est donc dans la catégorie des fromages frais ou à courte durée d'affinage que vous aurez le moins de déceptions.
Si vous cherchez des fromages qui méritent le nom de « dessert », je ne saurais trop vous conseiller de vous adresser à un détaillant affineur.

Page de droite, autre étape de la fabrication du lavort : les employés de la fromagerie découpent le caillé, formé de grains agglomérés, en pains rectangulaires, qu'ils placent ensuite dans les moules (*ci-contre, à gauche*).

PENDANT QUE LA SURFACE DU FROMAGE se transforme en croûte, texture, saveur et arômes de la pâte évoluent. L'acidité, au départ proche de celle du fromage blanc, faiblit grâce à la disparition partielle de l'acide lactique. Les corps gras se transforment pour devenir le principal support des arômes. Les protéines du lait vont se dégrader et « piéger » les globules de matière grasse pour former une pâte élastique et onctueuse.

TOUTES CES OPÉRATIONS se déroulent dans différents locaux, à l'hygrométrie et à la température bien déterminées (salles de ressuyage, hâloirs, caves d'affinage). La température peut aller d'environ 5 °C (pour les bleus, par exemple) à près de 15 °C (pour des types « gruyère »). L'hygrométrie est souvent maximale, comme pour le saint-marcellin. Pas question de mettre tous les produits ensemble. Le « poil de chat » (sorte de moisissure qui se développe en touffes) recherché pour la tomme de Savoie est indésirable pour de très nombreux fromages, notamment ceux au lait de chèvre.

EN TANT QUE DÉTAILLANT AFFINEUR, il m'arrive d'affiner véritablement certains produits, reçus jeunes, et de me contenter d'en « finir » d'autres, livrés par des affineurs spécialisés qui ont déjà réalisé le gros du travail : Denis Provent, par exemple, à Chambéry, Jean-Charles Arnaud, à Poligny, Carlo Fiori, dans le Piémont, Joseph Paccard, du côté de Manigod, Bernard Sivignon, au pays du charolais… Ainsi, les meules de comté sont bien mieux soignées dans les caves somptueuses du Fort des Rousses, en bordure de la frontière suisse, où elles séjournent pendant au moins dix-huit mois. Je vais les choisir sur place lorsqu'elles sont encore jeunes, l'affineur les « couve » et me les fait livrer lorsqu'elles sont à leur optimum. Les fromages de chèvre, en revanche, m'arrivent « blancs ».

COMMENT NE PAS ALLER TROP LOIN ? C'est une question d'appréciation. Il faut tordre le cou à l'idée reçue selon laquelle plus un fromage est affiné plus il est puissant et meilleur il est. Cette recherche de puissance écrase souvent toute la finesse et la complexité des arômes. De même que seuls les plus grands vins méritent de vieillir, seuls les meilleurs fromages, capables d'en bénéficier, méritent un affinage long.

DANS LES PAGES SUIVANTES, mes six coups de cœur sont des fromages qui, justement, donnent un aperçu de différentes conduites d'affinage et des pièges à éviter. Il faut ainsi savoir bien maîtriser le développement de la croûte qui doit « friser » modérément (cœur Téotski), ne pas trop s'épaissir (lavort) ; il faut aussi laisser le pénicillium s'exprimer (cendré de Champagne), ou encore manier l'alcool avec mesure (petit camembert au calvados, saint-marcellin au marc de Bourgogne)…

Asiago

Italie (nord-est)
Lait de vache

Originaire du haut plateau d'Asiago, ce fromage était à l'origine au lait de brebis avant que le lait de vache ne le détrône totalement. Il présente deux visages radicalement différents selon l'affinage dont il bénéficie. Le plus représenté, l'*asiago pressato*, se consomme très jeune, à un mois environ. Il est fabriqué souvent au lait pasteurisé, et sa saveur est assez douce. Très « grand public », il ne peut déplaire à personne. L'*asiago d'Allevo* est d'un tout autre calibre. Il s'abrite sous une épaisse croûte brune et peut se déguster *mezzano* (vieux de six mois) ou *vecchio* (âgé d'un an). C'est alors, par excellence, un fromage de plateau. Puis, à mesure que s'écoulent les mois, sa pâte perd de son humidité et se rétracte. Un *asiago d'Allevo stravecchio* (vieux de deux ans) présente ainsi une pâte sèche, presque friable ; sous forme râpée, il fait alors merveille en cuisine, où son bouquet intense parfume avec générosité les plats. Le risotto, paraît-il, adore sa compagnie. Par le seul biais de l'affinage, un même fromage parvient ainsi à connaître des destins très différents.

Cendré de Champagne

France (Champagne-Ardenne)
Lait de vache

Les cendrés relèvent d'une grande tradition champenoise étroitement liée aux travaux du vignoble. Ces fromages étaient destinés aux ouvriers agricoles, en particulier au moment des vendanges. Pour les fromagers locaux, la cendre était le meilleur moyen de conserver leurs produits pendant de longs mois. Les fromages étaient roulés et entreposés dans des coffres remplis de cendre de sarments de vigne ou bien de différentes espèces d'arbre. De Troyes jusqu'aux Ardennes, on en trouvait ainsi de nombreuses variantes (un phénomène similaire s'est produit dans l'Orléanais). Ces cendrés ont progressivement disparu avec les progrès de la réfrigération. Leur recette de base pouvait évoquer soit celle du coulommiers, lorsqu'on se rapprochait de l'Aube et de la zone du chaource, soit celle de l'époisses, lorsqu'on regardait du côté de la Bourgogne. Leur goût, paraît-il, était assez affirmé. L'un de ceux qui a le mieux résisté est le cendré d'Aisy, un fromage de type époisses fabriqué au nord-est de Dijon. Le cendrage ne s'effectue plus désormais qu'en fin d'affinage, mais les apparences sont sauves…

Cœur Téotski

France (Midi-Pyrénées)
Lait de chèvre

Ce petit cœur est une vraie gourmandise, un bonbon succulent à laisser fondre sous le palais. C'est l'invention d'un post-soixante-huitard venu chercher dans l'Albigeois un autre sens à sa vie tout en se démarquant d'une certaine tradition (celle du cabécou). Originaire de Macédoine, arrivé en France il y a trois décennies, Dragan Téotski, le « créateur » de ce fromage, a d'abord passé une dizaine d'années à Mulhouse, dans le dessin industriel, avant de se recycler dans le Tarn avec sa femme, Chantal, originaire de l'endroit. La ferme est située à une vingtaine de kilomètres d'Albi, dans une région de moyenne montagne très boisée : le chêne, le châtaignier et, surtout, le noisetier sont les espèces dominantes. Le terroir schisteux et acide se prête mal à la culture, mais fait le bonheur des cent quarante chèvres de l'exploitation. Le fromage est fabriqué au lait cru, avec moulage à la louche. Sa flore de surface, un léger duvet blanc cassé, est naturelle. Sa faible épaisseur (1,5 centimètre) lui permet de s'affiner assez rapidement à partir de la croûte. Mais attention, celle-ci doit rester solidaire de la pâte et ne pas avoir d'envies vagabondes. Le cœur Téotski n'a besoin que de quinze jours à trois semaines pour devenir crémeux et faire le bonheur des gourmets.

Saint-marcellin au marc de raisin

France (Rhône-Alpes)
Lait de vache

L'alcool a une grande vertu : c'est un puissant antiseptique qui permet de conserver des produits très longtemps. Ce saint-marcellin au marc de raisin était traditionnellement fabriqué à l'époque des vendanges. Le fromage était mis à macérer dans le marc, au fond d'une terrine en grès, qui était ensuite obturée. Les fromages étaient choisis secs (« séchons »), et l'alcool leur donnait une seconde vie. Bernard Gaud, de l'Étoile du Vercors, fait ainsi la distinction entre le « saint-marcellin du pêcheur », qui se déguste plutôt frais, et ce « saint-marcellin du vigneron », à savourer après de deux à trois mois de macération. Sa croûte, un peu humide, arbore alors une teinte brunâtre. À la dégustation, le goût du marc est très présent : ce fromage n'est pas à mettre dans toutes les bouches… Partout où l'on produit de l'alcool, on trouve ainsi trace de fromages macérés, ici dans de l'eau-de-vie, là dans du marc, ailleurs dans du vin blanc. En voici quelques exemples supplémentaires : arômes à la gêne de marc dans le Lyonnais, cabécou des mineurs en Aveyron, fromage fort du mont Ventoux en Provence, confit d'époisses en Bourgogne, camembert au calvados en Normandie, crottin repassé dans le Berry, etc. Qu'importe l'alcool pourvu qu'on ait l'ivresse !

Lavort

France (Auvergne)
Lait de brebis

Sa forme s'inspire d'un boulet de canon, mais ce fromage est tout ce qu'il y a de plus pacifique. Il est né, en 1988, de l'imagination fertile d'un ancien technicien laitier, Patrick Beaumont, qui s'est installé en Auvergne, à Puy Guillaume, à côté de Thiers. C'est dans le sud de l'Espagne que Patrick est allé chercher les moules adéquats, et ce sont des brebis de race lacaune, rarissimes en Auvergne (cette race permet notamment de fabriquer le roquefort), qu'il a décidé d'acquérir. Le lavort est un fromage à pâte pressée dont la consistance devient assez moelleuse après quatre mois d'affinage. Il ne faut guère aller au-delà car, ensuite, le « croûtage » s'épaissit de manière irrésistible au détriment de la pâte, qu'il réduit à la portion congrue. La croûte du lavort s'apparente à celle d'une tomme savoyarde, mais là s'arrête la comparaison : le lait cru de brebis se caractérise ici par des arômes très « pointus », presque sucrés, offrant une interminable persistance. Succès aidant, Patrick Beaumont a entrepris de susciter l'installation de jeunes éleveurs, dont il collecte le lait. Parti de rien, ce produit original a ainsi réussi en quelques années à faire son trou et à s'installer, sans doute durablement, sur le plateau des fromages auvergnats, déjà bien garni.

Petit camembert au calva

France (Basse-Normandie)
Lait de vache

C'est mon compatriote auvergnat Henry Vergnes, du bistrot *Au Sauvignon*, à Paris, qui m'a suggéré l'idée de ce camembert miniature au calvados. Ces deux grands produits du terroir normand convolent depuis déjà longtemps. Il existe également d'excellents camemberts au cidre. J'ai demandé à Philippe Meslon, de la fromagerie de Saint-Loup-de-Fribois, près de Cambremer, de mettre en œuvre une fabrication spéciale de camemberts au lait cru de 5 centimètres de diamètre sur 2 centimètres de hauteur. Il a fallu concevoir des moules sur mesure. En raison de sa taille modeste, ce fromage s'affine une semaine plus vite qu'un camembert traditionnel. En trois semaines, il est à cœur. Nous le faisons macérer une journée dans un calvados. Ainsi imbibé, le fromage est roulé, sans qu'il soit besoin d'enlever sa croûte, dans une chapelure bien fine. Je le ceins ensuite d'un petit ruban vert et je coiffe le tout d'un cerneau de noix. Une vraie gourmandise de 60 grammes, qui s'engloutit en deux bouchées. Toutes proportions gardées, c'est le petit four du fromage. Parfait pour le casse-croûte du midi, il est aussi très joli et attractif sur un plateau.

Été

Les fromages à déguster sous les tonnelles

Au petit déjeuner avec un peu de confiture de fruits rouges, à 11 heures sur un toast avec du sel et du poivre, en entrée avec des crudités, en dessert avec une pincée de sucre ou un peu de miel... L'été, les fromages frais se dégustent à toute heure de la journée. Il n'y a pas plus accommodant !

Lorsque les chemises ont tendance à s'entrouvrir, que la douce torpeur estivale envahit les corps et les esprits, il n'est pas de plus pur délice que de savourer un fromage frais, doucement acidulé, accompagné d'un doigt de vin blanc ou d'un bon rosé. Un plaisir tout simple que je ne me lasse pas de conseiller.

LE FROMAGE FRAIS est l'ancêtre de tous les fromages : il s'agit très simplement de lait caillé plus ou moins égoutté. Le lait coagule sous l'action de ses ferments lactiques (ou de ferments ajoutés lorsque le lait n'est pas assez riche ou qu'il a été pasteurisé) avec, parfois, le renfort d'une légère dose de présure. Un fromage frais a une durée de vie très brève : à peine sorti de son moule, à l'issue d'une courte maturation (de 18 à 24 heures), il est aussitôt offert à la gourmandise des amateurs. Certains sont même commercialisés dans leur faisselle, qui laisse encore exsuder le petit-lait.

DERRIÈRE CES CARACTÉRISTIQUES COMMUNES, les variantes sont innombrables, selon le degré d'égouttage, selon l'ajout ou non de sel, d'herbes, d'aromates ou de sucre, selon que le caillé est battu ou pas. Chaque région a ses propres fabrications : la boulette de Cambrai mêle estragon et poivre, la jonchée niortaise est affinée sur une natte en roseau qui lui confère un léger arôme, la brousse du Rove (Provence) se présente dans de curieuses faisselles allongées. Si la cervelle de canut des Lyonnais se déguste à la cuillère, le mascarpone, quant à lui, se fond dans les desserts, tandis le quark allemand apprécie la compagnie de céréales.

PAR DÉFINITION, un fromage frais n'est jamais affiné, d'où son absence totale de croûte. Il comporte toujours un fort taux d'humidité (sa teneur en matière sèche doit tout de même atteindre 18 % pour qu'il puisse porter le nom

La fabrication traditionnelle du fontainebleau à la fromagerie Goursat : tout le secret réside dans la manière de faire mousser le fromage frais et la crème fouettée.
Double page précédente : vaches pâturant sur les hauteurs de Gstaad, en Suisse (alpage de Reudi Wehren).

GOURSAT
22 21 64
Fontainebleau
A consommer dans les

Le meilleur de l'été
Les fromages vous donnent rendez-vous l'été. Ne les boudez pas ! La grande majorité de ceux proposés à cette période ont en effet été fabriqués au milieu ou à la fin du printemps, période de qualité optimale du lait. Après maturation dans les caves d'affinage, ils arrivent à point sur les étals, qu'ils irradient de leur générosité.

- ***Tous les fromages à pâte molle*** sont succulents. Leurs pâtes sont onctueuses, parfois crémeuses. Les camemberts sont divins à partir de juillet, avec de très appétissantes pâtes jaune d'or. Les saint-nectaire, à l'issue d'un affinage de huit à dix semaines, sont replets à souhait, tout comme les reblochons, qui ne demandent qu'à s'épancher. Les munsters, les maroilles et les pont-l'évêque affichent une forme éblouissante. On peut regretter que tous ces fromages perdent de leur pouvoir de séduction dans la torpeur du milieu de l'été.
- ***Les fromages de chèvres***, accompagnés de vins rosés ou de rouges légers, ont souvent la faveur des gourmets. Choisissez-les tendres et moelleux. Ils resteront superbes jusqu'à la fin du mois d'août, tant que la végétation ne souffre pas trop des chaleurs estivales. Les étés sans nuage affectent toujours rapidement leur qualité.
- ***Tous les fromages frais***, de vache, de chèvre ou de brebis, sont parfaitement indiqués. S'ils n'ont pas de saison de prédilection, ils sont toujours les bienvenus en été.
- ***Quant aux fromages de garde***, il faut impérativement rechercher les produits fabriqués l'année précédente dans les alpages d'été. Au bout d'un an d'affinage, leur saveur s'affirme de plus en plus et leur tempérament commence à se révéler pleinement.

Fontainebleau maison
Il n'est pas impossible de réaliser soi-même du fontainebleau, à condition de se procurer des matières premières irréprochables : du lait et de la crème fraîche entiers, crus de préférence. La sanction est immédiate si la crème ou le lait sont de qualité moyenne : le fontainebleau ne monte pas. Un lait demi-écrémé, par exemple, ne donne rien. Autre « ingrédient » indispensable, le coup de main : pour aérer et émulsionner le tout, fouettez d'un geste ample et souple. Si vous allez trop vite en besogne, le risque est grand de faire du beurre. Enfin, veillez aux proportions : on compte, environ, trois quarts de crème pour un quart de lait.

Le moulage à la louche
de la bruyère de Joursac.
Gestes brusques proscrits !

de fromage). C'est aussi un fromage peu calorique… à condition de ne pas trop le sucrer au moment de le déguster !

AU SEIN DE CETTE IMMENSE FAMILLE, les chèvres frais méritent d'être distingués. Bien que très proches, de par leur aspect, des fromages au lait de vache, ils présentent un goût très caractéristique et sont plus fréquemment fabriqués au lait cru. Il faut, pour s'en procurer, ne pas hésiter à se déplacer chez les producteurs fermiers. Sur la route des vacances, les occasions ne manquent pas ! Grâce à leur acidité, qui revigore les papilles, et à la légèreté de leurs arômes, toujours délicats, jamais puissants, ils donnent une intense impression de fraîcheur.

ON PEUT, LÀ AUSSI, DISTINGUER PLUSIEURS CATÉGORIES. Il y a tout d'abord les fromages de chèvre que l'on détourne de l'affinage auquel ils étaient normalement destinés. Charolais, sainte-maure, banon, pouligny : tous peuvent connaître cette destinée. Les producteurs fermiers commercialisent ainsi près de la moitié de leur production, ce qui leur permet de ne pas constituer de stocks et d'économiser un temps précieux à l'échelle d'une petite exploitation. On distingue ensuite les fromages

« programmés » pour n'être qu'éphémères. C'est le cas de la plupart des brousses provençales ou corses. Enfin, plus récemment, sont apparus des chèvres frais « modernes », tel le chavroux.

LES MEILLEURS CHÈVRES FRAIS sont issus, pour la plupart, de terres gorgées de soleil telles que les Alpes-de-Haute-Provence, la Drôme ou le Gard. J'aimerais apporter ici un bémol à une affirmation que me semble plus poétique que réelle : les fromages frais auraient le parfum des herbes et des fleurs broutées par les chèvres. Certes, dans les garrigues de Haute-Provence ou de Corse, les herbes aromatiques telles que le romarin ou la sarriette abondent, mais il est bien rare que leurs riches parfums se transmettent au lait, puis au fromage… À moins, bien sûr, d'aromatiser le lait !

TOUS LES FROMAGES FRAIS, qui doivent être dégustés rapidement après avoir été fabriqués, sont peu enclins à franchir les frontières. Mais, grâce aux emballages sous vide, certains peuvent prendre l'avion : c'est ainsi que je me fais livrer de Corse du *brocciu* frais. De manière générale, ce sont les fromages les plus industrialisés qui s'exportent, tels que le *cottage cheese*, la *feta* ou le mascarpone.

NE CANTONNONS tout de même pas la consommation estivale aux seuls fromages frais. Parmi ceux que j'ai sélectionnés pour vous dans ce chapitre, je n'ai pas résisté à l'envie de glisser deux produits affinés dont le caractère s'avère aussi très vivifiant : un fromage de vache orléanais ragaillardi par le goût végétal de la sauge et une bruyère de Joursac délicieusement parfumée.

Claudia Reuss présente un fromage tout juste moulé. En cours d'égouttage, le fromage se tasse dans le moule. Sur les claies d'affinage (*ci-dessus*) le bruyère de Joursac a perdu plus de la moitié de sa hauteur initiale.

Bruyère de Joursac

France (Auvergne)
Lait de chèvre

Un couple d'Allemands venu s'installer en France est à l'origine de la création de ce sympathique fromage. Claudia et Wolfgang Reuss, depuis longtemps amoureux des montagnes auvergnates, ont décidé de quitter en 1987 la très industrielle région de Stuttgart pour « vivre de la nature et avec la nature, en paix et au calme ». Ils ont ainsi élu domicile dans un coin perdu, à 1 100 mètres d'altitude, dans une vieille ferme située face au mont Journal dont les pentes font la part belle aux sapins, aux frênes et aux hêtres. À leurs pieds, la vallée, très verdoyante, accueille de nombreuses prairies naturelles où, de la fin mars jusqu'à novembre, paissent leurs soixante-douze chèvres. Deux ans après leur arrivée est sorti de leur atelier ce petit fromage rond dont la croûte naturelle beige abrite une pâte très moelleuse, qui ne rechigne pas à devenir crémeuse si on l'y aide un peu.
Au début, le couple confiait ses fromages, tout juste fabriqués, à un affineur. Ayant pris confiance en eux, ils les soignent désormais pendant un mois. Le nom du fromage s'inspire de celui du lieu-dit, La Brugère, qui faisait lui-même référence à la présence de nombreuses bruyères. Le fromage, qui nécessite environ 2,5 litres de lait, est particulièrement exquis en mai-juin. Très parfumé, il fond littéralement sous la langue.

Cottage cheese

Royaume-Uni (Angleterre)
Lait de vache

Très populaire dans les pays anglo-saxons, tels le Royaume-Uni, les États-Unis ou l'Australie, mais aussi au Danemark ou encore en Israël, le *cottage cheese* se reconnaît à sa texture floconneuse assez serrée, sans réel équivalent, qui évoque le pop-corn ; c'est d'ailleurs sous ce nom que les Américains désignent parfois ce fromage. Cette particularité tient à un égouttage beaucoup plus poussé que pour les autres fromages frais. Fabriqué au lait de vache, cet emblème britannique aurait des racines en Europe centrale, où les paysans pauvres le destinaient à leur consommation domestique. Il est en effet fabriqué avec du lait écrémé, la crème étant réservée à la fabrication du beurre. D'où son faible taux en graisses. Comme tous les fromages frais, il contient environ trois quarts d'eau. C'est donc un fromage peu calorique… à condition de ne pas trop le sucrer au moment de le déguster ! Le *cottage cheese*, dont le goût est légèrement acidulé, adore sortir accompagné. La façon la plus traditionnelle de l'accommoder est de lui adjoindre des fines herbes, de la ciboulette par exemple. Par ailleurs, il se fond avec bonheur dans des recettes telles que le *cheese cake*, très populaire outre-Manche. Il connaît aussi une variante dans laquelle il est enrichi de crème fraîche : sa texture est alors beaucoup plus liée et plus souple.

Cervelle de canut

France (Rhône-Alpes)
Lait de vache

La cervelle de canut figure en bonne place au menu de tous les bouchons lyonnais. Il s'agit d'un fromage blanc frais, copieusement assaisonné de différentes herbes et d'aromates : ciboulette, ail, échalote, persil, cerfeuil. On peut y ajouter de la crème fraîche fouettée pour lui donner plus de volume et de délicatesse. À chacun sa recette ! Ce fromage est en général proposé, bien « frappé », en fin de repas. Un vrai délice sur les terrasses lyonnaises, le midi, lorsque le soleil fait monter la température dans la vallée du Rhône. La cervelle de canut est étroitement liée à l'histoire de la « ville des soyeux ». Elle était, paraît-il, le mets préféré des canuts, les ouvriers en charge du tissage de la soie. Quant au terme « cervelle », il n'évoque que très imparfaitement le siège de notre matière grise : sans doute la texture de ce fromage était-elle, autrefois, moins régulière et lisse qu'aujourd'hui. Produit très local dont la fabrication est à la portée de toute ménagère, la cervelle de canut n'est guère proposée que sur la place lyonnaise et, notamment, sous les halles centrales, où chaque détaillant ne manque pas de vanter sa version maison.

Fontainebleau

France (Île-de-France)
Lait de vache

Savoureux mélange mousseux à base de fromage frais et de crème fouettée, le fontainebleau est un concentré de fraîcheur et de délicatesse.
À Fontainebleau, les trois fromagers de la ville en fabriquent chaque jour car il doit se déguster sans attendre. Ensuite, le produit retombe, devient plus acide et perd tout son charme. Le fontainebleau est aussi fragile et éphémère que voluptueux et aérien… Il a été créé à la fin du XIXe siècle par une laitière qui a eu l'idée de battre au fouet la « fleur de lait », cette matière grasse qui remontait en surface lors du transport en carriole des jarres de lait. En 1904, le propriétaire du dépôt de lait de Fontainebleau (dépôt qui deviendra plus tard l'une de mes boutiques et qui porte toujours mon nom) a mis au point une machine ingénieuse pour fouetter la crème et « automatiser » la production. Je l'ai fait perfectionner en 1985.
Traditionnellement, le fontainebleau était présenté dans de la gaze, un accessoire introduit en France lors de la Première Guerre mondiale par les Américains, qui l'utilisaient dans leurs infirmeries. Elle favorisait l'écoulement du petit-lait. Désormais, les normes d'hygiène réglementent, en principe, son usage. Le fontainebleau est aussi fabriqué de manière industrielle, en grands volumes. Il peut alors se conserver plusieurs jours, ce qui est un avantage, mais il n'a ni la légèreté ni la finesse de son modèle artisanal.

Feuille de sauge

France (Centre)
Lait de vache

Également connu sous le nom de « pithiviers à la sauge », ce petit fromage de forme cylindrique au lait de vache est né en Gâtinais, dans la région d'Orléans. Il semble être le digne héritier d'un fromage plus ancien, le bondaroy, qui, comme son proche cousin l'olivet, servait surtout à la consommation des ouvriers agricoles, dans les champs lors des moissons et dans le vignoble lors des vendanges. Il avait alors un goût soutenu, sans commune mesure avec sa saveur actuelle. Par ailleurs, la croûte fleurie de la feuille de sauge est assez blanche, alors que celle du bondaroy se constellait par le passé de plusieurs familles de moisissure.
La sauge était bien plus qu'un artifice de présentation : elle était utilisée pour ses vertus antiseptiques. Sous sa croûte, ce fromage recèle une texture assez tendre, qui peut devenir crémeuse à l'issue d'environ un mois d'affinage soigné. La sauge, sur laquelle le pithiviers séjourne en cave, parfume très légèrement la pâte.
Né dans les fermes du Gâtinais, ce fromage est aujourd'hui fabriqué dans des laiteries, très souvent au lait pasteurisé.

Rove des garrigues

France (Langedoc-Roussillon)
Lait de chèvre

Je vous ai déjà mis en garde contre le lien direct trop souvent invoqué entre les herbes aromatiques broutées par les chèvres et le goût de leur fromage. Lorsque cette concordance se vérifie— ce qui est rare —, c'est généralement de manière très ténue. Toutefois, le rove des garrigues, mis au point à Saint-Hippolyte-du-Fort par la fromagerie Cigaloise et par deux ou trois fermiers, dispense au cœur de l'été un très net et très agréable parfum de thym. Sans doute parce qu'il est vendu dans sa prime jeunesse (quand il est juste âgé de deux à trois jours), avant que le caillé n'acquière d'autres saveurs qui masqueraient ce parfum. Les chèvres sont élevées en pleine garrigue. Reconnaissables à leurs grandes cornes et à leur pelage marron, elles sont de race rove, d'où le nom du fromage. Ce dernier a l'aspect d'une boule bien ronde, présentée à la vente dans une petite coupelle.
Il a le vent en poupe : il s'en vend jusque dans les principaux pays d'Europe du Nord, et bientôt aux États-Unis et au Japon. Expédié sous vide, ce fromage frais supporte très bien les voyages. Il ne faut pas le confondre avec la brousse du Rove, produite du côté de Marseille et vendue dans des faisselles étroites et allongées, imitation lointaine des cornes de bélier que les bergers, dit-on, utilisaient pour faire cailler le lait (voir page 76).

Filons un parfait moment de bonheur…

Particulièrement adaptée à la cuisine estivale, la mozzarelle mérite un sort à part. Sa fabrication, très particulière et unique au monde, est une spécialité italienne. Il existe des mozzarelles de toutes sortes, la meilleure étant au lait cru de bufflonne…

Outre les fromages frais, mon autre grand bonheur estival est la mozzarelle. Pas celle au lait de vache pasteurisé, un peu acide et sans grand relief, que l'on rencontre partout, jusque dans la garniture des pizzas. Mais la vraie, celle au lait cru de bufflonne, dont la suavité et la délicatesse sont incomparables. C'est un pur délice en plein été, dégusté à midi sur une terrasse, avec une tomate bien mûre coupée en tranches, quelques brins de basilic, un filet d'huile d'olive et quelques gouttes de vinaigre balsamique… Cette boule de fraîcheur est bien agréable lorsque le soleil fait grimper le thermomètre.

SON HISTOIRE, tout comme sa recette, sont assez pittoresques. Tout a commencé il y a environ quatre siècles, en Italie du Sud, lorsque des paysans se sont mis à cultiver le riz dans des zones marécageuses et ont introduit, pour ce faire, le buffle. Contrairement aux vaches, cet animal rustique accepte de rester les pieds dans l'eau sans faire de manières grâce à ses sabots, plus adaptés aux terrains peu stables. Le riz a disparu, mais les buffles sont restés. Et, avec eux, est née la mozzarelle au lait de bufflonne (*mozzarella di bufala*), confectionnée selon une technique très particulière, celle des « pâtes filées », qui s'apparente au travail des lavandières : tremper, essorer, retremper.

APRÈS AVOIR FAIT « PRENDRE » LE LAIT grâce à l'ajout de présure, le fromager fragmente le caillé obtenu en morceaux grossiers et le laisse reposer. Lorsque l'acidification est suffisante, il ajoute du petit-lait chaud, puis égoutte le tout avant de le tremper à nouveau dans du lait chaud. Petit à petit, le caillé s'assouplit. Découpé en lanières, il est une fois encore plongé dans du petit-lait chaud. Après ces bains successifs, l'artisan le pétrit et l'étire, à tel point que des fils se forment. Le fromage, devenu malléable à souhait, se prête alors aux talents de sculpteur du fromager, qui le malaxe jusqu'à obtenir

Page de droite : burrata en provenance des Pouilles, son berceau d'origine. Ce produit pittoresque est fabriqué à partir de fromage frais et de crème fraîche.
Ci-dessus, à gauche : boules de mozzarelle dans leur petit-lait.

SPECIALITA' CASEARIE ARTIGIANALI PUGLIESI
giuseppe

la forme voulue : poire, cône, petits personnages ou, le plus souvent, boule mal dégrossie. Tout ce processus est désormais largement automatisé, et la main ne pétrit plus que rarement les boules de mozzarelle.

RESTE QU'AVEC SA BLANCHEUR DE PORCELAINE, sa saveur délicatement acidulée et sa texture très élastique, la mozzarelle est vraiment unique. La *mozzarella di bufala campana* est enfin protégée, depuis 1979, par une appellation d'origine contrôlée. Celle au lait de vache (vendue notamment sous le nom de « fleur de lait ») est, quant à elle, fabriquée dans le monde entier : aux États-Unis et au Canada, en particulier, où l'importante immigration italienne a suscité la création de fromageries, et jusqu'en Nouvelle-Zélande. En Italie, la version au lait de vache est fabriquée dans toute la péninsule, tandis que la *mozzarella di bufala* est essentiellement élaborée en Campanie (Salerne et Caserte). Le lait de bufflonne est un vrai bonheur pour un fromager : il est trois fois plus riche en protéines que le lait de vache, ce qui le rend particulièrement apte à la fabrication de fromages.

Imposants *provolone* suspendus dans les caves de la maison Guffanti, à Arona. Un fromage peut peser jusqu'à 100 kilos et son affinage nécessiter jusqu'à un an. Le *provolone* est surtout utilisé en cuisine.

Le fromage en veut-il à votre ligne ?
Le fromage est souvent présenté comme un péché de gourmandise qui se paie chèrement. En témoigne toute une imagerie, comme celle de l'embonpoint jovial des moines qui ornent si souvent les emballages. Le fromage, c'est un fait indéniable, contient des graisses. Mais pas autant qu'on le croit, et de manière très variable selon le type de fabrication. La règle à retenir est que plus la pâte est sèche, plus elle est concentrée en éléments nutritifs, en lipides en particulier.
Le taux de matières grasses indiqué obligatoirement sur les emballages ou sur les étiquettes est très trompeur : un camembert à 50 % de matières grasses est moins gras qu'un comté affichant la même quantité de matières grasses. En effet, le pourcentage indiqué correspond à la quantité de matière grasse par rapport à celle de matière sèche. Ainsi, le camembert, pâte assez humide, contient en fait 22 % de matières grasses, contre 31 % pour le comté, pâte pressée cuite beaucoup plus sèche.

Le mirage des allégés : fades et trompeurs
Puisque les graisses du fromage peuvent faire grossir, il suffit d'élaborer des produits moins gras ! Ainsi sont nés les fromages allégés fabriqués à partir de lait plus ou moins écrémé. Malheureusement, ils présentent au moins deux inconvénients. D'abord, leur goût est rédhibitoire pour les gourmets. En effet, les graisses du fromage sont le support des arômes et ce sont elles qui donnent des textures sensuelles. Sans elles, pas de vrai plaisir ! Ensuite, notre organisme ne se laisse pas duper très longtemps : à chaque repas, il compte méticuleusement le nombre de calories consommées pour mieux réguler notre appétit. S'il se fait leurrer par un allégé au cours d'un repas, il fera en sorte de regagner la différence sur le repas suivant...
Pour moi, les allégés, c'est deux fois moins de matières grasses, mais deux fois plus de matière fade, et pour deux fois plus cher.

UN PETIT CONSEIL : étant dénuée de croûte (et juste protégée, au mieux, par une fine pellicule blanchâtre), la mozzarelle doit toujours être conservée dans son petit-lait ou dans de l'eau salée sous peine de se racornir et de « tourner de l'œil ». Seule sa version fumée à la paille de froment, aux feuilles et au bois *(mozzarella di bufala affumicata)*, introuvable en France, supporte d'être exposée à l'air libre sans le moindre dommage.

VOUS SOUHAITEZ VOIR DES BUFFLONNES EN FRANCE ?
C'est possible. Il en existe, à ma connaissance, au moins deux troupeaux. Le plus connu est celui de la Bergerie royale de Rambouillet, en région parisienne. Il a été constitué, il y a une dizaine d'années, à l'initiative de restaurateurs italiens qui souhaitaient avoir sous la main de la mozzarelle au lait cru. La Bergerie fabrique une mozzarelle au lait mixte (avec lait de vache), mais a pour objectif, grâce à l'augmentation du cheptel (une vingtaine de bufflonnes pour l'instant), de fabriquer de plus en plus de « pur bufflonne ».
Cette mozzarelle est principalement distribuée auprès des restaurateurs de la région parisienne, ainsi qu'aux clients de la boutique gourmande de la Bergerie.

PLUS RÉCEMMENT, un autre troupeau de bufflonnes s'est constitué dans le sud du Cantal : soixante-dix animaux sont élevés à Maurs. Leur lait est transformé en deux produits : un type pérail et une tomme de 1 kilo. D'avril à septembre, le lait collecté permet également de fabriquer de la mozzarelle. Pour l'instant, ces fromages sont surtout diffusés dans un petit rayon régional. Quant aux buffles, ils fournissent, paraît-il, un excellent saucisson.

LA MOZZARELLE SE PRÊTE À QUANTITÉ DE RECETTES aussi alléchantes que rafraîchissantes. J'adore celles de Paula Lambert, une Américaine de Dallas (Texas) qui a fondé une fromagerie au début des années 1980 à la suite d'un coup de foudre pour la mozzarelle lors de vacances en Italie. Depuis, elle a élargi sa gamme à plus d'une trentaine de produits et publie régulièrement des recettes d'inspiration méditerranéenne, tout en subtilité et en légèreté. Si vous voulez avoir l'eau à la bouche, je vous conseille d'aller fureter sur son site Internet (voir page 229).

LES FROMAGES À PÂTE FILÉE — dont je vous ai choisi ci-après deux délicieux représentants — sont souvent proches en goût. C'est pourquoi je me permets d'y ajouter des produits qui sont, pour moi, de véritables petites merveilles estivales en raison de leur finesse (chabichou du Poitou), de leur originalité (délice de Pommard), de leur fraîcheur (brousse du Rove) ou de leur personnalité (tomme capra).

La brousse du rove est un curieux petit fromage frais battu énergiquement, avant d'être mis en moule dans des faisselles étroites et allongées. Celles-ci pourraient avoir pour ancêtre des cornes de bélier.

Chabichou du Poitou

France (Poitou-Charentes)

Lait de chèvre

Son petit nom est « chabis », mais sa carte de visite mentionne « chabichou du Poitou AOC ». Haut de 6 centimètres, ce petit fromage de chèvre est aisément reconnaissable à sa forme tronconique : son diamètre se resserre légèrement de la base vers le sommet. L'offre est assez diverse en qualité, allant d'authentiques produits fermiers au lait cru à des fromages industriels pasteurisés plus passe-partout, dont le Poitou est devenu la terre d'élection. On reconnaît les premiers, ceux de la maison Georgelet, par exemple, à leur texture impeccablement lisse, résultat d'un moulage très soigneux à la main. Ils deviennent vraiment bons à l'issue de trois à quatre semaines d'affinage. Pour la petite histoire, « chabichou » pourrait venir de l'arabe *chebi*, « petite chèvre ». Tous les écoliers français apprennent que Charles Martel a arrêté les Arabes à Poitiers en 732. Il s'agissait plus vraisemblablement de l'incursion d'un chef de guerre venu piller des terres avant de repartir. Qu'importe, les Sarrasins auraient laissé leur recette d'un fromage à base de lait de chèvre. Reste que des chèvres apparaissent sur des gravures locales bien avant Charles Martel : le mystère des origines du chabichou reste entier...

Brousse du Rove

France (Provence-Côte d'Azur)

Lait de chèvre, de vache ou de brebis

La brousse du Rove ne se sépare jamais de son curieux moule allongé en plastique — parfois joliment appelé « doigt de fée » —, sans lequel elle s'effondrerait de manière piteuse. Ce moule évoquerait la forme des cornes de bélier, que l'on utilisait autrefois et qui furent ensuite remplacées par des étuis en fer étamé ou en osier tressé. La brousse est née, il y a fort longtemps, dans l'arrière-pays marseillais, là où la chèvre de race rove a ses habitudes. Depuis, laits de brebis et même de vache sont utilisés par les trois derniers fermiers en exercice. La recette exige beaucoup d'énergie : le lait est chauffé à plus de 80 °C juste après la traite, puis acidifié (vinaigre blanc, acide acétique) pour le faire cailler. Le fromager le bat alors vivement avec un fouet (brousser signifie en effet « battre ») jusqu'à ce qu'il forme des flocons. Il ne reste plus qu'à récolter ceux-ci avec une écumoire et à les déposer dans le moule, où ils s'agglomèrent et se tassent. Cette manière de faire évoque celle du *brocciu*, à la différence que ce dernier est issu du petit-lait et non du lait proprement dit. Il ne reste plus qu'à déguster la brousse en la démoulant sur une assiette. Sa saveur acidulée sollicite la compagnie de petites douceurs : coulis de fruits rouges, miel, sucre et, pourquoi pas, quelques larmes d'alcool fort. Un véritable dessert !

Burrata

Italie du Sud

Lait de vache ou de bufflonne

La *burrata* est une spécialité pittoresque, originaire des Pouilles italiennes, qui a essaimé dans tout le sud de l'Italie. Son aspect évoque celui que devaient avoir les fromages de l'Antiquité, mis à égoutter à l'air libre dans des feuilles fraîches (de jonc ou d'asphodèle, entre autres). Elle se présente toujours de cette manière, une ficelle de raphia nouant le tout. Selon la forme qu'elle adopte, assez variable, le nom du produit change. Ici on l'appelle *butirri*, là *palloni*, là encore « œil de bufflonne ». À l'intérieur : un savoureux mélange de crème fraîche et de morceaux de fromage à pâte filée encore frais (mozzarelle ou *provolone*). Pourquoi des morceaux ? Il s'agit de brisures de fromage invendables en l'état, comme me l'a expliqué Fiori Carlo, de la maison Guffanti, grand spécialiste des fromages traditionnels transalpins. Il me fait régulièrement parvenir une *burrata* au lait de vache entier, très délicate et légèrement parfumée par son enveloppe végétale. J'en laisse parfois vieillir certaines, qui deviennent plus compactes et dont le goût s'affirme encore davantage.

Délice de Pommard

France (Bourgogne)

Lait de vache

Voici un fromage tout à fait original, dans sa forme comme dans son expression gustative. Le délice de Pommard a été créé aux alentours de 1996 par un fromager bourguignon, Alain Hess, affineur et détaillant à Beaune. Il est parti pour cela d'un banal fromage triple crème frais qu'il a aromatisé à la moutarde ou, plus exactement, au son de moutarde. Ce dernier n'ayant pas la même vigueur, ni tout à fait le même goût, que la moutarde, l'immense majorité des consommateurs non avertis parviennent rarement à définir l'origine de cet arôme étrange et séduisant. Le fromage est plongé dans le son de moutarde et malaxé, puis moulé à la main avec un torchon, d'où sa forme qui évoque une figue. Le succès a été immédiat, et de nombreux restaurants l'ont glissé sur leur plateau. Des imitations n'ont pas tardé à naître. Le délice de Pommard s'apprécie encore frais, en fin de repas. Alain Hess, qui a beaucoup tâtonné (avec de l'ail et différentes herbes) avant que n'émerge la bonne idée, m'a déjà annoncé qu'il était en train de mettre au point un nouveau produit révolutionnaire…

Tomme capra

France (Rhône-Alpes)

Lait de chèvre

Cette petite tomme au lait de chèvre peut se rattacher à la famille du picodon, dont elle partage la texture serrée. Mais elle est un soupçon plus épaisse et, surtout, présente un goût plus affirmé, presque puissant. C'est l'un de mes confrères de Vincennes, Bruno Collet, qui me l'a fait découvrir après l'avoir dénichée sur un marché des environs de Privas. Elle est fabriquée par un fermier dans le village de Saint-Bardou. Nous l'avons fait référencer sur le marché de Rungis de manière que les coûts de transport ne soient pas dissuasifs pour un si petit fromage. Il existe d'excellents produits fermiers dans tout l'Hexagone qui, sans ce sésame, ne pourraient trouver d'avenir hors de leur marché local. La tomme capra, toujours au lait cru, subit un affinage très soigné, d'un bon mois au minimum. Dès les premiers jours, une sélection spéciale est opérée : certains clients nous demandent des fromages secs qui vont exiger jusqu'à trois mois d'affinage. Seules peuvent y prétendre les tommes qui ne sont pas trop humides en surface et démarrent avec un petit duvet. Le fromage est ventilé en début d'affinage (on parle de « ressuyage », dans notre jargon) pour qu'il prenne une belle surface. À terme apparaît une fine pellicule bleue, pas forcément homogène. Comme pour tous les fromages de ce type, c'est à la fin du printemps et au début de l'été que la tomme capra est au sommet de sa forme.

Provolone

Italie du Sud

Lait de vache

Fromage roi de l'Italie méridionale, le *provolone* est le meilleur compagnon des plats de pâtes. On le suspend dans les cuisines, où il continue de se rétracter au fur et à mesure que son humidité s'évapore. Dans les épiceries italiennes spécialisées dans les salaisons, il côtoie souvent au plafond, maintenu par de la ficelle, les saucissons et les jambons. Le *provolone* appartient, comme la mozzarelle, à la famille prolifique des fromages à pâte filée mais, contrairement à elle, il est recouvert d'une croûte. C'est qu'il est consommé plus affiné, jusqu'à plus de six mois. Certains affineurs proposent même une version *picante*, fruit d'une année d'affinage. Difficile de tracer le portrait type du *provolone* : il a la forme qu'on veut bien lui donner, aussi incertaine et imprévisible que celle des pommes de terre mais, en général, il a la silhouette d'une poire. Sur la balance, il peut peser de 1 livre à près de 100 kilos ! Autrefois au lait de bufflonne, il est aujourd'hui quasiment toujours fabriqué au lait vache. Il est parfois fumé. Très accommodant, il s'invite aussi bien à l'apéritif, découpé en cubes et servi avec différents condiments, qu'au milieu du repas, râpé sur un plat de pâtes fumantes.

Il y a de l'orage dans l'air...

Produit vivant, le fromage réagit différemment selon les conditions climatiques, même si les fromageries ont de plus en plus tendance à se couper des influences du monde extérieur.

L'été est une période délicate à franchir pour les fromagers : si le temps est trop sec, les herbages s'appauvrissent et les quantités de lait baissent. Le phénomène est plus fréquent en plaine qu'en altitude, où les alpages sont moins exposés au manque d'humidité. À défaut d'abondance, la qualité, elle, est plutôt bonne : les animaux commencent à arriver en fin de lactation, une phase au cours de laquelle les laits sont particulièrement gras et riches en protéines.

PAR TEMPS ORAGEUX, le fromager fait la grimace. Non seulement les animaux sont stressés par les dérèglements climatiques mais, surtout, le lait peut réagir différemment : il a tendance à être plus acide, d'où des pâtes plus serrées, moins onctueuses. Les recettes ont alors besoin d'être adaptées.

DE MANIÈRE GÉNÉRALE, la pluie et l'humidité donnent des soucis aux fromagers. Sur la façade méditerranéenne, ces derniers sont ainsi attentifs au sens des vents dominants : ils redoutent les vents du sud, chargés d'humidité. L'ennemi, comme me l'a raconté un producteur de pélardons, c'est le vent qui vient de la mer. Ainsi, dans la garrigue gardoise comme dans la montagne cévenole, lorsqu'il souffle plusieurs jours d'affilée, le caillé s'égoutte moins bien et des flores indésirables peuvent apparaître en cours d'affinage. L'idéal, pour ce producteur fermier, c'est le mistral : « Les fromages se font presque tout seuls », m'a-t-il confié. « Quand il tonne en mai, les vaches ont du lait ». J'ai déniché cet adage québécois sur un site Internet, qui en donne également la variante suivante : « Pluie de mai, vache à lait ». Traduction : plus il pleut, plus l'herbe est gorgée d'eau, plus le lait est abondant. Tout cela est vrai mais ne réjouit guère, contrairement à ce que l'on pourrait penser, l'artisan fromager. D'une part les vaches ont horreur de l'humidité (elles craignent moins le froid ou la chaleur), d'autre part, et surtout, le lait est alors proportionnellement moins riche en matière sèche, en protéines notamment, la matière vitale des fromages.

Claire Guillemette, de la ferme des Bergerettes, à Thiers, en Auvergne, élève une trentaine de chèvres et vit en quasi-autarcie. Son fromage, le cabécou de Thiers, se déguste plutôt moelleux.

QUELQUES EXPLICATIONS pour comprendre : les protéines permettent, en se coagulant sous l'action de bactéries lactiques ou de présure, de faire d'une matière liquide un produit solide ; ces longues chaînes de molécules s'assemblent en un réseau très uni (l'affinage le détruira peu à peu, rendant par exemple le camembert coulant). Les principales protéines sont les caséines. Il existe également des matières azotées solubles, les protéines sériques, contenues dans le petit-lait : c'est grâce à elles que l'on parvient à fabriquer des fromages de lactosérum (autre nom du petit-lait) tels que la cancoillotte ou le gaperon. Les protéines jouent donc un rôle essentiel, tant pour la texture du fromage que pour son goût : leur dégradation génère des composés aromatiques très variés. Plus un lait est riche en protéines, plus il aura de la tenue, plus il sera « fromageable ». Le lait de brebis, deux fois plus riche en protéines que le lait de vache, est ainsi très goûté des fromagers. Voilà pourquoi le taux de matière sèche est un critère important à surveiller et pourquoi le temps pluvieux ne sied guère aux fromageries.

PARMI LES AUTRES INGRÉDIENTS DU LAIT, les corps gras, grands complices du goût, ont la propriété de « fixer » les composants aromatiques. Ils donnent également des textures plus sensuelles (onctueuses, fondantes, moelleuses), et c'est pourquoi les fromages allégés font rarement le bonheur des gourmets. De son côté, le lactose, le « sucre du lait », joue un rôle très important dans la fabrication : les bactéries lactiques le transforment en acide lactique, première étape de la coagulation du lait. Le lait contient également différents minéraux (dont le calcium), des vitamines et, bien sûr, de l'eau.

Le cabécou de Thiers
est travaillé cru, ensemencé
avec le petit-lait repiqué
de la veille et moulé à la louche.
Ci-contre, à gauche :
démoulage du fromage.

Comment conserver vos fromages ?
Les fromages ont deux ennemis : le dessèchement et les variations de température. Voici quelques règles à connaître pour éviter ces désagréments.

• ***Entreposez-les dans la zone « cave » du réfrigérateur*** si celui-ci dispose de cet équipement : la température, supérieure de quelques degrés à celle du reste du réfrigérateur, permet d'y conserver les fromages dans de bonnes conditions, à l'abri de flux d'air froid. À défaut, le bac à légumes, qui conserve bien l'humidité, s'impose.

• ***Évitez de sortir trop souvent les fromages du réfrigérateur.*** Vous les préserverez ainsi des variations de température et d'humidité, qui favorisent leur dessèchement.

• ***Évitez de faire des stocks*** de plus d'une semaine. Peu de fromages résistent à une garde prolongée, surtout s'ils sont à point. Mieux vaut rendre visite à son détaillant régulièrement. Il est bien mieux équipé ! Acheter en plus petites quantités mais plus souvent permet aussi de varier les plaisirs…

• ***Gardez les fromages emballés,*** dans leur papier d'origine de préférence. La plupart dégagent une odeur bien caractéristique qui risque de parfumer d'autres produits (beurre, crème, liquides, certains fruits). Inversement, leur matière grasse est capable de fixer les odeurs d'autres aliments situés à proximité. En outre, ils risquent de s'ensemencer les uns les autres : un morbier peut ainsi se couvrir du pénicillium blanc d'un camembert. Enfin, un fromage nu dans un réfrigérateur (à l'exception des fromages de chèvre) se dessèche rapidement. Placez sur les entames un morceau de film plastique étirable : le fromage perdra moins vite ses qualités gustatives.

• ***Évitez les séjours prolongés dans des boîtes étanches :*** leur atmosphère est trop confinée. La cloche est un matériel de présentation plus que de conservation, sauf pour une durée réduite : elle ralentit le réchauffement du fromage et son dessèchement. Mais elle est souvent trop grande pour entrer dans le réfrigérateur, et n'incite guère à séparer les fromages les uns des autres.

• ***Pensez à sortir les fromages du réfrigérateur*** de une à deux heures avant de les consommer… le temps qu'ils s'acclimatent !

UN FROMAGER a toujours l'œil rivé sur deux chiffres essentiels : la teneur en caséines et celle en matières grasses. Plus ils sont élevés, plus les rendements sont importants. Il en tient compte au sein même de la journée : la traite du matin, généralement plus abondante, est aussi moins grasse que celle du soir. Ainsi, du côté de la Seine-et-Marne, dans certaines fromageries, la traite du soir, plus grasse, est destinée aux fromages triple crème, comme le brillat-savarin, alors que celle du matin est réservée à des fromages dont la recette peut comporter un écrémage partiel du lait, comme le brie de Melun.

LES SIX FROMAGES qui suivent sont tous artisanaux, et donc assez sensibles aux aléas climatiques. Pardonnez-leur leurs sautes d'humeur éventuelles !

Nicole Aigoin fabrique du pélardon sur les premières pentes des Cévennes. Moulage à la louche de rigueur, en ayant bien soin de ne pas briser le caillé.

Bonde de Gâtine

France (Poitou-Charentes)

Lait de chèvre

Ce fromage a été créé « sur commande » à la fin des années 1970 : une crémière de Saint-Germain-en-Laye recherchait un fromage « de type selles-sur-cher en deux fois plus haut ». Elle en a parlé à Louis-Marie Barreau, petit éleveur de chèvres à Verruyes, dans les Deux-Sèvres. Celui-ci a procédé à des essais. Ainsi est née la bonde de Gâtine. Depuis 1978, sa marque est déposée. La crémière avait le nez fin : la Gâtine est depuis toujours une riche terre d'élevage. Laissons Louis-Marie l'évoquer : « Comme son nom l'indique, c'est une région gâtée, qui ressemble à la Normandie avec du bocage, des haies, un relief assez vallonné, des bois de châtaigniers. Les prairies sont permanentes car le sol est argileux. » Haute de 7 centimètres pour 7 centimètres de diamètre, la bonde est un fromage trapu. Pour la fabriquer, il ne faut pas moins de 2 litres de lait cru, qui seront transformés immédiatement après chaque traite. Elle est moulée à la louche. Un vrai travail d'artisan ! Je partage totalement l'avis de Louis-Marie, qui transforme désormais le lait de deux fermes avoisinantes : la bonde est quelconque lorsqu'on la consomme fraîche. Je l'affine donc pendant quarante-cinq jours. Sa pâte se resserre alors, et une douce saveur de chèvre s'épanouit.

Cabécou de Thiers

France (Auvergne)

Lait de chèvre

Essayer de vivre autrement, en quasi-autarcie, en faisant un pied de nez à la société : c'est sur ses bases qu'est né cet excellent petit fromage de chèvre, à 650 mètres d'altitude. Claire Guillemette, sa créatrice, se contente d'un tout petit troupeau d'une trentaine de chèvres, qu'elle élève sur les 35 hectares qui enserrent sa ferme, sur la commune de Thiers. Le terrain, fait de landes, de bois et de quelques hectares de prairie, n'est pas très riche, mais les chèvres se contentent de peu et semblent pleinement heureuses de vivre au grand air avec pour spectacle le puy de Sancy et le puy de Dôme. Claire fabrique depuis vingt-cinq ans ce fromage, qui s'apparente à un cabécou par la technique utilisée. Le lait est travaillé cru, ensemencé avec le petit-lait repiqué de la veille, et le fromage est moulé à la louche. Il se déguste plutôt moelleux, après de quinze à vingt jours d'affinage. Son goût est très équilibré, presque sensuel. Claire élève des poules, fabrique son pain ainsi que des confitures et des sorbets, mais elle ne néglige pas pour autant de se faire connaître — c'est à la foire de Sainte-Maure-de-Touraine qu'elle a fait découvrir son fromage —, et d'appliquer les normes européennes.

Pélardon

France (Languedoc-Roussillon)

Lait de chèvre

Ce petit fromage en forme de palet, à la peau couverte d'un léger duvet blanc où pointe parfois le bleu, est une spécialité historique des montagnes cévenoles même si sa zone d'appellation couvre désormais une large partie du Languedoc-Roussillon. Il a longtemps souffert d'une concurrence sauvage qui faisait passer sous son nom des produits fabriqués avec des laits venus, sous forme de caillés congelés, d'Espagne ou d'ailleurs… Depuis l'octroi récent d'une AOC, il retrouve ses vertus et son enracinement, s'appuyant sur un réseau dense de producteurs fermiers qui représentent les trois quarts de l'appellation. Pour les exploitations situées à moins de 800 mètres d'altitude, sous la limite des chênes blancs et des châtaigniers, les chèvres doivent pâturer au moins deux cent dix jours par an ; pour celles situées plus haut, là où prospèrent les épicéas et les sapins, elles doivent pâturer au moins cent quatre-vingts jours. Autre point fort : l'interdiction du pré-égouttage qui, en hâtant le processus de fabrication, permet d'économiser de la main-d'œuvre au détriment de la finesse de la pâte. Affiné de deux à trois semaines, le pélardon offre une belle pâte, compacte mais moelleuse, au doux parfum de chèvre.

Fromages à rebibes

Suisse (Oberland bernois)
Lait de vache

Au pays des gruyères, difficile de tirer son épingle du jeu tant la concurrence est forte sur le créneau des produits artisanaux hauts de gamme. Il faut donc parfois faire preuve de beaucoup d'imagination. Les fromagers de l'Oberland bernois, région de haute montagne située à l'est du lac Léman, ont eu la bonne idée de lancer la mode du rabotage, déjà en usage depuis fort longtemps pour l'étivaz, fromage d'alpage des pré-Alpes vaudoises : pour déguster notre gruyère, détaillez-le en jolis rouleaux aussi parfaits qu'une cigarette russe, à l'aide d'un rabot sur mesure ou d'un couteau à lame épaisse. À savourer par exemple lors de l'apéritif. Il suffisait d'y penser ! Mais c'est bien plus, je tiens à vous l'assurer, qu'un simple « truc » de marketing, facilement imitable ailleurs. Car la barre a été placée très haut, en termes de qualité, par les promoteurs du fromage à rebibes : lait cru obligatoire ; fabrication saisonnière d'été, uniquement en altitude sur l'un des cinq cent soixante alpages de la région ; affinage conseillé de deux à trois ans. Chaque meule porte en relief le signe distinctif « CasAlp » et pèse de 8 à 13 kilos. Du haut de gamme qualité suisse !

Rotolo

France (Corse)
Lait de brebis

À l'origine du rotolo, il y a un fromage traditionnel corse, le *bastelicaccia*, que j'affine bien plus longtemps que ne le veut l'usage. Il porte le nom d'un village situé du côté de Porticcio. C'est là que j'ai découvert deux personnages, Jean-François Brunelli et sa mère Madeleine, la *mamma*, qui fabriquent depuis des décennies du *brocciu*. Si vous passez par là, vous aurez peut-être l'occasion de la voir mouler ses fromages à l'ombre des oliviers. La famille en produit sur ce lieu depuis 1891 ! Les pâtures de l'exploitation bordent la mer. Quelque cent vingt brebis y prennent leurs aises. La fabrication a lieu le matin, avec le lait tout juste trait mélangé à celui de la veille au soir, gardé au frais. Le lait est transformé en *bastelicaccia*, un fromage à pâte molle non pressée de forme cylindrique (de 12 à 14 centimètres de diamètre pour 4 à 5 centimètres de hauteur), tandis que le lactosérum récupéré servira à faire du *brocciu*. Autant ce dernier est connu sur tout le continent, où il est diffusé soit frais, soit affiné, autant le *bastelicaccia* peine, quant à lui, à sortir des frontières corses. Sans doute parce qu'il est consommé trop jeune, et n'a donc pas le temps de révéler son originalité gustative. J'ai donc choisi, avec la complicité de Jean-François, d'affiner son *bastelicaccia* — pendant six mois au minimum et jusqu'à un an —, et de baptiser cette version « rotolo ». Je crois qu'il a lui-même été surpris du résultat, savoureux !

Pouligny-saint-pierre

France (Centre)
Lait de chèvre

Dans des circonstances encore obscures, le Berry a donné naissance à trois pyramides de chèvre, dont la plus réputée est le pouligny-saint-pierre, du nom d'un petit village berrichon. Il est parfois surnommé « tour Eiffel » en raison de sa forme effilée, alors que ses voisins, le valençay et le levroux — désormais réunis au sein d'une seule et même appellation —, sont en forme de pyramide tronquée. Cela n'est pas qu'un détail, car le rapport poids-surface modifie la manière dont le fromage s'affine et acquiert sa saveur. J'ai, en général, un petit faible pour le pouligny-saint-pierre, dont la texture et le bouquet gustatif me semblent plus délicats. L'essentiel se joue lors de la mise en moule, où il faut veiller à ne pas briser le caillé. C'est la seule façon d'avoir ensuite un grain très fin. Le pouligny est un produit authentiquement fermier (le Berry, contrairement au Poitou, reste dominé par les petits élevages), et il est à ce titre très influencé par les changements de saison. Je vous le recommande tout particulièrement à partir du mois de mai, encore légèrement moelleux. Un trésor de finesse…

Ils descendent de la montagne...

Les régions montagneuses sont depuis toujours le repaire des fromages de grande taille fabriqués l'été, en altitude. Non par goût, mais par absolue nécessité. L'ingéniosité des hommes a su faire naître à partir de conditions très rigoureuses des trésors gastronomiques.

Il ne vous a sans doute pas échappé que les fromages de grand gabarit proviennent tous de zones montagneuses. Regardez les étals de ma boutique : les comtés sont nés dans le massif du Jura, les beauforts ou les fribourgs au cœur des Alpes, le salers dans le Massif central, l'*idiazabal* sous les sommets des Pyrénées espagnoles. On pourrait presque en tirer un adage du genre : « Plus haut, plus gros. » Le volume important d'un fromage trahit immanquablement son origine montagneuse. Ou, pour être plus précis, sa naissance en zone enclavée.

LE PHÉNOMÈNE est facile à comprendre. Imaginez, au début du siècle dernier, un berger savoyard conduisant son troupeau, dès les beaux jours, sur les pâturages d'altitude pour une centaine de jours d'estive. Il lui fallait traire les vaches deux fois par jour et transformer immédiatement le lait en fromage : il n'y avait pas d'autre moyen de le conserver, le réfrigérateur était encore loin d'exister. Impossible de redescendre régulièrement en vallée pour vendre ses produits sur les marchés : le bitume n'avait pas encore désenclavé les sommets, et le quatre quatre restait à inventer. Cela aurait demandé plusieurs jours, à dos d'âne, et de nombreuses traites auraient été perdues.

LA SOLUTION LA PLUS EMPIRIQUE consistait à fabriquer un fromage de garde, à évolution très lente, capable de se conserver toute la saison sans s'abîmer. Ainsi sont nés tous les fromages de la famille des gruyères.

Paysage près d'Arèches, dans le Beaufortin, au pays du beaufort. *Ci-dessus et page de droite :* la traite manuelle, à la ferme Salat, à Cussac, pour la fabrication du salers.

Un peu de tourisme fromager : le choc des forts

Le massif jurassien dispose de deux magnifiques enceintes militaires reconverties en cave d'affinage de comtés.

• *Dans la région de Pontarlier (Doubs)*, le fort Saint-Antoine, propriété de la maison Petite, abrite depuis de nombreuses années de bien pacifiques meules de comté derrière ses épaisses murailles : elle compte actuellement près de quarante mille fromages… En grande partie enfoui, ce fort a été édifié après la défaite de 1870 dans l'hypothèse où les Prussiens ne respecteraient pas la neutralité suisse. Des kilomètres de rayonnages s'engouffrent dans des galeries obscures et se perdent dans un labyrinthe de petites caves humides avant de resurgir dans des salles monumentales, où les fromages les plus haut perchés culminent à six mètres du sol. Une véritable cathédrale !

• *Au cœur du parc naturel du Haut-Jura*, aux Rousses, à 1 150 mètres d'altitude et à 2 kilomètres de la frontière suisse, la fromagerie Jean-Charles Arnaud a pris possession, en juillet 2000, d'un ancien fort de plus de 200 000 mètres carrés libéré par l'arrêt de la conscription. Construit entre 1840 et 1860, lui aussi dans la « peur du Prussien », il servait il y a peu de centre d'entraînement à des commandos de l'armée française. Une partie du fort est enfouie sous une épaisseur de 12 mètres de pierres et de terre, et la galerie la plus prestigieuse dépasse une centaine de mètres de longueur. Ce fort peut accueillir en tout jusqu'à vingt mille fromages. Une statue de saint Uguzon, patron de la Guilde des fromagers, a l'honneur de veiller sur deux superbes galeries voûtées.

Dans ces deux sites exceptionnels, les températures n'oscillent que de quelques degrés, alors qu'à l'extérieur le thermomètre peut approcher les 40 °C l'été et qu'il descend parfois, l'hiver, sous la barre des – 20 °C. Les propriétaires, qui destinent ces forts à l'affinage de leurs meilleurs produits, ont prévu un circuit de visite permettant de se plonger dans l'atmosphère fraîche, humide et chargée d'odeurs de ces temples du fromage de tradition. Leur découverte vaut vraiment le détour.

Devinette

D'où vient le terme « gruyère » ? Pour les Suisses, c'est le blason, orné d'une grue, des comtes de Gruyère (arrivés dans le canton de Fribourg au IXe siècle) qui aurait donné naissance à ce mot. Les Français retiennent plus volontiers une autre explication : le mot viendrait de *gruerie*, vocable qui désignait au Moyen Âge les forêts. La cuisson du lait exigeait en effet d'importantes quantités de bois.

Le salage et le frottage des meules de beaufort, dans les caves de la fromagerie Guiguet, aux Saisies. Ce fromage se reconnaît notamment à son talon concave. *Page de droite :* cave d'affinage du salers.

TRADITION
SALERS

Une meule de comté d'une quarantaine de kilos « emprisonne » près de 400 litres de lait. Un emmental de grand format, malgré les trous, peut nécessiter jusqu'à 1 000 litres de lait !

NOUS PARLONS, DANS NOTRE JARGON, de pâtes pressées cuites. Voici pourquoi : la recette utilisée consiste à débarrasser au maximum le lait, une fois caillé, de son humidité ; on découpe le caillé assez finement, on le chauffe, on le brasse puis on le presse dans des moules volumineux. Plus le caillé est sec, moins le fromage est « vivant », plus son activité biologique est réduite, plus il évolue lentement, et donc se conserve bien.

IL N'EST DONC GUÈRE ÉTONNANT que l'immense massif alpin ait généré autant de fromages de grand gabarit pouvant être volontiers affinés jusqu'à deux ans, voire plus pour les meilleurs d'entre eux. Lors d'un déplacement à Gstaad, en Suisse, j'ai ainsi pu découvrir, grâce à Hanspeter Reust, maître fromager de la Guilde des fromagers, une véritable pièce de collection : un fromage des Alpes vieux de plus d'un siècle, encore très présentable mais sans doute plus très consommable. Le parallèle avec les vins atteint rapidement ses limites.

Le lavage des bidons à la fromagerie Guiguet. Des fabrications les plus artisanales aux plus modernes, le respect de l'hygiène est partout devenu une préoccupation prioritaire.

DES RÉGIONS D'ALTITUDE moins élevée mais guère plus accessibles, comme le Massif central, ont donné naissance à des fromages de gros volume tels que le cantal. À l'inverse, les fromages de plaine sont presque toujours de petit format et à affinage court.

JE LAISSE À L'HISTORIEN JEAN-ROBERT PITTE le soin d'évoquer, outre l'enclavement, un autre facteur ayant permis l'existence des fromages de garde. « Pour faire un fromage de garde, il faut aussi accepter le principe de pratiques collectives d'élevage : mise en commun des animaux et du lait pendant l'été sur les alpages et partage des fromages à l'automne. Les fromagers de Franche-Comté ou du Beaufortin ont su le faire, contrairement à leurs homologues du Massif central ou des Pyrénées. On touche là à une dimension culturelle. » De ce point de vue, il existe un projet qui tombe sous le sens : réunir sous la seule et même appellation « gruyère » des produits suisses et français. La nature n'ignore-t-elle pas les frontières ? Les deux pays ont dépensé beaucoup d'énergie, depuis des décennies, à se livrer une querelle en paternité guère fructueuse. Plutôt que de se mettre d'accord et de se partager le nom, ils l'ont laissé progressivement essaimer dans le monde entier. Historiquement, ce sont des fromagers originaires de la région suisse de la Gruyère qui, au XVIIe siècle, ont émigré en France avec leur savoir-faire et le nom du fromage. Tout cela a fini par forger un patrimoine commun, dont une appellation d'origine transfrontalière pourrait consacrer l'existence. Il faudrait alors se mettre d'accord sur un cahier des charges prévoyant des contraintes équivalentes de part et d'autre.

POURQUOI NE PAS ENVISAGER la même démarche pour le vacherin mont-d'or ? Le projet pourrait d'ailleurs donner des idées à d'autres régions montagneuses, comme les Pyrénées : l'*idiazabal* espagnol et l'*ossau-iraty* français n'auraient-ils pas intérêt à faire cause commune ? L'idée, je le concède, est sans doute plus facile à imaginer qu'à mettre en œuvre. Dans l'immédiat, je vous invite à venir respirer avec moi l'air pur des cimes en compagnie de différentes grosses pièces…

Le « tirage à la toile » du beaufort. Cette pratique ancestrale a tendance à disparaître, remplacée de plus en plus par des systèmes automatisés de soutirage du caillé.

Emmental de l'Allgäu

Allemagne (Bavière)
Lait de vache

Troupeaux décimés, installations détruites, détenteurs de savoir-faire disparus au combat : c'est sur les décombres de la Seconde Guerre mondiale que l'Allemagne a rebâti une activité fromagère, en repartant pratiquement de zéro. De fait, des traditions, elle a fait table rase.
La production fromagère allemande est aujourd'hui largement industrialisée. C'est dans les zones montagneuses du sud du pays, en particulier en Forêt-Noire et en Bavière, que l'on trouve les fromages les plus intéressants.
Cet imposant emmental est fabriqué par des coopératives de l'Allgäu, l'une des plus belles régions d'Allemagne. Je l'ai découverte, avec la Guilde des fromagers, lors de l'été 2001, à l'occasion d'une immense foire aux fromages qui s'est tenue à Lindenberg. La montagne qui surplombe la ville, le Pfänder, offre une vue inoubliable sur le lac de Constance et sur la Suisse, d'où sont venus les fromagers qui ont amené cette recette il y au moins deux siècles. Une meule peut peser jusqu'à près de 100 kilos et nécessiter pas loin de 1 000 litres de lait ! Le lait est pratiquement toujours pasteurisé, ce qui explique que ce fromage soit moins riche en saveurs que son modèle suisse. C'est la raison pour laquelle il est vendu en général assez jeune, alors qu'un bon affinage lui ferait tellement de bien !

Appenzell

Suisse orientale
Lait de vache

L'appenzell a le goût du secret : il est affiné à l'aide d'une mystérieuse mixture d'herbes qui lui confère sa saveur particulière et dont la composition est jalousement gardée. C'est l'Office commercial du fromage d'Appenzell qui fournit ce mélange aromatique à la centaine de fromagers et à la dizaine d'affineurs en exercice. Certains la personnalisent, y ajoutant par exemple du poivre. Impossible d'en savoir plus. L'appenzell est ainsi régulièrement frotté à l'aide de cette saumure, qui lui permet de se constituer une croûte (dite « morgée »). Dès trois mois, le fromage est déjà mûr, mais il ne révélera tout son potentiel qu'au bout de six mois, pour atteindre la totale maturité vers dix mois.
Il est fabriqué dans la partie nord-est de la Suisse, zone de moyenne montagne. Si sa texture évoque celle des raclettes, son goût le rapproche des gruyères. Sachez décrypter la couleur de l'étiquette : le fromage de base, affiné au minimum trois mois, porte une étiquette à fond argenté. Le « surchoix », affiné au minimum quatre mois, est reconnaissable à son étiquette à fond or.
L'« extravieux », âgé de six mois au moins, porte une étiquette à fond noir.

Beaufort

France (Rhône-Alpes)
Lait de vache

De tous les gruyères, le beaufort est sans doute le plus sensuel en bouche. Contrairement à la plupart des fromages de la même famille, il est en effet fabriqué au lait entier. C'est aussi la raison pour laquelle son goût tend à se corser plus rapidement lorsqu'il prend de l'âge. Autre particularité, qu'il partage avec la tomme d'abondance et la *fontina* italienne, il présente un talon concave, incurvé vers l'intérieur.
Un moyen infaillible de le distinguer des autres gruyères ! Fabriqué en Tarentaise, en Maurienne et dans le Beaufortin, il est assez imposant avec ses 10 centimètres d'épaisseur et son diamètre qui peut atteindre 75 centimètres. Pas moins de 400 litres de lait sont en moyenne nécessaires pour fabriquer une meule, ce qui explique que le beaufort soit un fromage « communautaire », fruit de la mise en commun du lait de plusieurs troupeaux, réunis au sein de groupements pastoraux. Le vacher, qui part en estive l'été, conduit ainsi les bêtes de plusieurs propriétaires. Les troupeaux peuvent réunir jusqu'à deux cents têtes. Nec plus ultra de l'appellation, le « beaufort chalet d'alpage » n'est fabriqué qu'en estive, deux fois par jour, à plus de 1 500 mètres d'altitude. Seuls une douzaine de chalets en produisent.
Exceptionnel !

Gruyère

Suisse romande
Lait de vache

Avant d'être le nom d'un fromage, Gruyère est celui d'une charmante petite ville aux allures médiévales, située dans le canton de Fribourg, en Suisse romande. Le terme, mal protégé, est utilisé dans le monde entier et désigne dans l'esprit des consommateurs (de manière un peu abusive) tous les fromages de gros gabarit et à pâte ferme, du beaufort à l'emmental en passant par le comté. Le gruyère « historique » est donc helvétique. Son origine serait attestée dès le début du XIIe siècle. Il se présente sous la forme d'une belle meule pouvant mesurer jusqu'à une soixantaine de centimètres de diamètre. Sous la croûte, la pâte est assez ferme et peut présenter quelques ouvertures éparses, de la taille d'un petit pois (les « yeux », dans le jargon des affineurs). Des « lainures », petites crevasses horizontales, soulignent un affinage déjà avancé. La moitié de la production provient du canton de Fribourg. Le tiers, environ, est réalisé l'été dans les alpages. Les affineurs suisses proposent des gruyères dits « de réserve », qui proviennent d'une sélection de fromages affinés au moins huit mois. Le gruyère se révèle en général sous son meilleur jour entre douze et dix-huit mois.

Phébus

France (Midi-Pyrénées)
Lait de vache

Perché sous le col del Fach, Philippe Garros, éleveur de chèvres et producteur d'un original et très séduisant cabri ariégeois, n'a pas manqué de remarquer l'immense potentiel fromager du lait d'un fermier voisin. Ce dernier élève, selon les méthodes les plus traditionnelles, une trentaine de brunes des Alpes, vaches dont le lait est réputé chez les fromagers pour sa richesse en protéines. Il en vendait l'intégralité à une coopérative. Depuis 1999, Philippe lui en achète une partie, qu'il transforme en cette grosse tomme qui évoque le bethmale. Une seule pièce ne nécessite pas moins de 50 à 55 litres de lait. Il a baptisé son fromage « phébus » en l'honneur d'une haute figure médiévale locale, le chevalier Gaston Phébus. Il s'agit bien, pour Philippe Garros, d'épouser une tradition et de retrouver le fromage que faisaient les anciens : la croûte est, comme autrefois, cendrée (au charbon végétal) à l'issue d'un affinage optimal de quatre mois, au cours duquel elle est régulièrement lavée. À l'intérieur, la texture de la pâte est assez souple, presque fondante. Elle libère ses riches arômes fruités avec une grande volupté.

Salers

France (Auvergne)
Lait de vache

Une nette dominante acide et une pointe d'amertume : le salers n'est pas toujours d'un abord facile, à l'image de son épaisse croûte rugueuse. Austère et rocailleux, il se dévoile sans pudeur au fur et à mesure qu'il se réchauffe dans le palais, offrant de riches arômes de fruits secs et de beurre, d'une grande ampleur et d'une belle complexité. Un sacré tempérament, et pour cause ! Il ne peut être fabriqué qu'au lait cru, entre le 1er mai et le 31 octobre, à plus de 850 mètres d'altitude. Ce n'est décidément pas un produit de grande consommation. Sa zone d'appellation est restreinte au Cantal et à quelques cantons limitrophes. Sa production est ainsi assurée de manière quasi exclusive par une centaine de fermiers. Aux premières loges, à Saint-Flour, mon frère Alain, détaillant, appréhende toujours la période de juin-juillet où la soudure est parfois difficile entre les excellents fromages de la fin de l'été précédent, qui ont passé tout l'hiver en cave, et ceux de la nouvelle saison, qui n'arrivent à point qu'à la fin juillet. Contrairement à une idée reçue, le salers est rarement fabriqué à partir de lait de vaches salers, reconnaissables à leurs belles cornes en forme de lyre et à leur robe acajou : ces dernières sont surtout élevées aujourd'hui pour leur viande, très réputée.

Sur la piste des chalets d'estive

Au détour d'un sentier de montagne, vous aurez peut-être un jour la chance de découvrir une petite maison de pierre avec quelques bidons de lait à l'extérieur. Revenez-y un matin tôt... et vous pourrez entrevoir les secrets de la transformation fromagère artisanale.

C'est une petite cabane au confort des plus rudimentaires, telle qu'il m'arrive d'en découvrir lors de randonnées en montagne. Une seule pièce blottie derrière d'épais murs de pierre aux fenêtres très étroites, des dalles et des planches au sol, un grenier qui fait office de chambre et un petit chaudron en cuivre dans l'âtre. Une radio sur l'étagère, mais ni téléphone ni télévision. Quelques livres et un jambon accroché à une solive... Deux fois par semaine, un véhicule tout-terrain vient chercher les fromages pour les descendre dans une cave d'affinage. La cabane est située dans la vallée d'Ossau, en pays béarnais, au cœur des Pyrénées, à 900 mètres d'altitude. Sur son fronton, on peut lire, gravée dans la pierre, la date de sa construction : 6 mai 1846. Pour le berger, cette cabane ne constitue qu'une étape d'un mois avant qu'il ne gagne la haute montagne, à 2 000 mètres d'altitude, pour deux autres mois environ. Là-haut, il faudra utiliser les ânes pour redescendre les fromages une ou deux fois

Dans les Pyrénées, la tradition
de l'estive est très ancienne.
Ici, un troupeau de brebis
sur les hauteurs
de Saint-Jean-Pied-de-Port.

par semaine. C'est l'épuisement des pâturages (les chaleurs estivales finissent par griller l'herbe) et le tarissement des brebis qui donneront le signal du retour.

DES CABANES COMME CELLE-CI, des *cajassous* en patois local, il en existe de moins en moins. Dans le Pays basque tout proche, on les appelle *cayolars*, et dans les monts du Cantal, *burons*. C'est là qu'on fabriquait traditionnellement les cantals et les salers. Dans les monts du Forez, il s'agit des *jasseries*, berceau des premières fourmes. Dans toutes les régions montagneuses dévolues à l'élevage, la cabane du berger fromager se distingue, au-delà de son style et des matériaux utilisés, par son caractère pratique et sa solidité à toute épreuve. Traits communs : il s'agit de bâtiments petits (car plus faciles à chauffer), à tout faire — ils sont à la fois étable, grange, laiterie et logement —, tapis sur le sol, le plus souvent à flanc de montagne, et inoccupés une grande partie de l'année.

EN L'ESPACE D'UN DEMI-SIÈCLE, beaucoup ont disparu faute d'activité. La concentration des élevages, la disparition des petites exploitations et celle de nombreux producteurs fermiers, le déplacement de la transformation du lait vers les vallées ou encore l'exode rural ont fait leur œuvre. Les cabanes qui ont résisté aux outrages du temps servent de résidence secondaire pour les « gens de la ville ». Quant à celles qui sont toujours en activité, elles n'ont conservé que leur façade : à l'intérieur, le renforcement des normes d'hygiène impose désormais carrelage et plastiques non poreux, au prix d'investissements trop lourds pour une occupation simplement saisonnière.

AINSI, AUJOURD'HUI, LA CABANE DU BERGER DEVIENT MOBILE : caravane aménagée ou ancien camion frigorifique reconverti, avec lesquels on monte en début de saison, au besoin avec l'aide d'un hélicoptère, pour redescendre trois mois plus tard. Le matériel de traite automatique n'est pas oublié. Souvent aussi, les fromages ne séjournent plus en altitude. Un véhicule tout terrain passe tous les deux ou trois jours pour les acheminer vers les caves d'affinage situées dans la vallée. Le berger en profite pour redescendre chez lui et passer une nuit confortable. Pour beaucoup, la campagne d'estive a cessé d'être une longue retraite à l'écart du monde.

Page de gauche : paysage près de Joursac, en Auvergne. La richesse de la flore d'altitude est un gage de qualité et de diversité pour les produits de terroir. *Ci-dessus :* Claudia et Wolfgang Reuss, éleveurs de chèvres dans les proches environs.

SUR LA ROUTE DES VACANCES ESTIVALES, dans les massifs montagneux, il y a au moins deux manières de deviner la présence d'un atelier artisanal pratiquant l'estive : les bidons de lait vides mis à sécher à l'extérieur ou la présence de l'atelier mobile, reconnaissable à ses parois blanches. Les bêtes pâturent en général bien plus loin, sur les prairies situées dans les hauteurs. Si, au hasard de vos promenades, il vous arrive de découvrir l'un de ces ateliers, dites-vous bien que c'est peut-être sous son toit que l'on élabore l'un ou l'autre des six fromages que je vous propose dans ce chapitre : tous sont fabriqués en estive.

EN FRANCHE-COMTÉ, région au relief assez doux, c'est en revanche au cœur même du village qu'est toujours situé l'atelier de fabrication, été comme hiver. Il reste environ deux cents de ces ateliers. Jusqu'à il y a peu, les éleveurs amenaient eux-mêmes le lait à la fromagerie pour le rituel de la « coulée » mais, de plus en plus souvent, des camions-citernes font la tournée des exploitations. Ici, pas de production fermière : on met en commun les laits, on les transforme en fromage et chacun est rétribué en proportion de la quantité de lait fournie.

EN PAYS FRANC-COMTOIS comme en Suisse, les ateliers s'appellent « fruitières » : fabriquer du fromage est le moyen le plus astucieux qu'ait découvert l'homme pour conserver le lait et le faire « fructifier ». Mettre le lait

À la fromagerie Agian, à Helette, l'enrobage des ossau-iraty.
Page de gauche : en plein effort, Denis Provent, affineur à Chambéry, tranche un bleu de Termignon, fromage saisonnier dont la production reste assez confidentielle.

Ne confondez pas DLUO et DLC !
La conservation des produits alimentaires peut faire l'objet de deux types d'indications très différentes : la DLUO et la DLC. Soit, en bon français, la date limite d'utilisation optimale (DLUO) et la date limite de consommation (DLC). Des notions parfois méconnues des consommateurs.
• ***La date limite de consommation,*** comme son nom l'indique, signale la limite que l'on ne peut franchir sans risque pour la santé. Bien que sous la responsabilité du fabricant, qui s'engage à ce que son produit soit consommable jusqu'à cette date, elle est souvent définie par des textes réglementaires.
• ***La date limite d'utilisation optimale*** (« à consommer de préférence avant... ») est fournie par le fabricant. Les Anglais ont une traduction très claire de cette formule : *best before*, c'est-à-dire « meilleur avant ». La consommation du produit ne pose pas de problème de santé au-delà de cette date, mais sa qualité gustative n'est plus garantie. Les fromages portent obligatoirement une DLUO qui reste souvent très prudente. Beaucoup de fromages peuvent être affinés bien au-delà sans risque pour la santé... et pour le plus grand plaisir des gourmets.

Girolle, mode d'emploi
La girolle, compagnon indispensable de la tête-de-moine (voir page 100), se présente sous la forme d'un plateau rond en bois équipé d'un axe vertical et muni d'ergots métalliques (pour empêcher le fromage de tourner avec le mouvement). La « technique » consiste tout d'abord à décalotter le fromage, à le planter sur l'axe vertical et à fixer la raclette au sommet, puis à la faire tourner autour de son axe. Lorsque le fromage est tendre, la girolle forme de très élégantes rosettes ; lorsqu'il est plus affiné ou plus sec, elle donne des copeaux. Une fois l'opération terminée, il est conseillé de replacer la calotte sur le sommet du fromage pour éviter que l'entame ne se dessèche.

en commun, c'est aussi partager ensuite les « fruits » de la vente. Il s'agit de grandes bâtisses à large frontispice, parfois décoré d'une magnifique fresque. Le long de certaines d'entre elles, très rares aujourd'hui, là où les pompes automatiques n'ont pas fait leur entrée, flottent quelquefois de grandes toiles de lin : elles permettent au fromager de « tirer » le caillé hors de la cuve pour la mise en moule. Ainsi va l'histoire... Avant, bien avant, le fromager était nomade et se déplaçait de hameau en hameau avec son chaudron. Il en retirait un ou deux fromages, que se partageaient les villageois pour leur consommation personnelle. Restait à inventer le commerce...

Bleu de Termignon : la moisissure apparaît de manière capricieuse au sein de cet authentique produit d'estive, fabriqué aux confins du parc de la Vanoise.

Bleu de Termignon

France (Rhône-Alpes)
Lait de vache

Le bleu de Termignon ne ressemble à aucun autre fromage. Produit en alpage au bout de la vallée de la Vanoise, c'est un caillé recuit, où le bleu apparaît spontanément, sans ensemencement, sous forme de veinures et de marbrures. Sa texture grasse est friable et granuleuse. Son mode de fabrication, très particulier, lui donne des accents de petit-lait cuit et évoque parfois le goût du salers ! Difficile et capricieux, ce fromage présente un profil unique. Les cinq ateliers continuant à le fabriquer sont souvent tenus par des femmes. La présence de plusieurs jeunes rassure sur la pérennité de ce produit très recherché. Denis Provent m'a confié qu'il lui a fallu de quatre à cinq ans pour en maîtriser parfaitement l'affinage. Pour faciliter l'apparition du bleu, il pique les fromages. Les vaches pâturent sur des alpages situés très haut, à 2 000 mètres d'altitude, et leur lait est particulièrement riche. Ces vaches étaient déjà là, semble-t-il, du temps des ducs de Savoie. Le bleu de Termignon est très prisé de l'autre côté de la frontière : les Italiens de la vallée d'Aoste, qui venaient faire pâturer leurs vaches en France, s'en sont entichés, et les habitudes de consommation ont perduré.

Briquette d'Allanche

France (Auvergne)
Lait de chèvre

Cette briquette au lait de chèvre est une curiosité pour les montagnes du Cantal, où les vaches, fierté du pays, ont laissé peu de place aux biquettes. Elle est réalisée au lait cru par un éleveur qui possède une soixantaine de chèvres dans la région d'Allanche (Cézallier), au nord du département. L'exploitation est située sur un plateau de 1 000 mètres d'altitude dévolu essentiellement à l'estive. Les vaches y sont menées en mai et redescendent à l'automne. Les chèvres, elles, restent sur place toute l'année. Elles sont taries de décembre à janvier : pas de briquette à cette période ! L'affinage de ce fromage sensible (qui a tendance à s'acidifier sur les longues périodes) est assez court : de quinze jours à trois semaines. La peau « crapeaute » alors légèrement tandis que la pâte reste lisse, devenant plus ou moins crémeuse selon la saison. Un vrai régal ! Mon frère, Alain, qui vend la briquette comme des petits pains dans sa boutique de Saint-Flour, la propose plutôt jeune pour satisfaire la clientèle locale. Quand le fromage est plus vieux et se corse, il lui réserve un autre destin : il coupe la briquette en petites tranches, pose celles-ci sur une tartine de pain grillé avec une tranche de jambon de pays qu'il a également passée au four et déguste le tout avec une salade. À chaque fois que je passe dans le Cantal voir ma famille, je ne manque jamais de m'adonner à ce plaisir simple mais total !

Chevrotin

France (Rhône-Alpes)
Lait de chèvre

Les Alpes comptent sans doute autant de vallées que de façons de faire le fromage. Lorsque l'on parle de chevrotin à un Savoyard, il vous arrête aussitôt par la question : « Lequel ? » Car sur les étals de Daniel Boujon, à Thonon-les-Bains, ou sur ceux de Denis Provent, à Chambéry, les chevrotins forment une famille pour le moins hétéroclite. Il y en a pour tous les goûts : des hauts, des petits, des grands, des crémeux, des plus secs. Et de toute provenance : des vallées de Morzine ou de Bellevaux, de la Maurienne, de la Tarentaise, de Châtel, du massif des Bauges, etc. Le chevrotin a toujours hésité entre les deux modèles locaux : le reblochon, à croûte lavée, légèrement orangée et recouverte d'un très fin duvet blanc, et la tomme, à croûte brossée, de couleur gris anthracite. Si le premier aime les textures souples, la seconde les préfère plus serrées et bien fermes. Le projet de création d'une appellation d'origine est donc un casse-tête. Elle semble se diriger plutôt vers des fromages de type reblochon, à croûte lavée et à texture crémeuse. C'est à la fin de l'été que sont fabriqués les meilleurs chevrotins, lorsque les chèvres sont encore dans les alpages et qu'elles arrivent en fin de lactation. Leur lait est alors particulièrement gras.

Tête-de-moine

Suisse

Lait de vache

Avec un diamètre de 10 à 15 centimètres, la tête-de-moine n'est qu'un poids plume, un demi-dur, un petit râblé au pays des imposantes meules de gruyère… ce qui ne veut pas dire qu'elle manque de caractère. Elle doit son nom à Napoléon, qui la rebaptisa ainsi à la suite d'une boutade lorsqu'il envahit la Suisse : le fromage décalotté lui fit songer à la tonsure d'un moine. La zone de production, assez restreinte (districts des Franches-Montagnes, de Moutier et de Courtelay), couvre une région d'altitude modeste : de 1 000 à 1 200 mètres. Une dizaine de laiteries produisent ce fromage, à la texture assez souple et au goût de gruyère, qui doit une grande partie de son succès à un outil astucieux : la girolle (voir page 98). Celle-ci permet de racler le fromage et d'en faire des rosettes, des frisures ou des copeaux, très pratiques pour agrémenter un apéritif ou un plat. Cette invention, qui remonte au début des années 1980, a littéralement fait exploser les ventes. La tête-de-moine est généralement affinée de trois à quatre mois, mais elle peut aisément supporter deux bons mois supplémentaires.

Persillé de la Tarentaise

France (Rhône-Alpes)

Lait de chèvre

Le persillé de la Tarentaise est un produit rare fabriqué uniquement l'été entre 1 800 et 2 000 mètres, sur la route de Val d'Isère. D'un abord plutôt rustique, il se présente sous la forme d'un petit cylindre à la croûte abondamment garnie de moisissures grises, jaunes ou blanches. À l'intérieur, la pâte semble mal dégrossie, se montre friable par endroits, laisse parfois apparaître de la moisissure bleue. C'est bon signe, même si les tendances de consommation sont plutôt aux pâtes bien blanches ! Les caractéristiques du persillé de la Tarentaise tiennent à sa recette très particulière (c'est un caillé recuit) : le caillé est pré-égoutté, puis remalaxé avec du lait chaud avant d'être salé et moulé. Denis Provent, l'un des seuls à savoir où le dénicher, l'affine de deux à trois mois au minimum, sans le brusquer, dans une atmosphère froide. Lorsque la qualité des produits le permet, il pousse l'affinage jusqu'à cinq mois. Le nombre de producteurs de ce bijou alpestre tient sur les doigts d'une main, mais le risque d'une disparition prochaine est faible : une famille de jeunes fromagers est décidée à en assurer la pérennité.

Ossau-iraty

France (Midi-Pyrénées)

Lait de brebis

Depuis des temps immémoriaux, les brebis pâturent dans les montagnes pyrénéennes. Les bergers montent y passer l'été avec leurs bêtes et fabriquent le fromage sur place. Chaque vallée dispose de sa propre tomme de brebis, expression du terroir et des usages locaux. Traditionnellement, les fromages béarnais présentent ainsi une pâte plus souple et un goût plus marqué que les fromages basques, plus secs et de format plus petit. Jouissant depuis peu d'une appellation d'origine contrôlée, l'*ossau-iraty* se veut la synthèse de cette longue tradition. J'en ai conçu un sur mesure avec Jean Etcheleku et son fils Peyo, fromagers à Helette, en Pays basque. Ce fromage, au lait cru de brebis de race mannech, est affiné au minimum neuf mois et enrobé de piment d'Espelette. Un pur délice aux mille parfums ! Chaque tomme pèse de 4 à 4,5 kilos et n'exige pas moins de 25 à 30 litres de lait. Jean et Peyo, qui collectent le lait de plus de quatre-vingt-dix paysans, me font bénéficier d'un tri très sélectif. Autrefois, les fromages de brebis avaient tendance à devenir piquants, c'est pourquoi les Basques les accompagnaient de vins très charpentés, comme l'irouléguy, ou de confiture de cerises noires, l'*itxassou*, dont la douceur masquait ce défaut. Le piquant a disparu, mais ces mariages sont toujours aussi heureux.

Le goût du terroir

Vous connaissez la publicité : déguster du livarot, c'est engloutir un morceau de Normandie ; savourer du roquefort, c'est s'envoler vers les causses aveyronnais ; goûter de l'appenzell, c'est s'offrir un morceau de Suisse... Louer le terroir est à la mode, mais le discours est souvent galvaudé.

J'ai l'habitude de proposer à mes clients trois types de camemberts : l'un en provenance du pays d'Auge, l'autre du bocage ornais, le dernier du Cotentin. Ils ont chacun leur style, plus ou moins affirmé, mais facilement reconnaissable. À quoi attribuer ces personnalités différentes ? Au terroir ? À la main de l'homme qui a adapté, dans chaque fromagerie, la recette de base commune ? Le sujet est complexe, balançant entre mythe et réalité.

LE PARALLÈLE souvent effectué avec le vin est loin d'aller de soi. Si la vigne plonge ses racines dans la terre, le fromage, lui, est issu de mamelles de ruminants, et non des pâtures que broutent ces animaux. Le raisin pressé donne le vin, mais les herbages et les fourrages se contentent de donner un bol alimentaire qui va contribuer, de manière très indirecte, au remplissage de la mamelle ! Que reste-t-il du terroir dans le lait après cette transformation ?

Les vaches de race normande sont reconnaissables à leur robe mouchetée de taches brunes. Elles sont très présentes dans tout l'ouest de la France.

OUBLIONS D'EMBLÉE LES BELLES ODES aux « parfums de la garrigue » que libéreraient les fromages provençaux ou à « l'odeur de gentiane » qu'aurait conservée le cantal... Ces parfums sont trop subtils pour survivre à la digestion des animaux ! Seuls les traits extrêmement prononcés du lait — généralement des défauts — parviennent malheureusement à passer ce cap : des goûts forts et amers d'aliments ensilés, de chou, de betterave... Il n'y a que l'ail sauvage qui, présent dans certaines prairies du Cotentin, puisse peut-être laisser une trace agréable dans le camembert. Si les œnologues peuvent mettre en évidence, dans le vin, des arômes primaires liés au cépage, les fromagers n'ont pas cette faculté.

POURQUOI, malgré tout, les fromagers constatent-ils souvent des différences selon la provenance des laits ? « Le lait est le reflet de la terre », expliquait Pierre Le Bouc, ancien directeur des usines Lanquetot. « Le pays d'Auge, c'est un bourgogne, le Bessin, un bordeaux », assurait-il. Les études expérimentales menées ici et là montrent que la composition botanique des prairies où pâturent les vaches peut avoir une incidence certaine sur le goût d'un produit, et surtout sur sa texture. C'est le cas en montagne, par exemple, selon que les vaches broutent sur un versant exposé au sud ou au nord. Mais il s'agit d'écarts assez subtils, trop faibles pour parler véritablement d'un « effet terroir ».

LES ARÔMES DU FROMAGE naissent en effet principalement des dégradations de la matière première, en particulier des protéines et des matières grasses, transformées en molécules de plus petite taille, très volatiles. La saveur et les arômes ne sont pas donnés d'emblée, ils s'élaborent patiemment et ne cessent de se transformer. Le gruyère peut ainsi évoluer de notes beurrées et végétales vers des arômes de noix fraîche et de torréfaction.

La fabrication du camembert : il faut de quatre à cinq louches pour emplir un moule. Le petit-lait s'égoutte ensuite petit à petit.
Ci-contre, à droite : brisage du caillé dans un atelier normand.

Les non-dit des étiquettes

• ***La pasteurisation inavouée :*** en France, terre de gastronomie, la pasteurisation est plutôt perçue comme une menace de fadeur alors que, dans les pays anglo-saxons, elle est considérée comme une garantie de sécurité alimentaire. Dans l'Hexagone, les produits qui n'affichent pas la couleur sont en général au lait pasteurisé.

• ***Les faux laits crus :*** profitant d'un vide juridique, de nombreux professionnels présentent sous l'étiquette « lait cru » des fromages au lait ayant subi une thermisation, forme amoindrie de pasteurisation. Or, plus un produit est chauffé, plus il perd de sa flore native, et donc de sa richesse et de sa complexité futures. Se prévaloir malgré tout de l'aura gustative du lait cru est contestable. Le consommateur peut interroger son détaillant pour en savoir plus.

• ***Les emprunts de nom :*** certaines régions n'ont pas su ou pu, historiquement, protéger leur fromage local des imitations. Le nom s'est évadé : il en va ainsi du brie, du gruyère, du *cheddar* ou du camembert, par exemple, qui sont fabriqués dans le monde entier. Lorsqu'il est trop tard, le seul recours est de protéger un nom géographiquement plus précis : « sainte-maure-de-Touraine » au lieu de « sainte-maure » ou « camembert de Normandie » au lieu de « camembert fabriqué en Normandie ». Des subtilités qui peuvent échapper au consommateur !

• ***L'invention de noms géographiques*** est vieille… comme le commerce. Il suffit de choisir un nom fleurant bon l'enracinement dans un terroir. Des lieux qui n'existent, bien sûr, que sur l'étiquette. Personne n'est vraiment dupe.

• ***La congélation :*** alors que la consommation est relativement constante, la production est saisonnière car le lait est surabondant au printemps. Une pratique courante, totalement ignorée des consommateurs, consiste à congeler le caillé, surtout pour les fromages de chèvre, voire même les fromages moulés (saint-nectaire, par exemple). Or le goût et la texture des fromages peuvent souffrir de cette pratique, et on ne trouve nulle mention de congélation sur l'étiquette. C'est en quelque sorte un mensonge par omission.

Subtilités sémantiques
Sur une étiquette, chaque mot a son importance. Prenons l'exemple du camembert.

- ***Le « camembert de Normandie »*** désigne le véritable camembert. Il bénéficie d'une appellation d'origine contrôlée (AOC), obtenue en 1983. Il est obligatoirement produit avec du lait cru normand, fabriqué dans son terroir d'origine et moulé à la louche. Onze ateliers le fabriquent.
- ***Le « camembert fabriqué en Normandie »*** peut être au lait cru ou au lait pasteurisé, mais l'origine du lait peut ne pas être normande. Seul l'atelier de fabrication doit être situé en Normandie. Il arrive à ce produit de ne pas démériter, mais il est loin d'offrir toute l'intensité du lait cru normand. Il est régulier, mais n'atteint jamais des sommets.
- ***Enfin, le simple « camembert »***, sans aucune autre indication particulière, est fort éloigné de son modèle. Seul véritable intérêt : son prix, très abordable.

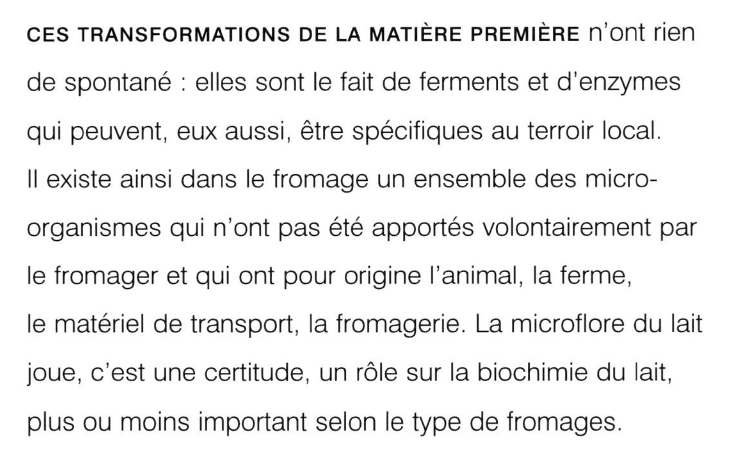

CES TRANSFORMATIONS DE LA MATIÈRE PREMIÈRE n'ont rien de spontané : elles sont le fait de ferments et d'enzymes qui peuvent, eux aussi, être spécifiques au terroir local. Il existe ainsi dans le fromage un ensemble des micro-organismes qui n'ont pas été apportés volontairement par le fromager et qui ont pour origine l'animal, la ferme, le matériel de transport, la fromagerie. La microflore du lait joue, c'est une certitude, un rôle sur la biochimie du lait, plus ou moins important selon le type de fromages.

AUTREFOIS, les fromagers utilisaient de façon empirique, sans le savoir, ces micro-organismes naturellement présents dans l'environnement. Aujourd'hui, ils puisent dans des « collections » de ferments dûment répertoriés, proposées par des spécialistes. Le risque alors est de standardiser les produits.

LA FROMAGERIE MODERNE laisse de moins en moins le terroir s'exprimer… même si elle s'en réclame de plus en plus. De par son principe même, en mélangeant des laits de différents producteurs (qu'ils utilisent ou non des races locales et des aliments provenant de leur exploitation), elle gomme les subtilités liées aux microterroirs. Ensuite, par les mesures d'hygiène drastiques qu'elle implique, qui vont de la réfrigération des laits à leur pasteurisation, la fromagerie contemporaine détruit les flores spécifiques, qu'elle remplace par des ferments sélectionnés. Du terroir, il ne reste plus alors qu'un style lié à une recette.

LE TERROIR peut cependant encore s'exprimer dans les fromages… à condition qu'on lui en laisse la possibilité : en travaillant le lait cru, en fabriquant et en affinant le fromage sur place, avec des levains repiqués du lait de la veille. Ce vrai goût du terroir, vous le trouverez, par exemple, dans le chalet de montagne où vous irez acheter cet hiver votre reblochon fermier, sur la route des stations de ski… À moins que vous n'alliez à la rencontre des six fromages qui suivent, tous très fiers de leurs attaches.

D'origine macédonienne, Dragan Téotski s'est installé dans le Tarn, près d'Albi, après avoir changé résolument d'orientation professionnelle. Il élève, avec sa femme Chantal, près de cent cinquante chèvres. *Ci-dessus :* camemberts en cours d'affinage.

Caerphilly

Royaume-Uni (pays de Galles)
Lait de vache

De la Bretagne à l'Irlande en passant par le pays de Galles, les contrées de forte influence celte n'ont aucune véritable tradition fromagère.
Les usages locaux ont toujours privilégié le beurre et le lait frais au détriment des produits fermentés. Si la Bretagne et l'Irlande étaient, jusqu'à récemment, des « déserts fromagers », le pays de Galles a rompu plus tôt avec cet ostracisme : l'existence du *caerphilly*, son fromage emblématique, à pâte molle, semble remonter à un peu plus d'un siècle et demi (sa date de naissance serait l'année 1830). Ce sont les mineurs gallois qui ont fait son succès (Caerphilly est le nom d'un village houiller) jusqu'à ce que la Seconde Guerre mondiale porte un coup d'arrêt brutal à la production : le lait était réquisitionné pour le cheddar. Le pays de Galles, qui avait laissé la seule Angleterre s'approprier la fabrication de son fromage, souvent en le pasteurisant, a renoué avec sa tradition. Le *caerphilly* fermier au lait cru, dont la pâte friable recèle beaucoup de douceur, est de nouveau disponible, et personne ne se plaindra de ce retour aux sources !

Camembert de Normandie

France (Basse-Normandie)
Lait de vache

Il y a camembert et camembert : le camembert universel, fabriqué sous toutes les latitudes, au lait pasteurisé, blanc comme un linge et sans relief, et le camembert de Normandie AOC, au lait cru et moulé à la louche, qui ne s'élabore plus que dans onze ateliers détenus par six fromageries. Sa générosité, le camembert la tire de son berceau d'origine, les replets pâturages normands. Sa naissance officielle date de 1791 : un abbé originaire de Meaux, région du brie, se dirigeait vers l'Angleterre pour fuir la Révolution lorsqu'il fit halte à Camembert chez une fermière, Marie Harel, et lui fit modifier sa recette.
En fait, l'origine du camembert semble plus ancienne, mais Marie Harel et ses héritiers ont eu le mérite d'être d'excellents commerçants et de savoir exploiter l'arrivée du chemin de fer qui, vers 1850, met la Normandie à six heures de Paris. L'élan décisif est pris dans les tranchées de 14-18 : inclus dans la ration des Poilus, le camembert devient le symbole de la nation.
Un léger velouté blanc recouvre sa croûte, laissant apparaître des stries brun-rouge. La texture doit être souple, sans être trop ferme. En bouche, sa saveur doit être franche et relevée, avec des notes aillées et soufrées, mais sans évoquer des goûts d'étable. Irremplaçable !

Saulxurois

France (Champagne-Ardenne)
Lait de vache

La Meuse est une grande terre de pâturages, où le brie de Meaux est d'ailleurs venu chercher, au fil de l'histoire, le lait qu'il n'arrivait plus à trouver en quantité suffisante à l'est de l'Île-de-France. La région est connue pour le carré de l'est, un fromage à pâte molle qui existe sous deux formes : l'une à croûte blanche, de type camembert, l'autre à croûte lavée orangée, de type pont-l'évêque.
Le saulxurois appartient à cette seconde catégorie. Son nom vient d'un petit village, Saulxures, situé en bordure du plateau de Langres.
Localement très populaire au début du siècle dernier, ce fromage n'est plus fabriqué que par la laiterie Schertenleib, vieille dynastie champenoise spécialisée dans le langres. Celle-ci collecte et transforme, au sein même du village, le lait d'une dizaine d'exploitations. Il faut à peu près 2 litres de lait pour fabriquer un saulxurois.
Le goût du fromage s'épanouit avec douceur pendant deux mois d'affinage, au cours desquels la pâte devient crémeuse. Je vous recommande particulièrement sa version affinée à l'eau-de-vie de mirabelle, le « mirabellois », créé il y a une dizaine d'années.

Crayeux de Roncq

France (Nord)
Lait de vache

Le crayeux de Roncq (ou « carré du vinage », dans sa version moins affinée) tire son nom d'une bourgade située à une trentaine de kilomètres de Lille. Ce produit fermier au lait cru a été créé en 1985 par Thérèse-Marie Couvreur avec la complicité de Philippe Olivier, détaillant à Boulogne-sur-Mer : cette énergique fille d'agriculteur, qui s'était un temps fourvoyée dans un métier de bureau, souhaitait fabriquer un « maroilles plus fin que ce qui se faisait alors en artisanal et plus goûteux que les produits industriels ». Après deux à trois années de tâtonnements, elle a fini par prendre ses marques et par trouver la bonne formule, comme en atteste le succès de son crayeux bien au-delà des frontières du Nord. Cet épais fromage à croûte orangée et à odeur affirmée doit être affiné au moins six semaines pour que sa texture crayeuse originelle se lie et s'assouplisse. Il faut pour cela de fréquents lavages à l'eau salée et à la bière (de l'Angelus, non pasteurisée). Thérèse-Marie accueille volontiers les visiteurs dans son atelier, spécialement aménagé d'une galerie et doté d'une sympathique boutique de produits du terroir local.

Tomme des Grands Causses

France (Midi-Pyrénées)
Lait de brebis

Les Causses, terres arides du sud du Massif central, sont l'une des zones d'élection des brebis de race lacaune. À Séverac, Simone Seguin et son fils, Rémi, élèvent plus de sept cents brebis réparties en deux troupeaux. L'un donne du lait en première partie d'année à destination des fabricants de roquefort. L'autre, le « troupeau d'automne », compte moins de deux cents brebis et donne, jusqu'à Noël, du lait destiné à un fabricant de pérail. Simone et Rémi ont entrepris, depuis le début des années 1990, de transformer eux-mêmes une petite partie de leur lait. Sont ainsi nés le bleu de Séverac et cette goûteuse tomme des Grands Causses, fabriquée quasi exclusivement au mois d'août, lorsque les laiteries spécialisées en roquefort ferment. Ses 5 kilos permettent d'emmagasiner de 25 à 28 litres de lait. Son affinage lent (de six à huit mois sur planches de pin) la prédestine aux foires du printemps. Elle se distingue par une épaisse croûte rougeâtre et une texture de pâte assez souple. Son goût fruité se marie parfaitement, à l'apéritif, avec du raisin rouge. Il en existe une version de 800 grammes, la tommette des Grands Causses, qui se contente de trois mois d'affinage et se destine aux fêtes de fin d'année. Vous pouvez aller la découvrir au « berceau » : tous les jeudis d'été, Simone et Rémi organisent des visites à la ferme.

Pavé de la Ginestarie

France (Midi-Pyrénées)
Lait de chèvre

Ce pavé peu épais (de 2,5 à 3 centimètres) ne cache pas ses origines : son goût de chèvre est très épanoui. Il est fabriqué dans le Tarn par Dragan et Chantal Téotski, également producteurs du « cœur » qui portent leur nom. L'exploitation de 45 hectares fonctionne selon la philosophie de l'agriculture biologique. Hormis la courte période hivernale, les cent cinquante chèvres sortent en parcours pratiquement toute l'année. Friandes de noisettes et de glands, elles aiment s'aventurer en bordure des bois et des sous-bois. Cela finit nécessairement par jouer un rôle sur les arômes du fromage. Le pavé de la Ginestarie (du nom du lieu-dit) s'affine de trois à quatre semaines. Au fil des jours, il se rétracte, perdant un bon centimètre par rapport à sa taille initiale. Le grain de sa pâte est particulièrement fin : la qualité laitière du troupeau et le moulage à la louche n'y sont pas étrangers. Ce pavé apprécie particulièrement les vins blancs. Un gaillac, suggère Dragan.

Automne

Les feuilles se ramassent à la pelle

De vigne ou de châtaignier de préférence, les feuilles ont été l'un des premiers emballages des fromages. Pas si sommaire puisque certains en font toujours usage... pour leur plus grand bien.

Le *cornish yarg* des Cornouailles aime se draper de feuilles d'ortie fraîches. En Italie, le *pecorino* se couvre parfois d'une feuille de noyer, l'*ubriaco* se cache derrière une feuille de vigne et le *seirass* se complaît dans le foin. Tout cela ne manque pas d'allure. Après avoir longtemps été de précieux auxiliaires pour les producteurs de fromages de petite taille, les feuilles et les végétaux utilisés par les fromagers ont aujourd'hui un rôle purement décoratif. Ils permettaient jadis de conserver les produits fabriqués en excès, lors des fortes périodes de lactation, et de les « reporter » pour une consommation ultérieure, quelques semaines voire quelques mois plus tard.

LE PLUS PITTORESQUE DES FROMAGES conservés sous feuille est le banon, fabriqué dans les garrigues des Alpes de Haute-Provence. Ce fromage pudique s'est longtemps caché derrière une feuille de vigne. L'épidémie de phylloxera ayant coupé court à cet approvisionnement, il a jeté son dévolu sur les feuilles de châtaignier. Il en faut jusqu'à six ou sept (quatre au minimum), assouplies dans de l'eau vinaigrée, imbibées d'eau-de-vie et ficelées de raphia, pour envelopper ce petit fromage provençal. Traditionnellement, c'est le banon lui-même que l'on imbibait d'eau-de-vie et que l'on enrobait de divers aromates et épices (poivre, clous de girofle, thym, laurier) avant de le plonger dans une jarre de terre où il macérait lentement. Autant préciser que son goût était ensuite particulièrement relevé... La mise sous feuilles lui permettait de ne pas se dessécher et contribuait ainsi largement à l'onctuosité de sa pâte. Ainsi enveloppé, le fromage était à l'abri de l'air et se conservait sans encombre jusqu'à la période de tarissement des chèvres.

LA COLLECTE DES PRÉCIEUSES FEUILLES DE CHÂTAIGNIER ne relève pas de l'improvisation. Elle s'effectue à l'automne, soit à même les arbres, avant que les feuilles ne se détachent, soit juste à la tombée, comme le fait Noël Autexier, producteur de banon. Ainsi que j'ai pu le constater, il les ramasse pratiquement tous les jours pendant trois mois, si possible entre 11 et 14 heures, quand elles ne sont ni trop sèches ni trop humides. Un travail fastidieux...

L'emballage des banons à la fromagerie Chabot. La cueillette des feuilles s'effectue quotidiennement à l'automne. Un employé bien rodé enveloppe une centaine de banons à l'heure.
Double page précédente : troupeau de brebis en Pays basque français, sur les terres de l'ossau-iraty.

Sur les étals de l'automne

L'automne est, pour les fromages, un second printemps, plus court mais tout aussi bénéfique sur le plan de la qualité. Avec le retour des pluies, les prairies rases, desséchées par l'été, s'offrent une renaissance : c'est le regain. Cette cure de jouvence se conjugue avec l'arrivée des laits de fin de lactation, habituellement plus riches. Les fromages ont ainsi un profil gustatif différent : ils recouvrent une bonne souplesse grâce à une teneur plus importante en matières grasses. Certains fromages de chèvre, tel le sainte-maure-de-Touraine, voient ainsi leurs arômes végétaux et lactiques s'effacer au profit d'arômes de fruits secs et de torréfaction.

- ***Les fromages de regain.*** À partir d'octobre, les fromages de regain, à courte durée d'affinage, arrivent sur les étals. Les croûtes fleuries tout d'abord : camemberts, bries, etc. Laissez-vous ensuite emporter par le parfum plus affirmé des croûtes lavées, comme le reblochon, le saint-nectaire, le livarot ou le maroilles. Ne tardez pas : à partir de novembre, ils commenceront à perdre de leur superbe. Du côté des fromages de chèvre, beaucoup d'éleveurs pratiquent la mise bas en juillet-août : le lait redevient ainsi plus abondant en septembre.
- ***Les fromages de printemps.*** Sont également à leur optimum les fromages produits quatre ou cinq mois auparavant, dans la période faste du printemps, et dont l'affinage arrive à terme : bleus, fourmes, roquefort, ossau-iraty, etc.
- ***Les fromages de garde.*** Fabriqués l'été de l'année précédente, ils arrivent à pleine maturité, comme le comté, le beaufort ou le gruyère. Le temps les a bonifiés, révélant leurs saveurs les plus profondes.
- ***Les mont-d'or*** font leur retour, mais le début de saison n'est pas leur période favorite. Attendez les premiers froids pour plonger votre cuillère dans la boîte d'épicéa.

LES FEUILLES SONT ENSUITE MISES À SÉCHER. Pas question d'utiliser des feuilles vertes : leurs tanins, qui migrent vers la pâte au cours de l'affinage, sont âcres. Le banon est l'un des rares fromages à utiliser véritablement les vertus des feuilles. Pour beaucoup d'autres, comme le fougeru par exemple, il ne s'agit généralement que d'un héritage décoratif. Des usages se maintiennent ainsi, tout en ayant perdu leur raison d'être. L'univers fromager en fournit de nombreux exemples.

LE JONC QUI CEINTURE LES LIVAROTS (la « laîche ») ne sert plus, depuis longtemps, à empêcher le fromage de s'affaisser. Lorsque les ouvriers agricoles partaient pour toute la journée dans les champs, le fromage, haut de 5 centimètres et plus, avait tendance à s'abandonner. Pour réfréner ces envies vagabondes, les fermiers normands utilisaient des feuilles de jonc aquatique poussant dans les marais. Récoltées à la fin de l'été puis mises à sécher plusieurs mois durant dans des greniers, elles étaient posées autour du fromage dès la sortie du moule. Le papier tend aujourd'hui à les remplacer, avec l'inconvénient de coller à la croûte au point d'en être parfois difficilement détachable.

Dans les Alpes de Haute-Provence, à Valensole, sur les terres du banon, hommes et animaux recherchent l'ombre.

La préparation des feuilles de jonc aquatique pour la jonchée niortaise. Machine à coudre indispensable.

DANS LE CENTRE DE LA FRANCE, le sainte-maure-de-Touraine, long fromage de chèvre de forme tronconique, arbore une paille qui le traverse de bout en bout. Elle servait initialement de tuteur aux fromages un peu fragiles, qui menaçaient de se rompre en cours de fabrication. Là encore, les perfectionnements de l'art fromager et une meilleure maîtrise des caprices de la nature rendent cet usage tout à fait facultatif, même s'il demeure inséparable de la personnalité de ce fromage. Le décret de l'appellation d'origine contrôlée n'exige pas sa présence.

AUTRE EXEMPLE connu d'« héritage décoratif » : en Franche-Comté, la raie noire qui scinde le morbier dans son épaisseur est le lointain souvenir de la couche de suie dont les fromagers enrobaient le caillé pour le protéger des insectes et des rongeurs (dans l'attente d'une prochaine fabrication et de son assemblage avec un nouveau caillé). La faire apparaître constitue aujourd'hui une contrainte et ne relève plus d'aucune nécessité, d'autant qu'elle ne confère aucun goût particulier au fromage. Mais, sans elle, le morbier risquerait fort de tomber dans l'anonymat. C'est la part de folklore dont aucune tradition ne peut faire abstraction.

LE MÊME SOUCI DE PROTECTION antiseptique a donné naissance à tous les fromages cendrés. Cette pratique était autrefois très en vogue pour les fromages de vache à pâte molle, qui se conservent moins facilement que les fromages à pâte dure. Dans les régions viticoles, les fromagers utilisaient la cendre des sarments. De nombreux fromages de chèvre sont encore cendrés, bien que la cendre, comme la suie du morbier, ait été remplacée par du charbon végétal.

POUSSONS AVEC PROVOCATION cette logique jusqu'au bout : les fromages en général qui, en somme, sont un moyen astucieux de conserver le lait, ne seraient plus — depuis l'invention du réfrigérateur et la maîtrise totale du froid — que la survivance d'une tradition dépassée… comme les feuilles.

Jonchées niortaises d'Éric Jarnans. C'est un produit à très courte durée de vie, à savourer de préférence le jour même de sa fabrication.

Fougeru

France (Île-de-France)
Lait de vache

Ce fromage a été inventé par Robert Rouzaire, fromager affineur en Seine-et-Marne, dans les années 1960. Il s'agit d'une sorte de grand coulommiers orné d'une feuille de fougère. Les feuilles sont récoltées par la fromagerie entre avril et mai, assez loin de ses bases, dans les forêts du Loir-et-Cher, sur la commune d'Amboise. Les fougères d'Île-de-France ne donnaient guère satisfaction car elles avaient tendance à vieillir beaucoup trop rapidement.
Ce fromage moelleux est fabriqué au lait cru et bénéficie d'un moulage manuel à la louche. Le lait, partiellement écrémé, est travaillé le plus frais possible. Il faut de 6 à 7 litres de lait pour fabriquer un fougeru. En raison de sa relative épaisseur (3,5 centimètres pour 16 centimètres de diamètre), son égouttage ne va pas de soi, et le fougeru nécessite une conduite d'affinage très spécifique, dont la maison Rouzaire garde jalousement le secret. Le fromage doit être affiné pendant une cinquantaine de jours au moins. Si la souplesse est recherchée, le fougeru peut se consommer avec un cœur en partie crayeux. C'est par excellence un fromage de plateau dont le pouvoir de séduction est très fort au moment des fêtes de fin d'année et de Pâques.

Derby à la sauge

Royaume-Uni (Grande-Bretagne)
Lait de vache

Cousin du *cheddar*, le *derby* est surtout connu pour cette version à la sauge. Cette plante est intégrée très tôt dans le processus de fabrication : elle est incorporée directement au caillé sous forme moulue, en compagnie d'autres épices. Le fromage présente ainsi une pâte marbrée de vert. Certaines fromageries répartissent la sauge à la manière d'un mille-feuille. Pour faciliter le tri et le repérage des fromages, une feuille de sauge peut être reproduite sur la croûte, à moins que celle-ci ne soit constituée d'une enveloppe de paraffine verte. C'est un fromage surtout destiné aux fêtes de fin d'année. Son goût est bien plus subtil que ne l'annoncent ses couleurs acidulées ! Cette vraie curiosité illustre le caractère extrêmement accommodant du lait de vache (une telle association n'est guère envisageable avec du lait de chèvre ou du lait de brebis) ainsi que le particularisme britannique, qui s'exprime pleinement en matière culinaire. Parmi d'autres accords originaux, on peut également citer le *wensleydale* à la menthe, aux abricots, au gingembre ou aux airelles, ou encore le *cheddar* aux oignons et à la ciboulette. Cette tradition épicée a été alimentée par les conquêtes lointaines de cette grande nation de commerçants et de voyageurs.

Banon

France (Provence-Côte d'Azur)
Lait de chèvre

Enveloppé de feuilles de châtaignier ficelées par du raphia, ce petit fromage provençal pittoresque ne se laisse découvrir que pour se faire avaler.
Il espère bientôt conquérir une appellation d'origine contrôlée se fondant sur la recette originale, celle d'un fromage à caillé doux. Ce mode de coagulation très rapide et à chaud est propre à tout le bassin méditerranéen : sous ces climats, le lait se détériore rapidement. Ce type de fromages devient crémeux en s'affinant, alors que les chèvres à caillé lactique, mode de coagulation plus lent, ont plutôt tendance à se dessécher.
L'un de mes producteurs favoris est Noël Autexier, établi dans les collines sèches du pays de Forcalquier. Il élève une soixantaine de chèvres au milieu des arbustes et des chênes blancs rabougris, en respectant le plus possible les rythmes naturels (il pratique la biodynamie). Il fabrique aussi des pélardons et des tommes, mais le banon est de loin, pour lui, le plus exigeant : cueillette quotidienne des feuilles sur l'arbre à l'automne, séchage, ébouillantage, pliage… Noël emploie une spécialiste du pliage (qui « habille » une bonne centaine de banons à l'heure). C'est à ce stade que les fromages sont pulvérisés d'eau-de-vie. Je ne suis pas partisan d'un affinage trop poussé, car un banon trop vieilli devient très fort.

Jonchée niortaise

France (Poitou-Charentes)

Lait de vache

La jonchée est un produit traditionnel des marais de la côte atlantique. Il a pour particularité d'utiliser comme moule naturel un végétal très présent dans la région, le jonc, d'où sa forme irrégulière très étirée. Il est vendu très frais. Éric Jarnan, l'un des quatre producteurs existant, qui a pris récemment la suite de ses parents, le vend le jour même de sa fabrication. Il transforme le lait cru tôt le matin. Il suffit d'une vingtaine de minutes pour faire cailler le lait grâce à l'ajout de présure. Les anciens utilisaient de la « chardonnette », cette espèce de chardons à fleurs bleues qui ressemblent à des petits artichauts. Une fois pris, le caillé est réparti à l'aide d'une louche dans les paillasses de jonc cousues, que l'on attache ensuite aux deux extrémités. Un litre de lait permet de fabriquer environ deux jonchées et demie. Il n'y a plus qu'à consommer ! Éric prend sa camionnette, dépose des fromages sur quelques marchés, puis fait la tournée de ses clients, porte à porte. Ce qui n'est pas vendu à l'issue de la journée est jeté. Le jonc, récolté toute l'année, est choisi bien vert, assez souple, ni trop gros ni trop fin. Particularité du lait : Éric le parfume avec de l'extrait d'amande amère. Le jonc, quant à lui, ne communique aucun goût particulier au fromage.

Mothais sur feuille

France (Poitou-Charentes)

Lait de chèvre

Le berceau traditionnel du mothais sur feuille se situe dans le sud des Deux-Sèvres, région autrefois peu prospère. Dans chaque ferme, la chèvre était considérée comme la « vache du pauvre ». Les nombreuses forêts de châtaigniers de la région ont donné aux fermiers l'idée d'envelopper leurs fromages dans des feuilles afin de les conserver jusqu'à l'hiver pour les besoins de la maisonnée.
Des collecteurs ont ensuite fait le tour des fermes pour proposer les mothais sur les marchés locaux. Aujourd'hui, cinq ou six fermiers ainsi que plusieurs laiteries œuvrent au succès de ce fromage sympathique qui commence à songer à un label de reconnaissance. L'un de ses meilleurs représentants est Maryse Micheaud, de la maison Georgelet, qui fabrique du mothais depuis 1975 avec six cent cinquante chèvres. Elle le travaille au lait cru, avec moulage à la louche. La feuille est mise sous le fromage au sortir du séchoir. Elle joue un rôle régulateur car elle pompe l'humidité tout en empêchant un égouttage trop rapide. La récolte des feuilles, qui s'effectue à même l'arbre dès les premières gelées, dure une quinzaine de jours. Le mothais, dont la taille est proche de celle d'un camembert, s'apprécie très crémeux. Il lui arrive de se couvrir d'une très légère fleur bleue.

Tomme des quatre reines de Forcalquier

France (Provence-Côte d'Azur)

Lait de chèvre

La légende, colportée par Frédéric Mistral, est controversée. Les quatre filles du comte de Provence, Raymond de Forcalquier, auraient épousé chacune un roi : Saint-Louis, le roi d'Angleterre, l'empereur d'Allemagne et le roi de Naples. Excusez du peu… Il semblerait bien, en fait, que deux de ces « filles » aient appartenu à la génération suivante. Qu'importe, l'histoire a inspiré Charles et Simone Chabot, producteurs fermiers et affineurs à Valensole, à 600 mètres d'altitude, entre Durance et Verdon, non loin de Dignes. Ils ont ainsi créé cette tomme, d'aspect très séduisant, parée de quatre feuilles de châtaignier et d'autant de brins de sarriette (ou *pèbre d'aï*, c'est-à-dire « poivre d'âne » en langue occitane) en l'honneur des reines. La base est une tomme de 2 kilos à caillé lactique, comme il s'en est beaucoup fait dans la région à partir des années 1970 avec l'arrivée des « néoruraux ». Elle est fabriquée au lait cru, dans des moules venus de Roquefort. En s'affinant — jusqu'à six mois pour atteindre son optimum —, elle devient plus sèche sans être piquante. Le bon goût de chèvre s'épanouit. La croûte bleuit en général après dix à quinze jours d'affinage. Cueillies sur l'arbre, les feuilles, brunes ou mordorées, sont posées sur la tomme dès la première semaine.

Champignons et fromage, une grande histoire d'amour

Depuis la naissance de l'élevage, les champignons raffolent des fromages. C'est en grande partie grâce à eux que le lait devient fromage, acquiert du goût et se forge une croûte protectrice.

Ne faites plus la fine bouche lorsqu'un fromage de chèvre se couvre d'une fine fleur bleue ou qu'une croûte de saint-nectaire hésite entre l'ocre et le gris. Des moisissures se livrent une prolifique bataille pour la conquête du terrain. Ces micro-organismes font toute la richesse et la saveur de nos fromages, ils en sont la quintessence même. Comme ses compagnons favoris, le pain ou le vin, le fromage est un produit fermenté. Il abrite une vie intense où se côtoient bactéries, moisissures, ferments, levures, etc. Le fromage est un milieu écologique où chacun joue sa partition à un moment donné, avant de rentrer dans le rang ou de s'éclipser. Le fromager est le chef d'orchestre qui veille à ce que chacun conserve sa juste place et façonne la personnalité recherchée. Cette aptitude constitue le cœur de mon métier.

J'AIME ME RENDRE À ROQUEFORT-SUR-SOULZON pour partager cette alchimie. On y couve avec grand soin le *Penicillium roqueforti*, la moisissure qui donne au fleuron gastronomique de l'Aveyron sa couleur et sa force. Celle-ci était traditionnellement cultivée sur des miches de pain (lire la légende du berger des Causses, page 120). À Roquefort, seule la fromagerie Papillon continue de fabriquer elle-même ses propres miches de pain. Le rituel a lieu en septembre lors de la lune montante, période propice à la croissance des champignons, et se déroule dans un atelier situé en contrebas du village. De trois cents à trois cent cinquante miches sortent du four à bois, utilisé un seul mois dans l'année (et qui ferait saliver bien des boulangers).

LE PAIN doit répondre à un cahier des charges très précis : avoir une croûte assez épaisse pour protéger la moisissure à l'intérieur et ne pas la contaminer avec d'autres micro-organismes. Pendant la cuisson, la température au cœur de la miche doit avoir dépassé

Les caves du plateau du Combalou, à Roquefort-sur-Soulzon, sont creusées dans un éboulis aéré par des failles naturelles : les fleurines. Celles-ci assurent une ventilation parfaite (roquefort Papillon). *Ci-contre, à gauche :* cave d'affinage du roquefort.

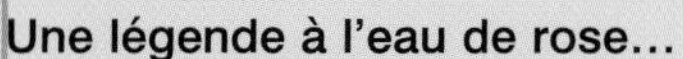

Une légende à l'eau de rose...
Un berger est en train de faire paître ses brebis lorsqu'il voit passer au loin une jeune fille. Il s'élance précipitamment sur les pas de la belle, laissant un morceau de pain et du lait caillé dans une anfractuosité de la roche... Lorsqu'il revient, quelques semaines plus tard, le destin lui a souri : le pain a moisi et contaminé le caillé, le couvrant de bleu et lui donnant une saveur étrange mais séduisante. Ainsi serait né le roquefort, là-haut, sur le causse.

Lorsque le hasard donne des idées
Le fromage est sans doute né par accident. Le lait tourne spontanément sous l'action de microbes, qu'ils proviennent de l'air ambiant ou d'un morceau de pain, comme à Roquefort. L'homme a compris l'intérêt qu'il pouvait en tirer. Le fromage est la version sophistiquée de ce processus, un moyen astucieux de conserver le lait. L'aventure a sans doute commencé au Proche-Orient, quelque sept mille cinq cents ans avant notre ère, lorsque l'homme, chasseur-cueilleur, est devenu éleveur-agriculteur. Pour faire coaguler le lait, il a suivi plusieurs méthodes. Il l'a versé dans la panse ou dans la caillette d'un animal abattu, et le liquide s'est coagulé sous l'action des enzymes qui servent normalement à la digestion. Plus tard, il a plongé dans le lait des petites lanières de caillette, ou même de la sève de végétaux facilitant la coagulation. Enfin, il a appris à égoutter le caillé pour le conserver plus longtemps. D'abord dans des végétaux tressés (on en trouve la trace à Sumer), puis dans de véritables faisselles en terre : des poteries perforées, datant de trois mille ans au moins avant notre ère, ont été retrouvées dans le sud de la France ainsi que dans le lac de Neufchâtel, en Suisse.

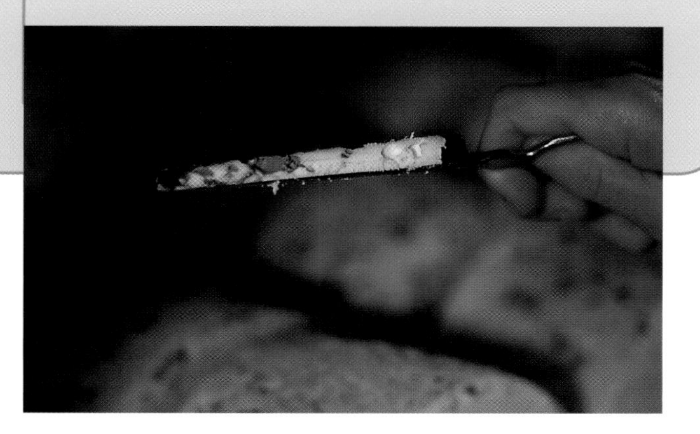

90 °C afin que soient détruites les moisissures endogènes de la farine. Chaque miche, issue d'un mélange de farine de seigle et de farine de froment, pèse 6 kilos. Une fois refroidis, les pains sont acheminés dans les caves et ensemencés à la seringue.

À L'INTÉRIEUR, la moisissure prospère plus ou moins rapidement selon les années. Il faut compter de soixante à quatre-vingts jours pour que le pain soit complètement moisi. La miche devient alors très légère. Il est temps de l'ouvrir : le pain est coupé en deux et la mie prélevée. Elle est répartie sur des tables et mise à sécher pendant une semaine à 37 °C environ. L'ensemble est ensuite broyé et tamisé, puis la poudre obtenue est conservée au froid, dans des bocaux hermétiques, pour être utilisée toute l'année au fur et à mesure des besoins. Il faut environ 0,5 gramme de poudre pour ensemencer un fromage.

Caves du roquefort Papillon : la sonde permet de vérifier la bonne répartition du bleu.
Ci-dessus : miche de pain servant à cultiver le *Penicillium roqueforti*.
Page de droite : roqueforts en cours d'affinage.

Le *cabrales* est le plus célèbre des bleus espagnols.
Page de gauche : cabrales tout juste démoulés.

CETTE MÉTHODE N'EST PAS LA PLUS COURANTE. Les spores de moisissures sont fournies le plus souvent, sous forme liquide, par des laboratoires spécialisés. Chaque fromager dispose de souches spécifiques de pénicillium, qui contribuent à la personnalité propre de ses fromages. Les producteurs de roquefort ont le choix aujourd'hui entre cinq souches bien répertoriées, auxquelles ils ont tous accès auprès de l'INRA (Institut national pour la recherche agronomique). Le même schéma se reproduit pour des bleus aussi éloignés les uns des autres que le *meredith* australien, l'*american blue*, le *cabrales* espagnol ou le bleu de Bavière.

LE PÉNICILLIUM peut être soit tamisé sur le caillé, comme du sucre glace sur une pâtisserie (méthode la plus traditionnelle), soit versé sous forme liquide dans le lait avant le caillage. Chaque souche influe, à sa manière, sur la couleur du « bleu » (qui peut être vert ou bleu-gris), sur la teinte de la pâte (de blanc à ivoire), sur son onctuosité, sur son goût et sur sa puissance.

ENCORE FAUT-IL LAISSER LE PÉNICILLIUM RESPIRER, car il a besoin d'oxygène pour se développer. C'est pourquoi les fromagers utilisent également d'autres micro-organismes, des ferments gazogènes, qui, en dégageant du gaz carbonique, permettent aux grains de caillé de rester séparés et de former des anfractuosités au sein de la pâte. Les piqueuses mécaniques, qui transpercent ensuite le fromage de leurs aiguilles, achèvent le travail, permettant à l'air de circuler et au bleu de prospérer.

DANS LES CAMPAGNES, autrefois, tous les moyens étaient bons pour faire « respirer » le fromage : aiguilles à chapeau, baleines de parapluie, aiguilles à tricoter (pas encore inoxydables...). Les souches de pénicillium se chamaillaient sans que l'homme ne puisse intervenir. Certaines années, telle souche prenait le dessus sur les autres, avant de rentrer dans le rang, vaincue par une souche plus envahissante. Les fromagers, impuissants, voyaient la nature déterminer seule l'aspect de leurs fromages. Depuis, le consommateur, qui aime avoir des repères, n'a plus guère à se plaindre des caprices du pénicillium. Les fromages illustrés ci-après en sont en général assez abondamment garnis. Retenez donc bien ce nom, qui vient du latin... La famille *Penicillium* comporte de nombreuses variétés : *P. roqueforti, P. candidum, P. glaucum* ou *P. camemberti*, entre autres. Ce sont les meilleurs auxiliaires du fromager.

Le *cabrales* présente la particularité d'être fabriqué principalement au lait de chèvre.

Bleu des Causses

France (Midi-Pyrénées)
Lait de vache

Le bleu des Causses est la version au lait de vache du roquefort. Il n'y a pas si longtemps, ainsi que me l'a raconté Jean Puig, mon passionné confrère de Montpellier, certaines fermes mélangeaient encore lait de brebis et lait de vache. Le bleu des Causses existe sans doute depuis plusieurs siècles. Né sur des terres pauvres et rocailleuses, il était affiné dans des grottes, nombreuses sur ces rudes plateaux calcaires. Il en a conservé un caractère bien charpenté et un goût franc assez vivifiant. Un petit nombre de laiteries — il n'existe plus de producteurs fermiers — assure sa production. Son affinage en cave fraîche et humide nécessite au moins trois mois. Le caillé est piqué en début de fabrication pour favoriser son oxygénation et permettre la pousse du bleu. Jean Puig affirme, par expérience, que le bleu des Causses est plus rond en bouche, plus fin, moins rustique et moins salé que le bleu d'Auvergne, dont la notoriété est pourtant plus grande. La tradition ancienne de le marier à un rouge charpenté du pays n'est plus de mise : le bleu des Causses a pris du galon et il apprécie désormais les vins liquoreux, dont le sucré adoucit son tempérament. Jean Puig suggère d'accompagner le tout de figues séchées découpées en fines lanières et d'un morceau de pain de seigle. Royal !

Bleu de Séverac

France (Midi-Pyrénées)
Lait de brebis

Traditionnellement, les laiteries qui fabriquent du roquefort ne travaillent qu'au premier semestre, lorsque les brebis sont les plus prodigues en lait. Elles ferment leurs portes le 27 juillet et cessent donc de collecter du lait.
En attendant le tarissement des brebis, qui intervient vers la mi-septembre, les fermiers de la région fabriquent, depuis longtemps, soit du pérail, soit du bleu. Le bleu de Séverac, du nom d'une commune située à une trentaine de kilomètres de Millau, est ainsi une sorte de roquefort qui n'en a pas le nom puisque non affiné à Roquefort-sur-Soulzon. Simone Séguin l'a lancé il y a plus de vingt ans, en imitant, selon un schéma ancestral, l'exemple de sa mère et de sa belle-mère. Celles-ci fabriquaient, en fin de saison, du bleu de brebis. Pas question d'aller affronter le roquefort sur son terrain : le bleu de Séverac est moins gros, plus souple de pâte, plus jaune de teinte et moins puissant en bouche. Simone, assistée de son fils Rémi, l'affine de cinq à six semaines dans une ancienne cave à vin voûtée, mais j'aime le pousser jusqu'à deux mois de plus. Nous assistons peut-être là à la naissance d'un futur roquefort fermier… Il faudrait pour cela que Simone et Rémi commencent par acquérir, à Roquefort, une cave désaffectée. À suivre !

Bleu du col Bayard

France (Provence-Côte d'Azur)
Lait de chèvre

La laiterie du col Bayard, dans les Hautes-Alpes, est implantée dans la vallée assez abrupte et haut perchée du Champsaur. Peu d'herbages donc, mais une herbe de très bonne qualité. Depuis toujours, dans chaque ferme, on fabriquait ce bleu original au lait de chèvre, une recette rare. La laiterie a revitalisé cette tradition en 1978 avec ce fromage, qui évoque le bleu de Sassenage en plus ferme ou le bleu du Queyras, de la vallée voisine, en moins gros. Il est réalisé exclusivement à partir de lait « de montagne » récolté à plus de 1 000 mètres et travaillé cru ou ayant subi une thermisation (version amoindrie de la pasteurisation). Il pèse environ 200 grammes et dénote une vraie personnalité, mêlant goût de chèvre et force du bleu. Fromage de plateau, il peut aussi servir de base à des sauces pour viande. Si vous le pouvez, allez le déguster dans le restaurant ouvert par la laiterie : vous y découvrirez, outre un musée du fromage, les autres produits maison, comme le chaudun, une pâte molle originale qui mêle lait de chèvre (25 %), lait de brebis (25 %) et lait de vache (50 %), ou bien la tommette de brebis affinée au génépi. Cette dernière macère pendant quarante jours dans un litre d'alcool avec quarante brins de génépi et quarante morceaux de sucre. Vous savez (presque) tout !

Cabrales

Espagne du Nord
Lait de vache, de chèvre ou de brebis

C'est le bleu d'Espagne le plus connu. Né dans les Asturies, le *cabrales* est un fromage de caractère dont le tempérament s'accommode mal d'une recette trop rigide. Il est indifféremment fabriqué au lait de vache, au lait de brebis ou au lait de chèvre, utilisés seuls ou mélangés. Question de saison et d'opportunité ! L'été, lorsque les fermiers font monter leurs bêtes sur les massifs calcaires des Picos de Europa, le *cabrales* se repaît des trois types de lait. En hiver, en plaine, lorsque brebis et chèvres sont taries, il perd alors un peu de son piquant et de son originalité. Ainsi, il est parfois très viril, d'autres fois parfaitement équilibré, mais ne laisse jamais indifférent. Traditionnellement, le *cabrales* était enveloppé dans de grandes feuilles d'érable ou de châtaignier, un usage que les normes d'hygiène actuelles tendent à faire disparaître. C'est bien dommage car les feuilles d'aluminium ou d'étain ne rendent pas les mêmes services. La moisissure bleue apparaissait autrefois spontanément et se nichait dans les anfractuosités de la pâte, aujourd'hui encore friable : les fromages étaient affinés dans des grottes naturelles, parfaitement ventilées car ouvertes aux vents de l'Atlantique. Désormais, pour favoriser l'éclosion de cette moisissure, les fromages sont piqués.

Gorgonzola

Italie du Nord
Lait de vache

Le plus célèbre bleu italien porte le nom du village où il est né, au pied des Alpes, dans la plaine du Pô. C'est ici que les vaches, de retour d'estive, faisaient halte et que certaines prenaient leurs quartiers d'hiver. Au début de l'automne, le lait de fin de lactation était particulièrement gras, épais et onctueux, mais peu abondant : il fallait, semble-t-il, deux traites (celle du soir et celle du matin) pour pouvoir fabriquer un fromage. Le fait de mélanger deux caillés, dont l'un a déjà mûri, a sans doute favorisé la naissance spontanée de moisissures au sein de la pâte. Aujourd'hui, les fromagers italiens (une soixantaine, des plus industrialisés aux plus artisanaux) ensemencent le fromage avec des moisissures dûment sélectionnées, d'où une offre assez riche et variée. Il existe trois grands types de gorgonzola : le *gorgonzola cremificato*, qui est très crémeux avec un goût peu prononcé, le *gorgonzola piccante*, qui est plus persillé et plus fort en goût (un produit pour connaisseurs, peu diffusé hors d'Italie), et le *gorgonzola naturale*, qui offre un profil intermédiaire. Les consommateurs italiens apprécient le gorgonzola très crémeux, ainsi que le constate tous les jours mon confrère Édouard Céneri, à Cannes, alors que les Français recherchent moins de mollesse. À Paris, le chef italien Rocco Anfuso en fait un véritable dessert : il le réchauffe légèrement au four et le sert coulant dans l'assiette, avec un petit pain chaud croustillant et un blanc moelleux…

Roquefort

France (Midi-Pyrénées)
Lait de brebis

La référence absolue ! Universellement connu pour sa saveur puissante, le roquefort est un fromage né du chaos. C'est dans les soubassements du village de Roquefort-sur-Soulzon, bâti au pied d'une falaise, sur les éboulis rocheux d'un plateau calcaire, qu'il a acquis son caractère : l'effondrement est veiné de cheminées naturelles, les « fleurines », qui permettent une parfaite ventilation des caves. Le roquefort y est obligatoirement affiné, alors que sa fabrication a lieu sur les Grands Causses où pâturent les brebis, et bien au-delà (Aveyron, Tarn, Lozère, Gard, Hérault et Aude). La moisissure bleue est incorporée soit au lait, soit au caillé. Pour la cultiver, certains fromagers utilisent du pain moisi, à l'instar de la fromagerie Papillon ou encore des établissements Carles, dont j'apprécie particulièrement le style pointu, fait de vigueur parfaitement maîtrisée. Premier fromage français à avoir bénéficié d'une appellation d'origine, et ce dès 1925, le roquefort est un produit saisonnier : la période de traite des brebis (de race lacaune) n'a lieu que de décembre à juillet, et les laiteries cessent de produire du roquefort pendant la seconde moitié de l'année. Les roqueforts jeunes et doux se marient volontiers avec des vins blancs liquoreux. Les roqueforts plus puissants ne tolèrent que les portos et les banyuls d'un âge certain. Mariages flamboyants assurés !

Le retour à l'étable

L'hiver s'annonce. Bientôt le retour à l'étable et l'arrêt de la lactation. Des vaches, on attendait hier qu'elles produisent toujours plus. Beaucoup de races ont ainsi été sacrifiées sur l'autel de la productivité. Aujourd'hui, on préfère qu'elles produisent mieux.

Savez-vous les reconnaître ? La normande est couverte de grandes taches brunes sur fond blanc. Elle est implantée de manière privilégiée dans l'ouest de la France. La montbéliarde présente une tête et une robe blanches, avec de grandes taches allant du rouge foncé à l'acajou. Terres de prédilection : le centre est de la France, l'Auvergne et la région Rhône-Alpes. Quant à la frisonne pie-noire, à larges plaques noires sur fond blanc, elle est originaire de Hollande mais a fait l'objet de programmes de sélection génétique aux États-Unis. En un siècle, elle a conquis presque tout l'Hexagone. Ces trois races de vaches laitières assurent aujourd'hui les neuf dixièmes de la production française. Dans d'autres pays, la même concentration s'est imposée.

Les vaches apprécient le grand air et l'herbe fraîche. Mais elles se font sans trop de difficulté à l'ambiance pourtant confinée des étables.

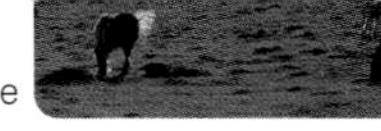

Que faire de la croûte ?
La croûte joue bien plus qu'un rôle protecteur pour le fromage : elle a sa propre texture et sa propre saveur, souvent bien plus relevée que celle du cœur du fromage (la croûte est toujours salée). Une croûte fleurie (camembert, brie, nombreux fromages de chèvre) dégage en général d'agréables arômes de champignon. Une croûte lavée (régulièrement humidifiée en cave d'affinage) est le lieu d'intenses fermentations, dont se délectent les amateurs de sensations fortes. Une croûte brossée (tomme de Savoie) offre des arômes de cave et de pierre humide qui ont leurs adeptes. En revanche, une croûte cirée, paraffinée ou trop épaisse (comté, laguiole) est impropre à la consommation. Il faut se garder, en la matière, de conseils trop directifs.
Tout est affaire de goût personnel. Certains estiment que la saveur de la croûte peut modifier la perception des arômes plus subtils de la pâte et qu'elle ne doit donc pas être consommée. D'autres pensent au contraire qu'elle fait partie intégrante de la personnalité du produit. Le risque est qu'un affinage mal conduit génère de mauvais goûts (odeurs d'ammoniac, goût de savon, âcreté, amertume).
Le plus grand pragmatisme consiste, tout simplement, à goûter la croûte pour se faire une idée avant de décider ou non de l'engloutir.

La croûte rugueuse et épaisse du laguiole sert de carapace au fromage. À enlever impérativement au moment de la dégustation.

AVANT 1914, la France comptait une cinquantaine de races de terroir. Au lendemain de la Seconde Guerre mondiale, le mot d'ordre est de produire plus. On décide alors, à l'échelle nationale, de donner la priorité à trois races laitières et à trois races à viande. La course à la productivité — il faut atteindre l'autosuffisance alimentaire — a sacrifié les vaches les moins performantes. C'est ainsi que la frisonne, qui « pisse au pot » (elle produit jusqu'à 10 000 litres de lait par an), est devenue la première laitière de France, au point de faire jeu égal, par exemple, avec la normande en Normandie.

LE TEMPS EST LOIN où chaque terroir avait sa race spécifique, façonnée par l'évolution et par les particularités locales : la vosgienne, la limousine, la marollaise, la villard-de-lans… Des vaches petites et robustes en montagne, comme la tarentaise (dite aussi tarine), à robe fauve, née dans les hautes vallées savoyardes, très apte à la marche en terrain difficile et indissociable du beaufort. Et des bêtes plus rustiques et plus volumineuses en plaine. Les premiers croisements semblent remonter à un siècle et demi au moins.

POUR LE FROMAGER, la question est de savoir si le saint-nectaire est moins bon ou moins typique dès lors que le lait est produit par une vache hollandaise. La réponse ne va pas de soi. Contrairement aux cépages, qui donnent un goût caractéristique au vin, la race de la vache ne semble pas marquer de manière très nette le profil du lait. L'alimentation donnée aux animaux joue un rôle bien plus

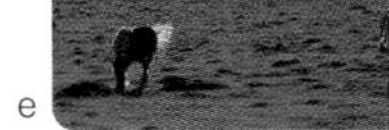

Roland Barthélemy,
à Isigny-sur-Mer, surveille
l'affinage des boules
de mimolette (réserve 24 mois)
qu'il a spécialement
sélectionnées. Les fromages
sont très régulièrement frottés.

important pour la qualité du produit final. Il semble que l'influence de la race se ressente davantage au niveau de la texture. La présence de certains variants de caséine spécifiques peut notamment favoriser la coagulation du lait et la rétention des corps gras. De là à typer le goût du produit final, la démonstration est à faire…

RESTE QUE, DANS UNE DÉMARCHE D'APPELLATION d'origine contrôlée et de fidélité à un terroir, la mise en valeur des races locales semble tomber sous le sens. L'heure est désormais à leur réhabilitation : les producteurs de salers veulent remettre à l'honneur les vaches de race salers, à la belle robe acajou, aux yeux cerclés de noir et aux cornes en forme de lyre ; ceux du bleu du Vercors-Sassenage, la villard-de-lans ; ceux de munster, la petite vosgienne.

PARALLÈLEMENT, LA BONNE SANTÉ de ces belles redevient une priorité. Car tous les éleveurs l'affirment : un animal bien dans sa peau et peu stressé fournit des laits de meilleure qualité. L'élevage moderne ne s'était guère soucié du bien-être des animaux. Le grand public se montre de plus en plus sensible à cet aspect, à tel point que les autorités européennes ont fini par édicter des normes à ce sujet.

SAVIEZ-VOUS QUE LES VACHES SONT DES ANIMAUX SOCIAUX, qu'elles apprécient la compagnie d'autres vaches et développent des relations d'affinité ? Elles mangent ainsi plus rapidement dans le seau quand elles ont des congénères autour d'elles, même de l'autre côté d'une grille. Quand leurs voisines sont stressées, leur appétit décline. Elles se transmettent des « sentiments », des états d'âme (par l'odeur de l'urine, notamment).

La fabrication du laguiole dans le buron de Carmejane. Découpage, broyage, pressage... : de multiples opérations sont nécessaires pour que naisse le trésor des plateaux de l'Aubrac.

L'ÉLEVEUR joue également un rôle déterminant pour le bien-être de ses bêtes. Un chercheur français m'a relaté une expérience menée en Australie dans plusieurs fermes : la production laitière peut varier de 20 % selon la façon dont l'éleveur se comporte ! Des tapes amicales, la manière dont il parle aux animaux, une attitude générale plus que des gestes très précis peuvent augmenter la sécrétion mammaire. Les vaches qui se sentent sécurisées produisent davantage : l'éleveur est donc un facteur de confort ! Une petite visite sur le terrain est pour moi toujours très instructive.

Chaource

France (Champagne-Ardenne)
Lait de vache

Voici un fromage bien mal servi par les vicissitudes de l'histoire. Si le camembert est l'emblème de la Normandie, si le comté est celui du Jura, le chaource peine à devenir ambassadeur gastronomique. Ce n'est pas faute de qualités, mais parce qu'il est fabriqué à cheval sur deux régions, la Champagne et la Bourgogne. Pour ne rien arranger, ces dernières produisent d'excellents vins, qui suffisent à leur image de marque. Le chaource appartient à la famille prolifique des fromages à croûte fleurie, qui dessine sur la carte de France un arc quasi ininterrompu depuis la Normandie (camembert, neufchâtel) jusqu'à l'Est (carré de Lorraine) en faisant un crochet par l'Île-de-France (brie, feuille de Dreux). Reconnaissables à leur croûte blanche veloutée, ces fromages se parent de stries rougeâtres lorsque leur affinage est assez avancé. Particularité du chaource : une acidité élevée qui empêche un affinage à cœur. Sa pâte reste légèrement granuleuse, présentant un grain plus ou moins fin. Cette acidité est très présente lorsque le fromage est dégusté frais ; il offre alors un goût aigrelet, que vient équilibrer sa saveur assez salée. C'est d'ailleurs ainsi qu'il a très longtemps été dégusté. Les producteurs de chaources ne sont plus que cinq, et un seul d'entre eux travaille au lait cru : ce jeune fermier, récemment installé, mérite tous les encouragements.

Cheshire (Chester)

Royaume-Uni (nord-ouest de l'Angleterre)
Lait de vache

Le *cheshire* (plus connu en France sous le nom de *chester*) est un monument du patrimoine fromager britannique, l'un de ses plus anciens représentants, dit-on. Son existence serait attestée dès l'époque romaine, tout comme le cantal qui, parmi les fromages français, est celui auquel il s'apparente le plus. Sur le continent, on le confond souvent avec son compatriote, le *cheddar*, dont la recette est très similaire. Le *cheshire* se présente sous la forme d'une meule cylindrique aussi haute que large. Il se distingue par sa pâte granuleuse, ponctuée de nombreuses petites anfractuosités. Cette particularité est liée à son mode de fabrication : le caillé est broyé, et manque donc de régularité. Le pressage qu'il subit ensuite n'est pas suffisant pour faire disparaître toutes ces « ouvertures ». Sur les produits artisanaux, la pâte peut même avoir tendance à s'émietter. Auparavant, il arrivait qu'une moisissure bleue s'y développe (on parlait de *blue cheshire* ou de *green fade*), mais cette version semble avoir disparu depuis peu. Le *chester* traditionnel au lait cru devient une rareté, et ne repose plus que sur la persévérance d'une poignée de fromagers. C'est bien dommage, car un *chester* artisanal, affiné un bon semestre, vaut vraiment le déplacement !

Laguiole

France (Auvergne)
Lait de vache

Des hauts plateaux basaltiques de l'Aubrac où il est né, le laguiole a conservé un caractère minéral, sauvage, un peu abrupt au premier abord. Mais, tandis qu'il fond sous la langue, sa pâte libère des arômes chaleureux de fruits secs, de torréfaction, de beurre. À l'origine, ce fromage n'était fabriqué que pendant l'été, lorsque les vaches de race aubrac montaient en estive. Les guerres et l'exode rural ont failli lui porter un coup fatal. La mise sur pied, en 1960, de la coopérative fromagère Jeune Montagne a permis de sauver ce somptueux fromage. André Valadier, son président depuis plus de quarante ans, a été l'un des principaux artisans de cette renaissance. Depuis 1976, succès commercial aidant, le laguiole peut désormais être fabriqué toute l'année. Sa zone de production s'étend de 600 à 1 400 mètres d'altitude. L'abondance de prairies naturelles garantit une flore très spécifique, qui contribue sans doute au caractère unique de ce fromage. Une pièce de laguiole nécessite de 300 à 400 litres de lait. Son affinage minimal est de quatre mois, mais il peut se prolonger durant plus d'un an. C'est pourquoi on trouve de très bons laguioles à longueur d'année, y compris l'hiver. Sa texture, irrégulière, devient peu à peu fondante. Un programme est en cours pour réhabiliter l'attachante vache locale, l'aubrac, presque coquette avec ses yeux soulignés de noir.

Neufchâtel

France (Haute-Normandie)
Lait de vache

À défaut d'être le plus célèbre des fromages normands, le neufchâtel serait le plus ancien. Généralement en forme de cœur, il peut également prendre l'apparence d'une bonde, d'un carré ou d'une briquette. Recouverte d'un fin duvet blanc, sa pâte présente une nette dominante salée qui fait partie intégrante de sa personnalité, surtout lorsque le salage a eu lieu directement dans le caillé et non en surface. La zone de collecte du lait et de fabrication est limitée à un très petit territoire, le pays de Bray, situé dans un rayon d'une trentaine de kilomètres autour de Neufchâtel-en-Bray.
La fabrication du neufchâtel comporte trois particularités : le caillé est parfois ensemencé avec les miettes de fromages déjà affinés, survivance de ces temps anciens où l'on ne savait isoler et maîtriser les ferments ; il est malaxé, à la main ou en machine (dans un pétrin de boulanger), pour être plus homogène ; enfin, le fromage est légèrement pressé, d'où une pâte plus sèche et plus compacte que les autres fromages à croûte fleurie, de type camembert ou brie. Il peut se consommer à partir d'une dizaine de jours d'affinage, et jusqu'à trois mois.

Mimolette

France et Pays-Bas
Lait de vache

Attention, idée fausse : la mimolette est très peu connue des Hollandais, qui destinent sa production à l'exportation. Sa terre d'élection, et peut-être même de naissance, est la France. Il se peut que les Français se soient inspirés de fromages hollandais (à l'instigation de Colbert, notamment), mais aussi que ce fromage soit né bien avant, dans cette grande région des Flandres, qui n'était ni française ni hollandaise, mais espagnole… Qu'importe, la mimolette française, lorsqu'elle est longuement affinée (jusqu'à deux ans), exhale une odeur de noisette assez irrésistible, comme celles de la réserve spéciale dont je dispose à la coopérative d'Isigny. Sa pâte est alors dure et cassante.
Les affineurs sonnent régulièrement les fromages avec un maillet en bois pour traquer d'éventuelles irrégularités de structure et les brossent environ une fois par mois pour que les cirons — ces acariens qui abondent à sa surface, sans le moindre danger pour notre santé —, ne grignotent la pâte.
Les Hollandais, se contentent d'un revêtement protecteur de paraffine.
La teinte du fromage provenait initialement de la graine de rocou, plante mexicaine ; depuis, les fromagers utilisent le carotène. Clin d'œil à l'histoire : les mimolettes d'Isigny sont fabriquées à partir de troupeaux mixtes comptant à parts égales des vaches de race française (normandes) et d'origine hollandaise (holstein).

Olivet cendré

France (Centre)
Lait de vache

Olivet est le nom d'une petite bourgade située sur les rives du Loiret, à proximité d'Orléans. Elle a donné naissance à un fromage qui était très populaire dans les campagnes, et notamment dans le monde viticole : ce produit, dont la taille est très proche de celle d'un camembert, servait en particulier d'aliment de base aux ouvriers saisonniers employés pour les vendanges. À cette fin, les fromagers reportaient leur abondante production laitière du printemps en roulant les fromages dans de la cendre de sarments. Celle-ci était dissuasive pour les insectes et pour les « grignoteurs » de toute espèce, et empêchait des moisissures de s'implanter sur la croûte et de faire évoluer le fromage trop rapidement. Sur ce type de fromages — originellement à caillé lactique, désormais à caillé présure —, la moisissure bleue se développe assez facilement. Il existait ainsi un « olivet bleu » non cendré. Si les usages ne sont plus les mêmes, la recette de l'olivet cendré s'est perpétuée jusqu'à nous, la cendre étant désormais remplacée par de la poudre de charbon de bois, beaucoup plus sombre. En toute rigueur, il serait donc plus juste de parler d'« olivet charbonné ». Il existe également un olivet au foin, parsemé de quelques brins de paille. Ce fromage, au lait partiellement écrémé, nécessite un véritable affinage, de l'ordre d'un mois, pour affirmer son caractère : le lait de vache met toujours un peu de temps à s'exprimer véritablement.

Les fromages de maraud

Quelques merveilles gastronomiques doivent leur existence à des pratiques que la morale, il faut bien avouer, réprouve totalement. Mais ne boudons pas notre plaisir, tout cela relève d'histoires anciennes...

Si les paysans n'avaient parfois fait acte de roublardise, il manquerait sans doute à notre patrimoine fromager quelques petits trésors. Dans ce domaine, le reblochon est l'un des plus connus, parce que son nom même trahit les turpitudes de sa naissance. En patois savoyard, *reblosser* signifie traire à nouveau et *rablasser*, « marauder », « grappiller ». L'histoire commence du côté de la chaîne des Aravis, il y a plus de cinq siècles. Les fermiers devaient louer les alpages à des seigneurs locaux ou à des abbayes, comme celle de Tamié. Ils versaient ainsi une redevance proportionnelle à la quantité de lait fournie par les vaches, soit sous forme d'argent, soit sous forme de fromages.

Du côté du col des Aravis (*ci-dessus*), son berceau originel, ou de Manigod (*ci-contre*), où officie l'affineur Joseph Paccard, le reblochon dispense ses doux parfums de crème. Pour qu'ils s'épanouissent, il faut jusqu'à six semaines de soins en cave.

IL N'EST GUÈRE DIFFICILE d'abuser quelqu'un qui n'a jamais trait de vache de sa vie, ce qui était sans doute le cas de la majeure partie des contrôleurs chargés de collecter la redevance. Le fermier n'effectuait qu'une traite incomplète, attendait que le contrôleur ait tourné le dos et terminait la traite. Grâce à ce subterfuge, il faisait coup double. La redevance à payer était moins lourde et il gardait pour son seul usage le fruit de la seconde traite, la plus riche : comme vous le savez, la crème remonte toujours à la surface, le lait qui reste dans la mamelle est donc toujours plus crémeux que celui du début de la traite.

DE CE LAIT MARAUDÉ, le fermier tirait un petit fromage, le reblochon, à la texture particulièrement grasse et onctueuse. C'est ce qui fait toujours la qualité de ce fromage, encore fabriqué au lait entier. Le reblochon est longtemps resté un fromage de contrebande, sans existence officielle, avant de se révéler au grand jour, quelques siècles après sa naissance, sur les marchés savoyards de la vallée de Thônes et bien au-delà.

PLUS À L'EST, DE L'AUTRE CÔTÉ DE LA VALLÉE DU RHÔNE, dans le Bourbonnais, un autre fromage est né, lui aussi, à l'abri des regards indiscrets. Le chambérat n'apparaît dans certains textes qu'à partir du XVIIIe siècle, et encore de manière assez lapidaire. Et pour cause : dès sa naissance, ce fromage a tenu à s'entourer de secret.

Son existence et son mode de fabrication étaient étroitement liés au système du métayage, alors en vigueur, qui supposait le partage de la production. Maintenus dans une grande pauvreté, les paysans essayaient de desserrer le carcan comme ils le pouvaient. Ils ont entrepris de détourner le lait et de le transformer subrepticement en fromage pour améliorer l'ordinaire et en tirer quelques subsides. Le chambérat est né au printemps, lorsque le lait est très abondant et que les veaux ne vident pas tout le contenu de la mamelle… ou qu'ils en sont empêchés par l'homme. C'est avec ce « lait d'égouttage » que le chambérat a commencé par être fabriqué.

TOUTE LA RECETTE a été conçue pour faire disparaître au plus vite le fromage dans les caves. Le lait est emprésuré à chaud afin qu'il caille aussitôt (en une heure environ, alors que l'action des seuls ferments lactiques aurait exigé vingt-quatre heures), puis il est mis en moule et pressé à la main pour en extraire le petit-lait. Les fromages sont ensuite mis en cave dans des coffres en bois. Enfin, c'est le climat doux et humide de la région, très favorable au développement des moisissures, qui a introduit la contrainte du lavage quotidien des fromages. Cette tâche,

Comment initier les enfants au fromage ?
L'appétence des enfants pour les fromages mous et sans goût reflète souvent les préjugés des parents et l'influence de la publicité (pour les « gastronomes en culotte courte », notamment). Or il n'y a aucune fatalité biologique menant un enfant à avoir peu d'inclination pour les fromages ayant du caractère. C'est une question d'apprentissage. L'enfant accroît son répertoire alimentaire par imitation : il copie ses parents, ses frères et sœurs ainsi que ses camarades de crèche, d'où l'importance des modèles qui lui sont offerts. Parfois, il se cabre, manifeste soudainement de la méfiance (entre 2 et 3 ans), jusqu'à rejeter des aliments qu'il consommait auparavant. Cette « néophobie » atteint son sommet vers 5 ou 6 ans, et les filles y sont plus sensibles. Une seule règle s'impose : ne jamais forcer l'enfant, lui laisser le temps de s'habituer à la nouveauté.
Voici quelques suggestions permettant de sensibiliser un enfant aux différentes saveurs et textures des fromages.

- ***Organisez des jeux gustatifs***. Vous pouvez ainsi faire des petits toasts de différents fromages : bleu au lait cru, gruyère, roquefort, etc. Invitez-le à les sentir et à les goûter, puis questionnez-le sur ce qu'il vient de consommer. Il vous donnera ses impressions (avec ses mots à lui), et finira aussi par faire la différence entre un fromage au lait de brebis et un fromage au lait de vache… surtout si vous lui expliquez ensuite ce que sont ces animaux.
- ***Pourquoi ne pas lui donner la responsabilité*** de constituer le plateau de fromages ? Sensibilisez-le à la diversité des formes et à celle des couleurs.
- ***Resituez les fromages*** que vous lui faites découvrir dans leur contexte géographique. Privilégiez les fromages des régions dans lesquelles l'enfant a déjà des repères.

Page de gauche : la fabrication du gaperon fermier, à Montgaçon ; le caillé est malaxé et égoutté dans de grands torchons suspendus au plafond. *Ci-contre, à droite :* la fromagère, Patricia Ribier, façonne de ses mains le fromage au doux goût aillé.

traditionnellement dévolue aux fermières, induit l'apparition du « ferment du rouge », caractéristique de tous les fromages à croûte lavée et gage de vigueur gustative. Au bout de deux à trois mois d'affinage, à la mi-août, les chambérats étaient à point pour être vendus dans le cadre de la très ancienne et renommée Foire aux chevaux de Chambérat, en attendant un nouveau cycle de fabrication au printemps suivant.

DERNIER ET FAMEUX EXEMPLE, celui du saint-félicien. Ainsi que me l'a raconté Bernard Gaud (de la fromagerie de l'Étoile du Vercors), un fromager installé place Saint-Félicien, dans le quartier lyonnais de la Croix-Rousse, aurait pris l'habitude de récupérer la crème non vendue ou distraite du lait entier et l'aurait finalement mélangée à des fromages de type saint-marcellin. Le saint-félicien

Page de droite : dans leur cagette en bois, les gaperons, à la peau ridée, attendent sagement le départ vers les étals des fromagers.

serait ainsi né de cet instinct de récupération. Cette histoire n'est pas tout à fait avérée : on parle également d'un fromager de Villeurbanne qui aurait conçu la recette dans les années 1930, mais, dans l'un et l'autre cas, le processus est similaire.

SI L'ON EN CROIT DES ACTUALITÉS RÉCENTES, le maraudage a toujours cours, mais désormais à l'insu des éleveurs. Un grand groupe laitier français, de réputation internationale, a récemment été accusé d'avoir lésé près de deux cents éleveurs en sous-estimant systématiquement la teneur en matières grasses des laits collectés. L'or blanc suscite bien des convoitises…

LES FROMAGES qui suivent sont peu ou prou des fromages de contrebande. J'ai glissé parmi eux le gaperon et la cancoillotte. S'ils n'ont rien à se reprocher, on peut les qualifier de fromages de « récupération » car ils sont fabriqués à base de petit-lait. Une autre manière d'élaborer du fromage… à partir de presque rien.

Le retour des vaches à l'étable en fin d'après-midi pour la traite.

Herve

Belgique

Lait de vache

Coincée entre deux grands pays exportateurs de fromage, la France et la Hollande, la Belgique a bien du mal à trouver sa place dans le paysage fromager. Le herve est son produit le plus connu. Il se rattache à la grande famille des fromages à pâte molle et à croûte lavée qui couvre le nord-est de la France. Il est produit en Wallonie, et son origine remonte au moins à la grande époque de Charles Quint. Il était alors connu sous le nom de *remoudou*, issu de « remoudre », c'est-à-dire, tout comme pour le reblochon, « traire à nouveau ». Le fermier attendait que le propriétaire ait le dos tourné pour finir la traite. Le lait très gras ainsi soutiré servait à fabriquer des fromages de taille modeste réservés à la consommation domestique. Le herve se présente désormais sous la forme d'un pain rectangulaire couvert d'une croûte orangée humide. Régulièrement lavé à la bière, il est d'un goût assez présent à l'issue de deux à trois mois d'affinage, surtout s'il est fabriqué au lait cru (ce n'est pas toujours le cas). Il ne faut pas le confondre avec le plateau-de-Herve, fromage cylindrique de type saint-paulin, plus doux et fabriqué dans la même région. C'est vraisemblablement à lui qu'était normalement destiné le lait que l'on détournait subrepticement pour fabriquer le herve.

Reblochon

France (Rhône-Alpes)

Lait de vache

Centré sur la vallée du Thônes et la chaîne des Aravis, le terroir du reblochon couvre l'est de la Haute-Savoie et le nord de la Savoie. L'altitude n'y est jamais inférieure à 500 mètres. Plus de deux cents fermiers assurent, au côté de nombreuses laiteries, la vitalité de ce fromage de maraud (voir page 134), vrai régal lorsque sa pâte est crémeuse, brillante et très parfumée. Je vous recommande de vous rendre sur le marché du Grand-Bornand, qui se tient tous les mercredis : en marge du marché traditionnel, une trentaine de personnes s'affairent le long de l'église avec de volumineuses caisses de sapin clair. À l'intérieur, des reblochons « blancs », pâles et légèrement mousseux, vieux d'une semaine à quinze jours : les affineurs prennent livraison de la production hebdomadaire des fermiers des alentours. Parmi eux, Joseph Paccard, de Manigod, à l'art de sublimer le potentiel aromatique des fromages, sans les brusquer, au prix de lavages fréquents à l'eau salée (d'où une croûte rose orangé). Observez bien le talon du fromage : droit, il réserve une pâte encore assez ferme ; bombé, une pâte tendre et crémeuse. Il faut de cinq à six semaines d'affinage pour réaliser un très bon reblochon. Fragile, ce fromage mérite d'être dégusté rapidement une fois entamé.

Saint-félicien

France (Rhône-Alpes)

Lait de vache

C'est la version enrichie du saint-marcellin, dans un format un peu plus gros. Deux détaillants fromagers se partagent sa paternité, un Lyonnais et un Villeurbannais (voir page 138). Ce véritable délice existe en version crue ou pasteurisée, ou bien en version mixte : le lait est alors cru et la crème pasteurisée. En l'absence d'un cahier des charges définissant précisément ce fromage, chacun le fait à sa façon. Sa bonne odeur de crème, sa texture moelleuse, sa croûte légèrement ridée et pigmentée de fleur bleue aiguisent furieusement la gourmandise. Il est particulièrement savoureux au printemps, lorsque la crème fraîche est le plus richement parfumée. L'affinage de ce type de produits exige une très grande maîtrise : il peut rapidement déraper, et des défauts peuvent apparaître, dont le plus courant est le « goût de savon » sous la croûte. Succès aidant et face à la concurrence de copies industrielles, ses onze producteurs — qui presque tous produisent également du saint-marcellin —, sont en train de réfléchir à une démarche de reconnaissance. Attention : il existe aussi un saint-félicien dans l'Ardèche, fabriqué au lait de chèvre non enrichi.

Cancoillotte

France (Franche-Comté)
Petit-lait de vache

La cancoillote — il faut prononcer « can-koi-yote » — est un fromage ancestral très populaire dans son berceau franc-comtois. Elle adore se mêler à des œufs brouillés, enrober des pommes de terre rôties ou se laisser tartiner sur un morceau de pain légèrement grillé. On la fabrique à partir de lait écrémé mis à cailler à température ambiante. Le petit-lait s'égoutte lentement, jusqu'à laisser un bloc blanchâtre, le « méton ». La suite est plus originale. Le méton est émietté, puis on le laisser fermenter, « pourrir » dit même sans ambages une chanson traditionnelle :

Pour qu'le méton soit bien pourri,
Sous l'édredon du pied de votre lit près de la bouillotte,
Vous l'installez là quelque temps...

Une fois à point — l'odeur ne trompe pas —, le méton est mis à cuire à feu doux avec de l'eau salée et du beurre. Il est prêt lorsqu'il est jaune et collant, et ne dédaigne pas l'ajout de kirsch ou de vin blanc. Fabriquée initialement à la maison par les ménagères, la cancoillotte est aujourd'hui commercialisée en pots en plastique, en boîtes de conserve ou en pots de grès, déjà aromatisée et prête à être consommée. Son goût était sans doute plus prononcé par le passé si l'on en croit ses anciens surnoms : « fromage fort », « tempête » ou « merde du diable »...

Gaperon

France (Auvergne)
Babeurre et petit-lait de vache

Dans le lait, rien ne se perd. Lorsque le fromage est fabriqué, il reste du petit-lait, dont on peut nourrir les cochons ou les veaux, ou dont on tire un autre fromage, forcément maigre (la *ricotta* ou la cancoillote, par exemple). Lorsque le beurre est fabriqué, il reste du babeurre, que l'on peut transformer en fromage. Ainsi, en Limagne, est né le gaperon. Ce fromage, en forme de dôme de couleur blanche, est tiré de la *gaspe*, ou *gape*, qui signifie « babeurre » en patois auvergnat. Pour lui donner un peu de goût, les paysans ont eu l'idée d'y ajouter du sel, du poivre et surtout de l'ail, dont la capitale, Billom, se situait en Auvergne. Les ingrédients sont ainsi hachés, puis mélangés à la gape. Si nécessaire, on ajoute un peu de lait caillé de vache et de petit-lait. Le tout, après avoir été consciencieusement malaxé et égoutté dans un grand torchon, est accroché au plafond ou près de l'âtre, et s'imprègne alors d'un goût de fumé. Le gaperon peut ensuite être affiné dans de la paille de seigle. La quantité de fromages produits était autrefois, paraît-il, un signe extérieur de richesse, que l'on scrutait pour évaluer la dot d'une jeune fille. Désormais, le gaperon est enrichi : sa texture est beaucoup moins sèche, mais son goût est toujours affirmé.

Chambérat

France (Auvergne)
Lait de vache

Fabriqué dans le Bourbonnais, ce fromage disparut dans les années 1960 lorsque la dernière fermière qui en produisait cessa son activité. Il a été relancé en 1989 par Yves Adrian, de la laiterie du Chalet, à Domérat. S'appuyant sur des récits et sur les témoignages de paysans, il a entrepris d'exhumer la recette de ce fromage assez particulier, replet et moelleux. À l'aspect, sa croûte rougeâtre, couverte d'une fine pellicule blanche, évoque celle du reblochon, mais sa pâte est plus proche de celle d'un saint-nectaire. Depuis, la laiterie a suscité une production fermière en aidant quatre producteurs à se lancer dans l'aventure, leur fournissant du matériel, des conseils de fabrication et une assistance technique. Les fermiers réalisent désormais plus de la moitié de la production. De quoi nourrir le rêve d'une appellation d'origine contrôlée dont la zone correspondrait à la Combraille historique, paysage constitué d'une succession de petits plateaux et de combes profondes, à cheval sur le Puy-de-Dôme, l'Allier et la Creuse. Le chambérat pourra alors songer à conquérir des marchés plus vastes que sa région d'origine, où il semble fort apprécié.

Vins et fromages : jouons les entremetteurs !

Automne, saison des vendanges… Le vin est, avec le pain, le meilleur compagnon du fromage. Mais attention aux fautes de goût et aux mariages incertains ! Voici quelques suggestions pour étonner et charmer vos papilles.

N'en déplaise à un usage solidement ancré dans les mœurs, associer systématiquement vin rouge et fromage est un mauvais réflexe pavlovien, qui dessert souvent chacun des deux produits. Combien de bonnes bouteilles ont-elles ainsi été sacrifiées pour un plateau de fromages, sans pouvoir s'exprimer et se faire entendre ? Il est vrai que le plateau de fromages arrive en fin de repas et que les Français ont l'habitude d'observer un savant crescendo : vins jeunes d'abord, puis de plus en plus vieux et prestigieux, rouges le plus souvent. Les vins les plus fins sont ainsi fréquemment maltraités.

POURTANT, AVEC LEUR FRAÎCHEUR ET LEUR NERVOSITÉ, les vins blancs accompagnent en général bien mieux les fromages : les sauvignons avec les fromages de chèvre de Touraine et du Berry, le gewurztraminer avec le munster, le vin jaune avec le comté, le jurançon avec le brebis des Pyrénées, le marc de bourgogne avec l'époisses, etc. On peut également s'affranchir des logiques de proximité de terroir et se laisser ravir par des accords tout à fait atypiques mais somptueux. Savez-vous que le champagne accompagne parfaitement le *parmigiano reggiano* (parmesan), que le porto magnifie le beaufort, que le sauternes enveloppe et sublime de sa douceur le rugueux roquefort, que le banyuls confère de la noblesse au bleu d'Auvergne, qu'un délicat vouvray donne du tempérament à une fourme d'Ambert ?

NE CHERCHEZ PAS à appliquer des règles toutes faites. Je me permets de citer Jacques Puisais, fondateur de l'Institut du goût et orfèvre en la matière : « Il n'existe que quelques jalons ou références qui nous permettent, à partir de notre propre apprentissage, de nous lancer dans cette

L'art fromager est inséparable d'une gestuelle traditionnelle. *Ci-contre :* pour ceindre les livarots de laîche naturelle (fromagerie Thébault) ; *page de droite :* dans les caves de *parmigiano reggiano*, pour détacher des copeaux de fromage. *Ci-dessus :* les liens de laîche.

APR

merveilleuse aventure des épousailles vins et fromages. Il y a des instants simples, recherchés, affectifs, rapides, volages, mais dans tous les cas il faut que l'ensemble soit juste. »

VOUS N'ENTENDEZ PAS RENONCER AU VIN ROUGE ? Alors choisissez plutôt les vins de Bourgogne que ceux du Bordelais. Question de style, tout d'abord : si les bordeaux jouent dans un registre tout en équilibre et en harmonie, les bourgognes sont généralement plus francs, plus sauvages, plus sensuels. Confrontée aux fromages, la finesse des bordeaux est souvent mise à mal par les tonalités lactiques, alors que la tonicité des bourgognes parvient à contrôler davantage les dominantes acides.

AU-DELÀ DE CES QUESTIONS DE CARACTÈRE, c'est la présence de tanins qui fait la différence. Issues des rafles, de la peau et des pépins du raisin, ces molécules complexes bâtissent l'ossature du vin, assurent sa longévité. Tant qu'ils ne sont pas « fondus », c'est-à-dire dissous dans le vin, celui-ci risque d'être très astringent, de dessécher le palais, de donner une finale amère... Le cabernet sauvignon, très présent dans le Bordelais, est un cépage très tannique, alors que le pinot noir bourguignon, qui l'est beaucoup moins, donne des vins plus souples et fluides. Ainsi, au contact des fromages,

Scène de fabrication du *parmigiano reggiano*. Le fromager a extrait de la cuve deux pains de caillé, qu'il a suspendus pour un premier égouttage avant la mise en moule. De chaque cuve sortent ainsi deux pièces de *parmigiano*.

Champagne pour vos fromages !

Vin d'apéritif, vin de dessert, le champagne est synonyme de raffinement. L'idée vient rarement de l'associer à des fromages. À tort ! Le breuvage aime aussi s'aventurer sur des voies plus rustiques, surtout lorsqu'il est jeune et vif. Il peut alors s'accorder formidablement avec des fromages de chèvre. Ainsi, il réchauffera de ses arômes légèrement fruités (odeur de pomme et de pêche, notamment) un sainte-maure-de-Touraine encore frais. Il donnera, par sa vivacité et son pétillant, du volume et du nerf à la texture serrée d'un charolais. Sur un pouligny-saint-pierre, il laissera s'exprimer volontiers ses notes légèrement briochées, qui s'accordent avec les arômes délicatement beurrés du fromage.

De manière générale, le champagne apprécie les rencontres avec des fromages à caractère lactique et acide. Le neufchâtel et le brillat-savarin méritent ainsi de lui être présentés. Si l'on poursuit sur la même idée, mais dans une autre veine, sa rencontre avec le *parmigiano reggiano*, fromage à nette dominante lactique, est particulièrement heureuse. Vous voulez d'autres surprises ? Servez du champagne sur de la mimolette hors d'âge, ou encore sur des fromages qui sentent bon la campagne : le camembert, le coulommiers, voire même l'époisses ou le maroilles.

Le rôle précieux du sel

Le sel constitue une saveur caractéristique de tous les fromages mais, pour le fromager, c'est bien plus qu'une saveur : le sel est, d'abord et surtout, un formidable moyen d'agir sur l'aspect et sur la conservation des produits.

- ***Dans un premier temps, il favorise l'égouttage*** du lait caillé. En fonction du type de fabrication, le caillé est soit plongé dans un bain de saumure, ce qui est la règle pour les grosses pièces, soit salé au sel sec, par saupoudrage manuel ou robotisé.
- ***Il permet ensuite la formation de la croûte*** en favorisant l'action de certains micro-organismes. Chaque famille de moisissures possède une sensibilité au sel qui lui est propre ; à partir de la flore présente dans sa cave d'affinage, le fromager va pouvoir grâce au sel sélectionner celle qui l'intéresse (le ferment du rouge pour les fromages à croûte lavée, ou les familles de pénicillium pour les croûtes fleuries), en inhiber d'autres.
- ***Le sel rehausse enfin la saveur du fromage.*** Durant l'affinage, il migre en effet peu à peu vers le cœur de la pâte. Mais c'est une arme à double tranchant. Un excès de sel au cours du saumurage ? L'égouttage sera trop important, donnant une pâte sèche et trop salée. Si certains fromagers ne résistent pas à la tentation d'un salage excessif, c'est qu'ils peuvent masquer ainsi les défauts de leur produit et, surtout, lui permettre une meilleure conservation. Le salage, c'est parfois la facilité.

Sur la croûte du fromage sont gravés sa date de fabrication, le numéro de la fromagerie et, lorsqu'il a satisfait au contrôle qualité, l'estampille « *parmigiano reggiano* ».
Ci-dessous : moulage du *parmigiano*.

les arômes fruités des bordeaux s'effacent généralement, ne laissant place qu'à la perception des tanins ! Littéralement déshabillé et dépouillé de tous ses oripeaux, le vin se raffermit, se recroqueville, se durcit. Ne reste, finalement, que son squelette.

AFIN DE GUIDER VOTRE CHOIX, sachez que, en général, plus un vin provient d'un bon producteur et d'un bon millésime, plus il est tannique... et donc moins il est conseillé pour les fromages. Autre critère important de la teneur en tanins : le cépage, c'est-à-dire la variété de vigne. Les vins issus du cépage gamay sont en général peu tanniques et produisent les beaujolais, mais également les gamays de Touraine et, pour partie, les passe-tout-grain de Bourgogne. Ce sont, avec les rouges de Touraine, comme les chinons et les bourgueils (sauf les meilleurs d'entre eux), les vins rouges qui conviennent le mieux au fromage.

ET SI, MALGRÉ TOUT, on souhaite ouvrir un bon bordeaux ? Suivez tout simplement l'exemple des Bordelais : ils servent des fromages à pâte ferme au goût assez neutre, tels que le gouda. De manière générale, la rondeur et la générosité du cépage merlot, à l'honneur dans les saint-émilion et les pomerols, donnent des accords satisfaisants et autorisent même certaines audaces. Les vins de la vallée du Rhône fonctionnent très bien lorsque leurs tanins sont bien enrobés. Et pour le camembert ? Testez le cidre brut...

Page de droite : les *parmigiani* sont plongés dans leur bain de saumure.

UN PETIT CONSEIL PRATIQUE : bâtissez le plateau de fromages à partir du vin que vous avez l'intention de proposer. Il y a de fortes chances qu'il s'agisse de la bouteille ouverte pour le plat principal. La démarche contraire est beaucoup plus hasardeuse. Quant à tous ceux que l'alcool rebute, d'autres boissons peuvent se montrer à la hauteur des fromages : le thé vert, par exemple, qui aide à faire passer des pâtes un peu collantes ; le café, avec lequel les mineurs du Nord avaient l'habitude de déguster des fromages de caractère ; les jus de fruits un peu sucrés, qui aiment partager la compagnie de fromages frais.

Boulamour

France

Lait de vache

Ce fromage original a fait le tour de la terre. Il a été créé par Adèle Forteau, qui me précéda rue de Grenelle, à Paris. Lorsque j'ai pris sa succession, en 1971, ma femme, Nicole, a fait évoluer la recette en perfectionnant le principe de base. Elle fait tout d'abord macérer des raisins de Corinthe et de Smyrne dans du kirsch pendant plus d'un mois. Lorsqu'ils sont parfaitement imprégnés, elle les incorpore à un fromage enrichi, un triple-crème en provenance de Bourgogne, qu'elle resale légèrement. Le tout est façonné à la main : la texture doit être assez malléable pour se prêter à cette transformation. Le résultat est un étonnant fromage de dessert, qui mêle les saveurs sucrées des raisins aux fragrances salées du fromage, le tout émoustillé par l'alcool. Le boulamour a connu un franc succès outre-Atlantique, jusqu'à y susciter des imitations, en grande partie en raison de son nom : Marylin Monroe s'était entichée du mot « amour », qu'elle prononçait avec beaucoup de sensualité et qu'elle popularisa dans les pays anglo-saxons. Le terrain avait ainsi été préparé pour le boulamour. Je vous le conseille en apéritif, avec une coupe de champagne.

Gratte-paille

France (Île-de-France)

Lait de vache

Ce fromage a été créé dans les années 1960 par la maison Rouzaire, installée en Seine-et-Marne. Il est enrichi à la crème fraîche (c'est un triple-crème), ce qui lui confère une texture particulièrement généreuse et délicate. Lorsqu'il est vendu jeune, il libère d'ailleurs un goût très net de crème et de beurre. Il s'agit d'une variante du brillat-savarin, lui-même imaginé dans l'entre-deux-guerres par Henri Androuët. Grande adepte de cette famille de fromages, ma consœur Sylvie Boubrit — fromagère détaillante à Paris —, est l'une des personnes pour qui le gratte-paille n'a pas de secrets. Elle ne cesse de répéter que ce produit doit être redécouvert.
Elle l'estime plus goûteux qu'un brillat-savarin ou qu'un pierre-robert, à condition de l'affiner jusqu'à dix semaines. Mais guère plus, car la pâte peut devenir ensuite trop puissante.
En cave, il faut prendre garde à ce qu'il ne « tourne » pas, ce qui laisserait le sel ou l'amertume prendre le dessus.
S'il n'a pas de saison privilégiée, c'est au printemps et au moment des fêtes de fin d'année que sa générosité séduit le plus les consommateurs. Sylvie le recommande chaudement avec un vin blanc de Quincy. Avez-vous deviné d'où il tirait ce curieux nom de « gratte-paille » ? C'est celui d'un buisson qui arrachait la paille des charrettes sur le bord des chemins.

Langres

France (Champagne-Ardenne)

Lait de vache

Petit gabarit, mais grand caractère !
Le langres est un fromage champenois dont la zone d'appellation est centrée sur le plateau de Langres, grande terre de pâturages. L'une de ses originalités est la présence d'une cuvette à son sommet, la « fontaine » : elle se creuse au fur et à mesure que le fromage, qui n'est jamais retourné, s'égoutte. C'est le meilleur indice de la maturation du langres : plus la cuvette est profonde, plus il est affiné. À 5 millimètres de profondeur, le fromage atteint son optimum. Sa pâte est alors serrée et fondante, et sa saveur s'épanouit sans être trop forte. Il est régulièrement frotté à l'eau saumurée, tous les deux jours environ, pour favoriser le développement du « ferment du rouge » qui lui donne sa couleur orangée et stimule son goût. Le langres revient de loin : il a failli disparaître dans les années 1950. Quatre producteurs œuvrent aujourd'hui à son renom, dont Claudine Gillet, de la ferme du Modia, entreprenante fermière qui élève en famille une centaine de vaches.
Elle m'a raconté que, par le passé, le langres était plutôt une sorte de fromage blanc égoutté dans des ustensiles en terre cuite et affiné quelques jours seulement. Il jaunissait et séchait. Aujourd'hui, on l'aime affiné bien crémeux. Pour le savourer, je vous recommande de verser dans sa fontaine quelques gouttes de champagne ou de marc de Bourgogne.

Livarot

France (Basse-Normandie)
Lait de vache

Le livarot a longtemps été le premier fromage normand, avant d'être détrôné par le camembert, plus apte à voyager. Sa zone de production est circonscrite à un très petit territoire, formant un rayon d'une vingtaine de kilomètres autour de Livarot. Elle correspond aux collines du pays d'Auge, cette fameuse terre de bocage qui sert d'image d'Épinal à la Normandie, avec ses maisons à colombage et ses pommiers en fleur. Signe de reconnaissance : le livarot est ceinturé de fibres de roseau naturel (la laîche) ou, à défaut, de bandes de papier. On compte cinq bandes par livarot, d'où son surnom de « colonel », en référence aux cinq galons correspondant à ce grade dans l'armée française, mais cette parure n'est plus que décorative (voir page 113). Ce fromage de la famille des croûtes lavées présente un caractère assez franc lorsqu'il est correctement affiné (deux mois environ). À ce goût affirmé, il conjugue la tendresse et la souplesse d'une pâte grasse et généreuse, d'un bel éclat jaune lorsque les vaches sont alimentées à l'herbe fraîche. Un vieux calvados l'accompagne à merveille. Sa saveur est si reconnaissable que l'on dit parfois de certains fromages qu'ils sont « livarotés » lorsqu'ils se rapprochent, par accident ou par mauvaise conduite de l'affinage, du goût de ce fier Normand.

Parmigiano reggiano

Italie du Nord
Lait de vache

De Parme à Modène, de Bologne à Mantoue, une fine pluie de parmesan semble tomber en permanence sur les cuisines. Presque miraculeuse. Le *parmigiano reggiano* est une institution dans la plaine du Pô et, plus particulièrement, en Émilie-Romagne, qui concentre une grande part de la consommation. Produit uniquement dans les provinces de Modène, de Parme et de Reggio Emilia, ainsi que dans une partie de celles de Bologne et de Mantoue, ce fromage à la texture si particulière aimerait bien sortir plus souvent des cuisines. Il en a le potentiel et les qualités. Fabriqué dans plus de six cents fromageries, désormais plus souvent en plaine qu'en zone montagneuse, il a bâti sa réputation sur quelques solides credo : refus d'une alimentation bovine conservée sous forme d'ensilage, utilisation de lait cru et affinage digne de ce nom (deux ans, en général). À douze mois, la pâte du fromage est encore lisse. Ce n'est qu'au bout de quinze à seize mois qu'elle devient granuleuse, puis sablonneuse, et que le fromage acquiert sa véritable personnalité. À ce stade, il se délecte de la compagnie d'un champagne vif et fruité. Au bout de deux ans, il a perdu près d'un quart de son poids initial. On comprend qu'il vaille un certain prix.

Pétafine

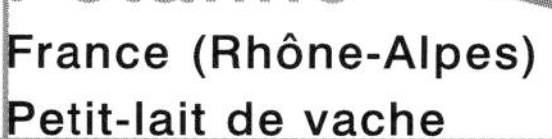

France (Rhône-Alpes)
Petit-lait de vache

La région lyonnaise nourrit une véritable passion gastronomique pour tout ce qui coule : le vin, bien sûr, dont la vallée du Rhône est richement dotée, mais aussi les fromages, qui se prêtent aux affinages très crémeux et aiment se répandre sur une tartine. Sur le versant ouest de la vallée, on trouve ainsi différentes briques, dont celle du Forez ; sur le versant est, on trouve le saint-marcellin, que la mère Richard a popularisé sous les halles de la capitale des Gaules. La pétafine partage la même propension, reprenant une autre tradition lyonnaise, celle des fromages macérés. Elle est issue d'une vieille recette locale de fromage de ménage confectionné à base de petit-lait, la « pâte fine », que l'usage a transformé en « pétafine ».
Les cuisinières lyonnaises faisaient macérer ensemble ce petit-lait, des restes de fromage râpés et des raisins secs dans de la gnole de pays. Le tout, mis en boule et roulé dans la chapelure, fournissait une pâte de couleur marron clair, que l'on étalait sur des morceaux de pain sec ou grillé pour déguster le vin du patron. Les fromages du Lyonnais sont aussi faits pour ça : susciter la soif… J'en ai livré à l'Élysée du temps du président Pompidou, qui en raffolait. Les normes d'hygiène ont interdit la commercialisation de ce « hachis Parmentier du fromage » qui ne survit que dans les cuisines de ménagères lyonnaises. À déguster, bien sûr, avec un alcool fort pour évoluer dans le même registre.

Des fromages au lait cru, sinon rien !

En l'espace d'un demi-siècle, les fromages au lait pasteurisé sont devenus la norme. Les fromages au lait cru ont bien du mal à résister à des règles d'hygiène excessives qui, si on n'y met pas un terme, condamneront demain tous les produits vivants.

Je suis un fervent défenseur des fromages au lait cru. Ils constituent la quasi-totalité des produits que je propose à ma clientèle. Je vous en ai sélectionné quelques-uns, ci-après, parmi mes préférés : dotés d'une flore riche et variée, ce sont des fromages de qualité et d'expression, dotés d'une vraie personnalité. Le lait, lorsqu'il est travaillé cru, est le reflet d'un terroir (à travers l'alimentation des animaux) et d'un environnement (flores et ferments spécifiques présents naturellement dans l'écosystème local). Il en va des fromages comme de tous les aliments : la pasteurisation les rend en grande partie « aphones ». Ce ne sont pas avec quelques ferments, aussi bien sélectionnés soient-ils, que l'on redonne de l'ampleur et de la complexité à un fromage dont le lait a été pasteurisé. Peut-être parviendra-t-on, avec un nombre restreint de molécules, à reproduire un arôme assez proche de l'original, mais il manquera toujours la complexité et la profondeur.

LORSQU'UNE RUMEUR a annoncé, en 1992, que les instances européennes allaient prochainement interdire les fromages au lait cru, une vive émotion s'est emparée de tous les amateurs de fromage. Le boulet est passé très près, les fromagers ont accepté des conditions d'hygiène draconiennes pour pouvoir sauvegarder ce patrimoine. Périodiquement, le débat resurgit. Il s'est déplacé vers les instances internationales qui régissent le commerce mondial des denrées alimentaires *(Codex alimentarius)*, où ces fromages semblent perpétuellement en sursis. En Europe même, on a songé à des fromages au lait cru qui n'en auraient plus que l'apparence : ils en conserveraient le nom, mais le lait serait microfiltré, une opération dont l'effet est similaire à celui de la pasteurisation.

POURQUOI DES PRODUITS NATURELS et authentiques, qui se sont fabriqués ainsi de génération en génération, sont-ils aujourd'hui corsetés et montrés du doigt ? Pourquoi vouloir pasteuriser ou thermiser les laits ? La raison invoquée est sanitaire : ces procédés, qui

Les rouelles du Tarn de Jeff Rémond sont cendrées au charbon végétal juste après le démoulage. L'immense majorité des producteurs de chèvre fermier travaillent au lait cru.

consistent à chauffer le lait à des températures élevées, permettent de détruire les microbes indésirables. Ils favorisent aussi une plus longue conservation. Malheureusement, ils sont très dommageables pour la qualité du fromage. La chaleur dénature les arômes les plus subtils du lait et détruit sa flore microbienne naturelle : aveugle, elle élimine les bons comme les mauvais micro-organismes. Les laits pasteurisés ou ayant subi une thermisation perdent ainsi leurs racines : le goût du terroir s'évanouit dans les vapeurs du chauffage.

DANS LES FAITS, LE LAIT PASTEURISÉ est chauffé de 72 à 85 °C pendant quelques poignées de secondes. Pour la thermisation, le lait est chauffé de 20 à 30 secondes à environ 65 °C. Ces laits sont plus faciles à maîtriser et plus tolérants en fabrication que le lait cru, mais sans en avoir la finesse ni le caractère.

Il faut ensuite réensemencer le lait ainsi chauffé, avec quelques ferments sélectionnés et bien contrôlés, pour redonner une saveur plus « typique » au fromage. Ce qui permet d'obtenir des produits d'un goût régulier du début à la fin de l'année, sans bonne ni mauvaise surprise… mais sans atteindre la richesse gustative des laits crus.

L'INTÉRÊT est évident pour un industriel collectant, en grande quantité, des laits de provenances diverses : le chauffage lui permet de rendre les produits plus homogènes et d'habituer sa clientèle à un certain goût, régulier et reconnaissable. Les fromages au lait cru sont beaucoup moins prévisibles, leur saveur se modifiant au rythme des saisons. Ces débats révèlent une fracture culturelle profonde sur le Vieux Continent. Dans les pays protestants, l'aliment a tendance à être perçu pour sa fonction nutritionnelle ; dans les pays de tradition catholique, il est davantage ressenti comme source de plaisir. Les priorités ne sont pas les mêmes : au nord, où l'on a le goût du propre, un fromage, pour être bon, doit d'abord être sain. Au sud, où l'on a le goût du terroir, il doit avoir des racines. Ces approches différentes conditionnent nos attentes. Pour un Anglo-Saxon, un *cheddar*, qu'il soit produit en Nouvelle-Zélande ou

Sur les étals de Marthe Pégourié, à Gramat, les fromages sont proposés à différents stades d'affinage. Au fil des semaines, ils se rabougrissent jusqu'à devenir totalement secs.

en Angleterre, reste un *cheddar*. Qu'importe si l'un et l'autre se ressemblent scrupuleusement. Pour un Latin, un fromage de chèvre n'éveille la curiosité que s'il évoque une appartenance : provient-il des Pouilles, de la Mancha, des garrigues de Haute-Provence ?

CETTE DIFFÉRENCE CULTURELLE est fondamentale. Elle explique de nombreux clivages, qui resurgissent lors des discussions internationales. D'un côté, la stratégie du « zéro microbe » dans le produit final ; de l'autre, celle des équilibres microbiens avec maîtrise de l'hygiène « de la fourche à la fourchette ». La première méthode, qui transforme les fromageries en salles d'hôpitaux, semble poursuivre une marche inexorable. Or il n'est pas certain que l'alliance du plastique non poreux, de l'Inox et de l'eau de Javel soit forcément la plus efficace et la plus pragmatique en termes de santé publique. L'hygiène s'arrête parfois là où commence l'hygiénisme : un microbe pathogène pénétrant dans un milieu aseptisé a le champ libre pour se développer ! Certains industriels commencent ainsi à réfléchir à la création d'« ateliers à écologie contrôlée » et se penchent sur le rôle des équilibres microbiens. En un mot, ils recherchent une solution écologique… celle qui a prévalu, en agriculture, pendant des milliers d'années.

La sécurité des fromages au lait cru

Une idée est bien ancrée dans l'esprit des consommateurs : les fromages au lait cru comportent plus de risques pour la santé que les produits au lait pasteurisé, notamment en ce qui concerne la listeria.
Cette condamnation est pourtant totalement injustifiée, les études épidémiologiques disponibles montrant que les uns aussi bien que les autres peuvent être mis en cause. La listeria, bactérie omniprésente dans l'environnement, est inoffensive pour l'immense majorité de la population. Elle n'est dangereuse que pour certains groupes « à risque » bien ciblés : femmes enceintes (risque d'avortement spontané) et personnes aux défenses immunitaires très affaiblies. Pour les autres, la listeria n'a aucun effet ou ne provoque, au pire, qu'une fatigue passagère, voire un peu de fièvre. En outre, la listériose ne se déclenche que si la concentration en listeria est importante. La pasteurisation ne règle rien : un fromage dont toute la flore microbienne initiale a été détruite par ce procédé n'est pas à l'abri d'une contamination ultérieure. Dans ce cas, et contrairement aux fromages au lait cru — où des équilibres microbiens s'instaurent —, le champ est libre pour la bactérie nocive.
Les véritables épidémies sont rares. La listériose est une maladie à déclaration obligatoire. Dès lors que plusieurs malades sont atteints par la même souche de listeria, l'identification du produit en cause est mise en œuvre rapidement (par le biais, notamment, d'interrogatoires sur la consommation alimentaire des malades au cours des semaines précédentes). Une fois repéré, le produit est retiré du marché. Dans le passé, il fallait de nombreux cas de listériose avant que l'alerte ne puisse être donnée.
Les fromages les plus sensibles sont ceux à pâte molle à courte durée d'affinage, à croûte fleurie ou lavée (camembert, brie, chaource, époisses, pont-l'évêque, livarot, munster, etc.). Les produits à longue durée d'affinage, tels le roquefort ou les gruyères, n'offrent en revanche aucun risque, pas plus que les fromages de chèvre, qui sont protégés par leur acidité.

Cheddar

Royaume-Uni (Angleterre)

Lait de vache

Avant la Première Guerre mondiale, en Grande-Bretagne, des milliers de fermes produisaient du *cheddar*. Après la Seconde Guerre, elles n'étaient plus que mille cinq cents, et aujourd'hui à peine une demi-douzaine. Le *cheddar* est devenu un fromage industriel au lait pasteurisé, fabriqué sur toute la planète : Américains, Australiens et Néo-Zélandais s'en sont même fait une spécialité. À Cheddar même, petite village du Devon située à la pointe sud-ouest de l'Angleterre, il ne reste plus qu'une laiterie, ouverte seulement l'été pour les touristes. Une infime partie de la production britannique de *cheddar* est au lait cru. Ce fromage a des racines très anciennes. Cheddar semble avoir été une halte privilégiée pour les légions romaines lors de leur conquête de l'Angleterre. Ont-ils rapporté d'Auvergne la recette du cantal, dont la fabrication est très proche de celle du *cheddar* ? Elle consiste à broyer le caillé avant de le presser dans les moules (d'où les nombreuses irrégularités de texture au sein de la pâte). Chaque fromage pèse environ 25 kilos. Le *cheddar* peut s'apprécier *mature*, avec un goût caractéristique de noisette fraîche. Je le préfère personnellement *extra mature*, affiné plus d'un an, avec un relief gustatif plus prononcé.

Gramat

France (Midi-Pyrénées)

Lait de chèvre

Grand frère du rocamadour, le gramat est le fils unique de Marthe Pégourié, haute figure du département du Lot. Cette énergique fromagère détaillante, installée dans le village de Gramat, s'est fait le chantre des produits traditionnels locaux, qu'elle a grandement contribué à populariser. Depuis une trentaine d'années, elle collecte ainsi des fromages du causse avoisinant, qu'elle affine elle-même. Elle trouve le cabécou de Rocamadour trop chiche pour l'appétit du consommateur, et en parle volontiers en termes de « médaillon » ou de « pastille » ! Avec ses 8 centimètres de diamètre, le gramat est à ses yeux beaucoup plus convenable. Sa recette est en revanche strictement équivalente à celle du rocamadour. Ce fromage a aussi l'avantage de se conserver plus facilement. Comme le petit cabécou, le gramat bleuit en fin d'affinage. Marthe s'évertue à expliquer à ses clients, et surtout aux nombreux touristes de passage qui (sûrs de visiter un monument national) font halte dans sa boutique, que c'est quand il devient bleu que le gramat s'annonce le meilleur. Ne lui dites jamais que ses fromages ont du moisi sur la croûte !

Fleur du maquis

France (Corse)

Lait de brebis

Le fleur du maquis est l'un des plus célèbres fromages corses, également connu sous la dénomination commerciale de « brin d'amour ». J'apprécie particulièrement la recette concoctée par Claudine Vigier, qui exerce le métier de fromager affineur à Carpentras. Elle l'a mise au point à l'issue de quatre années d'expérimentations. Elle travaille à partir de tomme fraîche qu'elle se fait livrer de Corse. Elle met chaque fromage dans un petit linge, qu'elle noue pour lui donner la forme désirée, et le laisse ainsi une nuit environ à s'égoutter. Le lendemain, elle dénoue le linge, dépose le caillé sur une planche, dans un courant d'air frais. Elle le retourne régulièrement pendant quelques jours. Puis, Claudine humecte la surface et roule le fromage dans un savant mélange d'herbes : origan, sarriette, brin de romarin, un tout petit peu de piment et de genièvre, quelques grains de poivre. Les fromages sont mis sous film, puis placés en cave, pendant trois jours. Il est alors temps d'enlever le film et de les mettre de dix à quinze jours dans un coffre en bois avec un nouveau mélange d'herbes. À terme, le fromage recèle, sous sa croûte d'herbes et d'épices, une pâte bien crémeuse au bon goût miellé de brebis. Sachez que Claudine ne fabrique de ces fleurs du maquis que pendant la période de lactation, de novembre jusqu'à la fin juin.

Gris de Lille

France (Nord)

Lait de vache

Son petit nom est « puant macéré ». Tout un programme ! Le gris de Lille n'est pas à recommander aux narines sensibles, ni aux palais délicats. Il s'agit d'un maroilles ayant subi un affinage spécifique de trois à quatre mois. Il est très régulièrement lavé à l'eau salée, ce qui rend sa croûte poisseuse et affermit sa saveur. C'est sans doute ce qu'on appelle un caractère trempé ! Sa texture, assez crayeuse les premières semaines, finit par s'assouplir. La couleur de sa croûte oscille entre des tons crème et le gris, qui lui donne son nom. « On l'appelle aussi "maroilles gris" », précise le grand affineur nordiste Philippe Olivier, qui m'en fait régulièrement parvenir. Ce fromage n'a jamais été en revanche fabriqué à Lille, mais dans le Hainaut. Ce sont les mineurs qui ont fait sa fortune. Ils l'appréciaient au petit déjeuner avec un café noir et un verre (ou plus) de genièvre. Il paraît que Nikita Khrouchtchev, de visite à Lille en 1960, ne fut pas insensible à son tempérament. Sa personnalité un peu envahissante ne facilite malheureusement pas sa commercialisation.

Rouelle du Tarn

France (Midi-Pyrénées)

Lait de chèvre

On pourrait la surnommer le « murol du chèvre » : avec son centre évidé, elle s'inspire beaucoup de la forme du fromage auvergnat. Là s'arrête la comparaison. La rouelle du Tarn est fabriquée au lait de chèvre, en bordure du causse du Quercy, par un post-soixante-huitard recyclé dans la fabrication de fromages : Jeff Rémond. Il a débuté il y a vingt-cinq ans avec une quarantaine de chèvres ; il en élève désormais cent cinquante, qui vont au pré dès que le climat le permet, c'est-à-dire quand il ne pleut pas et qu'il ne neige pas. Le reste du temps, elles consomment des fourrages produits sur l'exploitation et des céréales. La méthode de fabrication de la rouelle du Tarn est des plus artisanales : utilisation de lait cru, caillage lactique lent, ferments naturels (repiqués sur le petit-lait de la veille), moulage à la louche. La plus grosse partie de la production est affinée cendrée au charbon végétal : noire au début, la croûte devient progressivement grise au fur et à mesure qu'une fine levure (de Geotrichum) s'y développe. Le fromage fait une dizaine de centimètres de diamètre et pèse environ 250 grammes. Le trou central est réalisé à l'emporte-pièce après vingt-quatre heures d'égouttage en moule. Jeff, dont la gamme de produits va du cabécou jusqu'à la grosse tomme de 2 kilos, a lui-même été surpris par le succès de la rouelle, devenue son produit phare. L'idée lui a été suggérée par mon confrère cannois Robert Céneri. Il suffit d'un trou pour faire son trou !

Mâconnais

France (Bourgogne)

Lait de chèvre

De taille bien plus modeste que son voisin le charolais, dont la recette est très proche, le mâconnais ne pèse que de 50 à 70 grammes selon son degré d'affinage. Tout comme pour le crottin de chavignol, sa petite taille est liée à sa naissance, au cœur d'un vignoble où les vignerons ne disposaient souvent que de très petites parcelles. Chaque ferme comptait une ou deux chèvres, qui se contentaient des herbes folles poussant le long du chemin. La faible quantité de lait produite condamnait à la production de fromages de très petit gabarit, réservés à la seule consommation vivrière. Plus de quatre cents fermiers produisent encore aujourd'hui ce petit fromage, qui ne devrait plus tarder à décrocher une appellation d'origine contrôlée. Dans son terroir local, il se consomme plutôt frais, dès six jours après son démoulage. Au bout de deux à trois semaines, il commence à revêtir une belle couverture piquée de bleu. Sa pâte est assez fine et très légèrement acide. Dans le vignoble mâconnais, il fait souvent partie du casse-croûte matinal de 10 heures avec un petit canon de blanc, un mâcon-villages ou un pouilly-fuissé, par exemple.

Hiver

Le visage pâle des fromages d'hiver

Observez la pâte d'un fromage. Est-elle d'une teinte soutenue ? Offre-t-elle des tons d'un jaune mordoré ? C'est sans doute un fromage produit au printemps ou en été. Est-elle pâlichonne ? A-t-elle un teint blafard ? Il s'agit à coup sûr d'un fromage d'hiver...

J'ai, comme vous, une attirance légitime pour tout ce qui a bonne mine. Les pâtes bien grasses et luisantes aux reflets d'or me laissent rarement insensible. Il y a toujours une petite émotion au moment d'entamer une roue de brie de Meaux, une pièce de saint-nectaire fermier ou une grosse meule de beaufort : quels trésors recèlent-elles sous leur croûte ? Quelles promesses gustatives m'annonce la physionomie de leur pâte ? À vrai dire, j'en ai déjà une idée assez certaine au simple toucher du fromage, à la manière dont sa pâte réagit lorsque le pouce teste sa souplesse, au souvenir de la façon dont il s'est comporté en cave au cours de l'affinage.

J'AI MÊME UNE IDÉE TRÈS PRÉCISE de la couleur de sa pâte selon la date de sa fabrication. Nul besoin d'être un grand expert. Les laits de printemps et d'été donnent des fromages à la mine superbe : leurs tons sont jaunes et dorés. Ce hâle naturel, du plus bel effet, met volontiers l'eau à la bouche. En revanche, en hiver, la couleur est moins soutenue : l'aspect des fromages est alors beaucoup plus pâle, leur teint peut même sembler un peu terne. Les six fromages que je vous propose de découvrir dans ce chapitre connaissent, à des degrés divers, ces variations d'intensité.

L'EXPLICATION tient à l'alimentation des animaux : la couleur jaune de la pâte est liée au carotène, pigment présent dans les végétaux absorbés par les vaches. Cette substance colorante est assez fragile : la chaleur et l'oxydation la détruisent. Elle ne résiste pas à la transformation de l'herbe fraîche en foin ou en ensilage (herbe fraîche arrosée de sérum et conservée sous bâche). L'herbe fraîche ne poussant qu'au printemps et en été, les couleurs mordorées disparaissent à l'automne et en hiver. La couleur d'un fromage est

Le village Les Villedieu, dans le Doubs. La neige interdisait autrefois l'acheminement du lait vers les fruitières villageoises. Les fromages devaient être fabriqués à la ferme.

Page de droite : la fabrication du comté dans la fromagerie de La Chapelle-du-Bois. *Double page précédente :* troupeau de vaches à Rochejean.

Le meilleur de l'hiver

Un temps à ne pas mettre une vache ou une chèvre dehors... L'hiver, synonyme de pâturages pelés et surchargés d'humidité, n'est guère propice à la fabrication des fromages. Les animaux sont souvent taris, et nourris au mieux avec du foin, au pire avec de l'ensilage (herbe fermentée). L'hiver est donc une période de transition pour de nombreux fromages.

• ***Sans vraiment démériter***, ceux à courte ou moyenne durée d'affinage (de quinze jours à deux mois), c'est-à-dire l'essentiel des pâtes molles, ne sont pas en mesure d'atteindre leur summum à cette période. C'est le cas des croûtes fleuries (camembert, brie) et des croûtes lavées (pont-l'évêque, livarot, langres). Quant aux fromages de chèvre, ils désertent les étals.

• ***Attention, à cette période*** peuvent apparaître des fromages fabriqués à partir de caillés congelés. De moindre qualité, ils sont aisément reconnaissables à leur croûte, qui se détache facilement...

• ***En revanche, les fromages d'alpage*** — fabriqués l'été dans les régions montagneuses —, et les fromages du regain se présentent sous un jour très favorable. Vous pouvez jeter votre dévolu sans crainte d'être déçu sur l'ossau-iraty, sur le salers, sur le laguiole ou sur l'appenzell. Les fromages de garde de l'été de l'année précédente ont bénéficié d'un an et demi d'affinage. Ils doivent alors être à leur sommet. Beaufort, gruyères, comtés vous convient à un somptueux rendez-vous. Hiver rime avec gruyère ! Et n'oubliez pas le mont-d'or, parfait de la fin décembre à la mi-avril.

donc un très bon indice pour dater sa période de production. Au stade de la fabrication, le lait est toujours blanc, même après avoir coagulé. Ce n'est qu'au fur et à mesure des semaines que le carotène présent dans le lait s'exprimera et colorera la pâte.

LES DIFFÉRENCES DE COULEUR DE PÂTE ne valent que pour les fromages fabriqués à partir du lait de vache ; les chèvres et les brebis n'assimilent pas le carotène, c'est pourquoi les fromages issus de leur lait ont toujours le teint clair, que l'on soit en automne ou au printemps. C'est alors la qualité de leur texture, plus ou moins grasse et onctueuse, et leur goût (plus vif au printemps, plus noiseté à l'automne) qui permettent de se faire une idée plus précise de leur période de fabrication.

CE PHÉNOMÈNE de coloration saisonnière peut poser des problèmes pour les fromagers et pour les détaillants. Prenons l'exemple du comté, fromage français produit dans le massif du Jura selon des méthodes ancestrales. Le cahier des charges du décret d'appellation d'origine contrôlée interdit notamment — et c'est tout à son honneur — l'usage d'additifs et de colorants. Ainsi, le fleuron des fromages francs-comtois porte les couleurs des saisons. Lorsque les vaches sont nourries au foin (de novembre à avril), les pâtes deviennent pâles, alors que les produits de l'été arborent de très alléchants tons d'un jaune soutenu.

EN CONSÉQUENCE, les détaillants et les consommateurs ont tendance à bouder les fromages clairs et à survaloriser les fromages d'été. Ce qui complique l'organisation de la filière. Mais pas question pour autant d'admettre des colorants.

DES NUANCES RÉGIONALES, selon la nature des espèces végétales et leur richesse en carotène, doivent être apportées : en règle générale, les végétaux des régions situées dans l'est de la France sont moins riches en carotène que ceux des régions de l'ouest. L'air de la mer, riche en sel, pourrait favoriser la présence du carotène, soit en stimulant la pousse de certaines herbes, soit en jouant un rôle de catalyseur.

ENFIN, DES BACTÉRIES peuvent influer sur la couleur du fromage, particulièrement dans le cas des produits à croûte lavée (maroilles, livarot), où l'affinage se fait de l'extérieur vers l'intérieur. À l'inverse, il peut être nécessaire de décolorer (à l'aide de chlorophylle) certains fromages trop riches en carotène. Ce procédé est ainsi utilisé pour la fourme, dont le bleu a beaucoup plus d'éclat lorsque la pâte est de couleur ivoire. Ces petits artifices, ces petits arrangements avec la nature, sont vieux comme le monde et n'ont rien de choquant tant qu'ils n'induisent pas une tromperie du consommateur.

LES FROMAGES PÂLES sont-ils moins bons pour autant ? Il est difficile de répondre à cette question de manière catégorique tant les facteurs qui contribuent à la saveur d'un fromage sont nombreux. Ainsi, la richesse en corps gras et en protéines, gage de qualité, atteint son optimum en fin de lactation, en automne.

NE SOYONS DONC PAS EXCESSIFS : apprécions les produits en les jugeant sur leur goût et pas seulement sur leur aspect, et acceptons le pâle pour avoir du doré. Sans quoi l'ajout de colorants artificiels deviendra un jour la norme, et plus personne ne saura à quelle couleur de pâte se vouer...

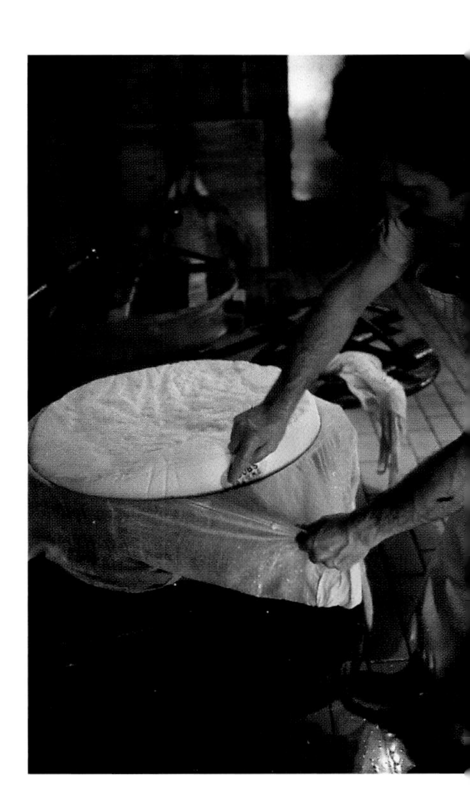

Fabrication du comté : le fromager glisse le long du talon une plaque de caséine qui permettra d'authentifier le fromage.
Page de gauche : salage et contrôle de l'affinage des comtés, à l'aide d'une sonde, dans les caves de la fromagerie Arnaud.

Bleu du Vercors-Sassenage

France (Rhône-Alpes)

Lait de vache

Le bleu du Vercors-Sassenage est le plus italien des bleus français, et peut même évoquer par sa douceur et par sa texture (en moins crémeux) certains gorgonzolas. Loin de la personnalité rocailleuse de ses cousins du Massif central, il joue la délicatesse, l'équilibre, presque la discrétion. Peu porté aux excès, il arbore une fleur d'un bleu assez clair. Moelleuse, voire fondante, sa pâte recherche la souplesse et l'élasticité. Elle s'illustre très bien en cuisine, en raclette ou en fondue. Ce fromage est assez atypique : il est fabriqué avec le lait de la traite du soir, pasteurisé, puis mélangé à celui du matin, cru. Il s'agit d'une réminiscence d'usages anciens : les paysannes du Vercors faisaient bouillir le lait du soir, ayant sans doute des difficultés à le conserver. Elles avaient inventé la pasteurisation avant l'heure ! Le fromage est né sur le plateau du Vercors (appelé dans le passé « monts de Sassenage »), une véritable citadelle naturelle où prédomine l'agriculture extensive. Toute la production fermière avait disparu dans les années 1950 et, pendant un demi-siècle, seule une laiterie a continué de fabriquer ce bleu. L'afflux de touristes dans le Vercors, devenu parc naturel, a créé une nouvelle demande. Au point de susciter des vocations chez une dizaine de fermiers.

Brie de Malesherbes

France (Île-de-France)

Lait de vache

En acquérant en 1982, à Fontainebleau, l'ancien dépôt de lait de la ville, j'ai retrouvé des textes et des récits d'anciens qui décrivaient le travail d'affinage d'un petit « brie des moissons » que j'ai entrepris de ressusciter. Les circonstances de sa naissance remontent au XIXe siècle, dans la plaine sablonneuse de Montereau, en Seine-et-Marne. Cette région est moins propice à l'élevage que les riches zones laitières de la Brie, qui démarrent plus au nord. Ayant moins de lait à transformer, les fermiers fabriquaient des fromages de ménage plus petits, de 800 grammes (contre 2,6 kilos, environ, pour un brie de Meaux, par exemple). Un atelier existait notamment au lieu-dit de Ville-Saint-Jacques, tout près de Montereau. Ce petit fromage, que l'on emmenait avec soi quand on allait pêcher ou travailler aux champs, était roulé dans la cendre pour mieux se conserver et avait un goût très prononcé. Celui que nous avons recréé, cendré au charbon de bois, correspond davantage aux attentes actuelles. Je n'ai pu le baptiser « brie de Ville-Saint-Jacques », nom déjà utilisé pour un produit frais industriel. J'ai donc opté pour « brie de Malesherbes », nom du dépôt de lait de Fontainebleau où nous ont succédé Gilles et Odile Goursat, neveu et nièce de Nicole, mon épouse. Le brie de Malesherbes est en de bonnes mains !

Comté

France (Franche-Comté)

Lait de vache

Le comté est un fromage typique de région montagneuse, destiné à conserver de grosses quantités de lait : une seule meule — 65 centimètres de diamètre et environ 50 kilos — enferme de 500 à 600 litres de lait. La zone de l'appellation est restreinte au seul massif jurassien, et chaque fromagerie ne peut collecter le lait que dans un rayon de 25 kilomètres. Dans la profession, en France et en Suisse, les ateliers sont appelés « fruitières » (littéralement, l'endroit où l'on fait fructifier le lait). Celles-ci sont plus de deux cents à produire du comté selon un cahier des charges très rigoureux en matière de qualité. Le fromage est fabriqué au lait cru, les vaches sont alimentées à l'herbe fraîche ou au foin (la méthode de conservation en silo, qui peut entraîner des fermentations faisant éclater les meules, est prohibée), additifs et colorants sont interdits. La spectaculaire fabrication traditionnelle, « à la toile », a quasiment disparu : avec une toile de lin, le fromager extrayait du chaudron les grains de caillé en suspension dans le petit-lait en plongeant ses bras dans le liquide fumant. Comme les grands vins, le comté a pour plus précieux allié le temps. Si l'affinage minimal est de quatre mois, il lui faut au moins dix-huit mois pour libérer tous ses arômes. L'impatience lui est très dommageable…

Coulommiers

France (Île-de-France)
Lait de vache

Entre camembert et brie, son cœur balance. Le coulommiers est certes né dans la Brie, à l'est de Paris, berceau de nos actuels bries de Meaux et de Melun. Comme eux, il partage une texture parfaitement onctueuse, mais sa petite taille — 13 centimètres de diamètre environ — et son épaisseur plus importante lui donnent des allures de gros camembert aplati. C'est d'ailleurs ce format qui lui a valu son essor et son succès au XIXe siècle : il se transportait bien plus aisément vers les Halles parisiennes que les grandes roues de brie, dont la fragilité rendait le maniement plus délicat.
Du camembert, le coulommiers a volontiers le caractère replet, même s'il ne parvient pas toujours à atteindre l'amplitude gustative de son compère normand. Et pour cause : la plus grande partie de la production est aujourd'hui issue de laits pasteurisés. En l'absence d'appellation d'origine contrôlée, il peut être fabriqué partout en France. Dans les faits, il l'est le plus souvent par des producteurs de brie de Meaux ou de brie de Melun, implantés sur une large bande allant de la Seine-et-Marne jusqu'à la Meuse. Un affinage optimal peut nécessiter jusqu'à deux mois. En cave, au fur et à mesure qu'il mûrit, de légères stries rougeâtres peuvent apparaître sous sa croûte blanche. Elles indiquent une saveur plus affirmée et, à coup sûr, une texture très crémeuse. Guettez-les !

Dunlop

Royaume-Uni (Écosse)
Lait de vache

Le *dunlop* est la version écossaise du *cheddar*, en plus sensuel, plus doux et plus policé. Son caillé est moins pressé, sa pâte est plus riche en humidité, sa maturation est donc aussi plus rapide. Bien affiné (jusqu'à six mois), le *dunlop* peut se couvrir de fleurs qui oscillent entre des tons verts et des tons gris. Ce fromage ancien doit son nom à la bourgade de Dunlop, située au sud-ouest de Glasgow, à l'extrême nord de la région d'Ayrshire. Sa date de naissance est assez précisément connue : c'est en Irlande, vers 1660, que Barbara Gilmour, femme de fermier fuyant une période troublée, apprend la recette d'un fromage au lait entier. De retour au pays en 1668, elle met cette recette en pratique et fait rapidement des émules (la presse de Barbara Gilmour est toujours visible à Dunlop). À la fin du XIXe siècle, l'arrivée du chemin de fer dans la petite bourgade encourage le commerce avec Glasgow et assure la notoriété du fromage local au-delà des frontières régionales. Le *dunlop* va cependant péricliter dans les années 1950, jusqu'à ce que la fromagère Anne Dorward le remette à l'honneur, au lait cru de surcroît, dans les années 1980. Une vraie réussite !

Pavé d'Auge

France (Basse-Normandie)
Lait de vache

Ainsi que le définit Thierry Graindorge, affineur à Livarot, le pavé d'Auge est un double pont-l'évêque : pas plus large mais deux fois plus haut. Il faut plus de 5 litres de lait pour fabriquer ce fromage en forme de pavé, dont la production, assez restreinte, est presque exclusivement destinée aux marchés locaux et aux fromagers affineurs. Dix semaines au moins sont nécessaires pour que sa pâte soit parfaitement à cœur : le fromage s'affine en grande partie depuis la croûte sous l'action des moisissures de surface, dopées, la première semaine, par des lavages réguliers à l'eau salée. Puis il est brossé régulièrement en cave : sa croûte se couvre alors progressivement d'une fine moisissure pâle et prend des teintes gris rosé laissant apparaître des stries rougeâtres. Le fromage acquiert un goût de noisette assez caractéristique. Le berceau initial du pavé d'Auge se situe dans la région de Moyaux : sur les marchés locaux, il lui arrive ainsi d'être vendu sous le nom de « pavé de Moyaux ».
Je l'apprécie lorsqu'il est très moelleux, pas nécessairement onctueux. Ne le manquez surtout pas lorsqu'il est fabriqué avec les excellents laits du printemps ou avec ceux du regain !

Les fromages venus du froid

Faute de gruyères, on se contente de tommes : quand le froid et la neige empêchent de fabriquer les prestigieuses meules, les fromagers inventent des « sous-produits » de taille plus modeste. Beaucoup de ces fromages, nés par défaut, ont depuis conquis leurs lettres de noblesse.

Seuls les artistes laissent leur inspiration les mener. Pour les paysans, l'imagination ou le hasard ont rarement la parole. Car dans ces régions rudes, tout a un prix.

Lorsque le givre, la neige, le froid étendent leur empire sur les sommets, puis sur les vallées, chacun doit rester chez soi avec ses bêtes à l'étable. Il devient impossible de fabriquer de manière communautaire — en regroupant et mêlant les laits — les nobles fromages de garde. Pas question pour autant de perdre le lait des deux traites quotidiennes, même si les quantités sont modestes.

PRENONS L'EXEMPLE DU MASSIF DU JURA, dont le produit phare est le comté, fabriqué autrefois au sein de chaque village dans les chaudrons de la fruitière communale. Si les plateaux du Jura sont d'altitude modeste — 1 400 mètres au maximum —, les vents continentaux qui les balaient font de la Franche-Comté l'une des régions les plus froides de France. L'hiver, chaque ferme se retrouvait ainsi isolée sans moyen de communication avec le village. Beaucoup de fruitières devaient donc fermer. Les paysans ont appris à fabriquer, dans leur âtre, un fromage plus petit que le comté, de 8 à 10 kilos. Ils faisaient prendre le lait d'une traite et, dans l'attente de la prochaine, celle du soir ou celle du lendemain matin, recouvraient le caillé de cendres pour le protéger des insectes. Cela avant de l'assembler au fruit de la nouvelle traite. Rudimentaire, mais efficace. Ainsi sont nés le morbier et sa fameuse raie noire (voir pages 114 et 170). L'alternance comté fruitier l'été et morbier fermier l'hiver

La fabrication du morbier, dans l'atelier de La Chapelle-du-Bois. Le caillé, extrait de la cuve et mis en moule, se présente sous l'aspect d'une masse informe.

Idée de recette : la fondue au vacherin
Les Francs-Comtois ont l'habitude de consommer le mont-d'or sous forme de fondue. La recette est succulente : elle consiste à immerger le fromage avec sa boîte pendant un quart d'heure dans de l'eau froide, qui humidifie le bois tandis que la pâte durcit sous l'effet du froid ; il faut ensuite creuser, au centre du fromage, un trou de quelques centimètres de diamètre et le remplir de vin blanc du Jura, puis mettre l'ensemble à chauffer au four à feu doux. Le fromage devient coulant sans que la boîte, humidifiée, ne se consume. Il ne reste plus qu'à faire couler le fromage sur des pommes de terre chaudes et à déguster le tout avec de la charcuterie.

Métier : sanglier
Les sangles d'épicéa utilisées pour cercler les mont-d'or sont prélevées toute l'année, sauf cas de force majeure, comme lors de la grande tempête de Noël 1999 où l'accès aux coupes a été interdit pendant plusieurs mois. Leur récolte relève d'un métier à part entière, celui de « sanglier », métier exercé par une vingtaine de personnes dans le massif jurassien. L'opération est effectuée dès que l'arbre a été abattu. Hors l'épicéa, point de salut (l'écorce des sapins, par exemple, a tendance à casser). La sangle est tirée de la couche située sous l'écorce, l'aubier. Il faut une sangle de 47 centimètres de longueur pour un petit mont-d'or, de 55 centimètres pour un moyen et de 1 mètre pour un grand format. Les sangles sont ensuite mises à sécher dans des greniers, où elles se rigidifient progressivement. Leur durée de vie est pratiquement illimitée. Ce n'est qu'en fromagerie, bien plus tard, qu'elles seront plongées dans une saumure bouillante, qui les aseptisera et les assouplira. Certains fromagers s'approvisionnent en Suisse et jusqu'en Pologne, où les sangles sont bien meilleur marché.

C'est une fois moulé et pressé que le morbier acquiert sa forme définitive.

a longtemps été la règle. Aujourd'hui, les deux produits sont fabriqués toute l'année. Les moyens de communication sont autrement plus performants, et les fromagers transforment parallèlement les deux fromages dans des ateliers distincts.

LE LONG DE LA FRONTIÈRE SUISSE, dans le sud du massif jurassien, est né, selon une logique similaire, le mont-d'or. Ici, les fermiers ont fait le choix de fabriquer un fromage de plus petite taille et dont, contrairement au morbier, le lait n'est pas écrémé. Or, en fin de lactation, les laits sont particulièrement riches et gras. La pâte est fatalement onctueuse. Les paysans n'ont eu d'autre choix que de ceinturer le fromage avec des sangles d'épicéa avant de le mettre en boîte. Depuis sa naissance, peut-être parce que le haut Doubs est resté plus enclavé que le Jura, le mont-d'or n'a pas cessé d'être un produit saisonnier, même si sa période de fabrication mord copieusement sur l'été. J'attends personnellement les premiers froids pour le proposer à mes clients.

DES PHÉNOMÈNES tout à fait similaires se sont produits dans les massifs alpins. Quand ils ne pouvaient fabriquer leurs belles meules de beaufort, les Savoyards

Le bois est l'allié naturel du fromage. Il permet, par exemple, de sangler le vacherin mont-d'or ou de favoriser l'affinage de nombreux produits grâce à son rôle de régulateur thermique. *Page de droite :* cave à morbier.

La fabrication du morbier : après avoir découpé le pain de caillé, le fromager l'enduit de charbon végétal, qui formera la strie noire caractéristique du fromage.

se contentaient d'une vulgaire tomme de ménage, la *boudane* en patois de haute Tarentaise (à ne pas confondre avec un produit récent lancé sous ce nom par un industriel de Haute-Savoie). Ce produit assez rustique n'avait pas de vocation commerciale. Destiné à la consommation domestique, il était écrémé pour permettre de fabriquer du beurre. Les paysans ne touchaient pas aux beauforts, réservés au négoce.

DANS LE MASSIF VOISIN DES BAUGES, on fabriquait des vacherins lorsque le lait n'était plus suffisant pour produire des tomes (et non pas des « tommes » car, dans cette région, la graphie archaïque du mot est restée intacte). Les premiers pèsent de 700 à 800 grammes, et les secondes le double ou le triple. Phénomène strictement identique du côté de la vallée d'Abondance : l'alternance entre la tomme estivale (environ 10 kilos) et le vacherin hivernal (1 kilo) a durablement rythmé la vie des paysans. Suivez-moi plus au sud, de l'autre côté de la frontière : en Italie du Nord, le *taleggio* a longtemps vécu dans l'ombre du *parmigiano reggiano*. Il servait de « variable d'ajustement ». Et en Suisse, l'alternance de gros gruyères à pâte dure l'été et de raclettes ou de vacherins l'hiver est ancestrale.

CES CYCLES PARFAITEMENT IMBRIQUÉS ne sont pas l'apanage du lait de vache : dans les causses aveyronnais, royaume des brebis, le noble roquefort — fabriqué uniquement au cours de la première partie de l'année —, a laissé prospérer pendant l'été et les fins de lactation le modeste pérail, qui était réservé à la consommation vivrière ou villageoise. Aujourd'hui, le petit palet s'est fait un nom et est devenu complètement autonome : des ateliers se sont spécialisés dans sa seule fabrication. Lorsque je me rends du côté de Millau, je ressens bien, aux confidences des fermiers, la fierté qu'ils en éprouvent.

NÉ DANS LE SILLAGE DE FROMAGES PRESTIGIEUX, tout juste destinés à satisfaire l'ordinaire du monde rural, les « sous-produits » se sont diablement émancipés. Le mont-d'or a depuis longtemps obtenu une appellation d'origine contrôlée, le morbier vient d'y accéder et la tomme de Savoie espère conquérir une reconnaissance européenne. Ces petits fromages, ces « sans-grade », nés pour la plupart en plein hiver dans l'ombre de leurs glorieux aînés, ont conquis leur indépendance et vivent désormais crânement leur vie.

Taleggio

Italie du Nord

Lait de vache

Le *taleggio* tire son nom d'une petite ville lombarde située non loin de Bergame, dans le val Taleggio. Il est fabriqué dans une large zone enserrant les Alpes italiennes : en Lombardie (provinces de Bergame, de Brescia, de Côme, de Crémone, de Milan et de Pavie), en Vénétie (Trévise) et dans le Piémont (Novare), dans la plaine du Pô principalement. Son histoire est liée à celle des transhumances. Il est sans doute né au pied des Alpes, lorsque les troupeaux étaient rassemblés pour gagner les pâturages de montagne. Là-haut étaient fabriqués des fromages de type gruyère ou parmesan.
Les fromagers de la vallée attendaient le retour des animaux pour pouvoir à nouveau fabriquer du fromage.
Les produits que me procure le grand affineur italien Carlo Fiori sont au lait cru et se distinguent par la sensualité de leur texture, presque molle.
Le *taleggio* porte sur sa croûte, de couleur brun clair à rosé, l'empreinte des lettres CTT, initiales du consortium qui réunit les producteurs en charge de l'appellation. Il est le meilleur représentant d'une famille de fromages lombards de forme carrée, les *stracchino*, terme dérivé de *stracche*, qui signifie « mou » ou « fatigué » en dialecte lombard.

Vacherin des Bauges

France (Rhône-Alpes)

Lait de vache

Attention, produit rare et fugitif. Le vacherin des Bauges est très populaire du côté d'Annecy, de Chambéry et d'Albertville : on l'attend, on le retient à l'avance, on s'en délecte lorsqu'il arrive enfin. Alors que toutes les fermes du massif des Bauges en produisaient traditionnellement l'hiver, il ne reste plus aujourd'hui que trois ateliers fermiers. Peut-être parce que ce fromage demande énormément de travail, de vigilance et de soins. Le lait doit être transformé juste après la traite, matin et soir. Les opérations de petite manutention sont nombreuses : sanglage, retournements, lavages, mise en boîte. Ce vacherin est fabriqué uniquement en décembre et en janvier, voire parfois jusqu'à la mi-février. Les laits d'hiver, qui correspondent aux fins de lactation, sont particulièrement gras, d'où une texture rapidement moelleuse, puis onctueuse à l'issue de trois semaines d'affinage — durée recommandée par Denis Provent, qui voue une véritable passion à ce produit. La sangle et la boîte sont indispensables pour contenir les débordements de la pâte. Le vacherin des Bauges présente toujours une petite saveur de lait acidulé, et son goût évoque fortement les notes rustiques de la tome des Bauges.

Vacherin fribourgeois

Suisse

Lait de vache

Originaire du canton de Fribourg, en Suisse romande, le vacherin fribourgeois doit sa réputation à l'alliance d'une texture très tendre et d'un goût corsé. Toujours fabriqué au lait cru, il se présente sous la forme de meules de 30 à 40 centimètres de diamètre. On distinguait autrefois le vacherin à fondue, à pâte assez dure, produit l'hiver, et le vacherin « à la main », plus moelleux, fabriqué en automne. Cette distinction a disparu, et les produits les plus prestigieux sont désormais fabriqués l'été en chalet d'alpage. Ils sont vendus sous le nom de « vacherin fribourgeois alpage ». Selon la durée de leur affinage, ils peuvent également se voir adjoindre le terme « select » (à douze semaines), ou « extra » (à dix-sept semaines). On peut indifféremment savourer le vacherin fribourgeois comme fromage de plateau (les Suisses disent alors qu'il se déguste « à la main ») ou l'intégrer à une fondue dont il saura relever la sapidité. Le vacherin fribourgeois entre traditionnellement dans la recette de la fondue « moitié-moitié », où il est associé à du gruyère de Fribourg.
On peut également l'utiliser comme fromage à racler, à condition qu'il ait été longuement affiné.

Morbier
France (Franche-Comté)
Lait de vache

Aurait-il autant de succès s'il n'était affublé de cette raie noire caractéristique ? Autrefois, elle sentait bon la cendre : lorsque le lait était cuit dans un chaudron suspendu au-dessus d'un feu de bois, les fromagers passaient la main sur la paroi noircie et enduisaient ainsi le caillé pour le protéger (voir page 114). Lorsque le gaz s'est substitué au bois, ils sont allés dans leur cheminée récupérer des plaques de suie, qu'ils tamisaient ensuite sur le caillé. Aujourd'hui, la cendre est remplacée par du charbon végétal (en vente dans toutes les pharmacies). La raie sombre, qui va du noir au bleu-gris, n'est plus maintenant que décorative et ne confère aucun goût particulier à la pâte, mais elle témoigne des origines du fromage. Fabriqué dans tout le massif jurassien, le plus souvent dans des fruitières à comté, le morbier commence à acquérir une vraie personnalité à l'issue de trois à quatre mois d'affinage. Reconnu depuis peu par une appellation d'origine contrôlée, il n'atteindra jamais la puissance et la richesse de son frère de lait, le comté, mais mise plutôt sur le moelleux très agréable de sa texture et sur ses parfums délicatement fruités.

Saint-Niklauss
Suisse (Valais)
Lait de vache

Originaire de la haute vallée du Rhône, la raclette serait née dès le Moyen Âge. Ce sont les Valaisans qui ont eu les premiers l'idée de faire chauffer le fromage près du feu et de racler la couche supérieure du fromage à mesure qu'elle fondait. Aujourd'hui, des appareils électriques composés de petits poêlons chauffés par une résistance rendent sa préparation plus aisée. La raclette la plus prestigieuse est sans conteste celle que l'on fait à base de bagnes, d'ailleurs baptisé « fromage à raclette » en Suisse. C'est un produit d'alpage malheureusement rare, presque confidentiel, qui franchit très peu les frontières. Ceux des régions d'Anniviers, de Conches et d'Ornières sont également très en vue. Quant au Saint-Niklauss, c'est une marque commerciale de bonne réputation dont je pousse l'affinage jusqu'à près de cinq mois. La pâte doit conserver une certaine fermeté. La raclette a été largement popularisée en France par les stations de sports d'hiver. Elle se déguste traditionnellement avec des pommes de terre en robe des champs, des cornichons et des petits oignons au vinaigre. On peut également l'accompagner de viande sèche des Grisons ou de jambon cru. Comme tous les fromages haut de gamme, les produits valaisans ont suscité de multiples imitations au lait pasteurisé. Un projet d'appellation d'origine contrôlée souhaite y mettre bon ordre.

Mont
France (Franche-Comté)
Lait de vache

À chaque automne, le retour du mont-d'or (ou vacherin du haut Doubs) célèbre l'alliance du bois et du fromage. Ce n'est en rien un mariage de circonstance. Au contact direct de la boîte qui contient ses épanchements généreux et de la sangle d'épicéa qui le ceint, le mont-d'or s'imprègne d'un doux parfum balsamique. C'est par excellence un fromage d'hiver, et il n'a la faveur des consommateurs que lorsque le thermomètre dégringole. D'ailleurs, à l'origine, il était fabriqué uniquement de la Toussaint à Pâques. Il pointe désormais le bout du nez dans la seconde moitié de l'été (le 15 août), s'épanche généreusement tout l'hiver et tire sa révérence au tout début du printemps (30 mars). Une douzaine d'ateliers fabriquent du mont-d'or mais, comme il est impossible de vivre avec une production saisonnière, tous font également du comté, voire du morbier ou de la raclette. Cependant pour chacun, le mont-d'or est le plus exigeant et le plus délicat : il nécessite force personnel pour le sangler, le frotter, le laver, le retourner et le mettre en boîte. Les fromages restent en cave vingt et un jours au minimum. Je préconise une durée double : sous la croûte plissée et légèrement humide, la pâte devient alors crémeuse. Je le propose décalotté à mes clients, qui n'ont plus qu'à y plonger leur cuillère… Un vrai régal ! On comprend qu'il soit si souvent imité.

La chaleureuse cuisine au fromage

La cuisine au fromage est par excellence hivernale. Sa chaleur communicative est illustrée par ses deux « porte-flambeau » : la fondue et la raclette. L'une comme l'autre célèbrent la simplicité et le sens du partage.

Admettons-le, la légèreté n'est pas le fort de la cuisine au fromage, née dans les campagnes les plus pauvres. Dans chaque ferme, on évitait de distraire les produits nobles et coûteux, comme la viande, que l'on réservait à la vente ou aux grandes occasions. On se contentait de peu : les œufs, le lait (que l'on transformait en fromage) et les féculents (pommes de terre, pain). L'association de ces produits s'est imposée, fournissant une kyrielle de plats roboratifs et bon marché qui ont longtemps constitué le quotidien des campagnes.

TOUS LES BONS LIVRES DE RECETTES TRADITIONNELLES évoquent ainsi la truffade (poêlée de pommes de terre au saindoux couverte de lamelles de cantal frais) et l'aligot (purée onctueuse composée d'un tiers de cantal et de deux tiers de pommes de terre) en Auvergne, ainsi que la tartiflette en Savoie. Celle-ci fait appel au reblochon, coupé en deux et mis à gratiner sur un lit de pommes de terre. Lorsque les ressources le permettaient, l'ajout de vin blanc ou d'eau-de-vie n'était pas superflu, leur acidité permettant de solubiliser les matières grasses du fromage et de faciliter la digestion. Le soufflé au fromage est, quant à lui, universel, tout comme les innombrables gratins, tourtes et sauces nappantes dont le fromage est l'ingrédient principal.

DE CETTE ATTACHE RUSTIQUE, le fromage a bien du mal à s'affranchir. Le mille-feuille au roquefort (proposé par Alain Dutournier) ou le craquelin au bleu et sa compote de figues (de Bernard Roux) ne manquent pas d'originalité. Les recherches d'Emmanuel Laporte, inventif chef parisien,

Le bleu de Gex dans son moule, à la fromagerie de l'abbaye, à Chezery. L'empreinte «Gex» apparaîtra en creux sur la croûte.

sont alléchantes : huîtres vapeur, épinards et sauce légère à la fourme d'Ambert ; soupe crémeuse de châtaignes au vacherin ; crème brûlée croquante au brillat-savarin ; ganache chocolat, oranges pelées confites, pistaches, crèmes de beaufort et vanille... Mais ces initiatives heureuses restent marginales. Le fromage est ainsi souvent absent de la carte des grands chefs, dont il ne stimule guère l'imagination. La cuisine au fromage est le parent pauvre de la gastronomie.

ON PEUT CONSIDÉRER DE MANIÈRE LÉGITIME — et ce serait plutôt mon avis — que le fromage a plus à perdre qu'à gagner en cuisine (hormis pour la raclette ou pour la fondue, où il joue le premier rôle). D'abord parce que sa personnalité est souvent envahissante. Le steak au roquefort est considéré par certains comme un gâchis, aucun des deux ingrédients ne sortant grandi de cette rencontre. Ensuite, il peut dégager à la cuisson des parfums assez puissants mais, surtout, ses arômes les plus subtils disparaissent inexorablement.

L'AUTRE MANIÈRE DE FAIRE DE LA CUISINE AU FROMAGE, c'est... de ne pas le cuisiner. De garder intactes ses saveurs en recherchant des alliances avec d'autres aliments. Pensez aux exquises tomates à la mozzarelle, aux boulettes de bleu d'Auvergne roulées dans un mélange de cerneaux de noix, au chaource courtisé par des mirabelles ou à l'ossau-iraty se mêlant à des griottes. Songez aux riches alliances avec les vins, comme le somptueux accord du roquefort avec le porto ou l'aérienne union du sainte-maure et du vouvray pétillant. Ce n'est peut-être plus de la cuisine, mais c'est assurément de la gastronomie.

Au stade du moulage, le fromage est encore, à l'intérieur, d'un blanc immaculé.
Ci-dessus : le bleu apparaît progressivement au sein de la pâte, sous forme mouchetée.

La raclette en pratique

- ***Pour supporter la chaleur du foyer***, il faut un fromage relativement pauvre en eau, qui ne se déforme pas trop et, surtout, qui ne fonde pas trop rapidement. Vérifiez l'élasticité de la pâte : elle est en général le gage d'un bon comportement à la chaleur. Dans ce domaine, les fromages du Valais font référence. L'appenzell, plus facilement disponible en France, peut être envisagé comme un substitut. Certaines raclettes francs-comtoises ou savoyardes ne déméritent pas, à condition d'être au lait cru (c'est impératif) et suffisamment affinées. On peut éventuellement essayer l'abondance. Mon confrère, Daniel Boujon, installé à Thonon-les-Bains, recommande une raclette du Valais ou un vieux vacherin fribourgeois.
- ***Comptez environ 200 g*** de fromage par personne.
- ***Ajoutez des pommes de terre cuites*** dans leur peau (300 g par personne), des cornichons, des petits oignons au vinaigre et du poivre. Et, pourquoi pas, de la viande des Grisons ou du jambon sec.
- ***Pour savourer votre raclette***, un fendant du Valais ou un vin blanc de Savoie sont vivement recommandés. Vous pourrez également l'accompagner de thé chaud, mais l'eau est à éviter car elle durcit le fromage dans l'estomac et contrarie la digestion.

À vos caquelons !

- ***Pour réaliser la fondue***, les Suisses ajoutent volontiers de la fécule ou de la Maïzena (une fois que le fromage est bien délayé). Généralement absentes des recettes françaises, l'une et l'autre permettent d'obtenir une texture bien liée et onctueuse. Elles évitent notamment, si les fromages sont peu affinés, que la fondue ne devienne élastique et collante. En revanche, ces ingrédients peuvent avoir tendance à faire gonfler et mousser le mélange.
- ***L'association de fromages*** de différentes provenances est une invention de la plaine, née dans le cerveau de cuisiniers inventifs. Pour les tenants de l'école classique, une vraie fondue se contente d'un seul type de fromage (sans ajout de fécule !).
- ***La bonne alliance*** est fonction des qualités de goût et de texture recherchées. Il faut tout d'abord un fromage servant de base, dont le goût peut être assez discret (gruyère français, emmental). Les fromages suivants doivent apporter de la saveur et du liant (appenzell, comté, fribourg). Les fromages très gras, de type beaufort, doivent être utilisés avec parcimonie : ils donnent beaucoup de saveur, mais sont plus difficiles à digérer.
- ***Pour permettre un mélange parfait***, les fromages à pâte dure doivent être au préalable râpés ou coupés en petits dés. Les pâtes plus souples peuvent être coupées en dés ou en lamelles.
- ***Une fondue trop liquide*** peut être « rattrapée » par l'ajout de Maïzena délayée dans de l'eau-de-vie ou dans du vin blanc. Trop épaisse, elle peut être allongée de vin blanc.
- ***Le vin doit être choisi*** assez sec et présenter une bonne acidité. Il est de bon ton de marier les fromages choisis avec un vin de leur région d'origine.
- ***Le pain doit être impérativement rassis*** de la veille. Faute de quoi il se délite pitoyablement dans le mélange chaud et gonfle dans l'estomac.

Le bleu de Gex nécessite de deux à trois bons mois d'affinage. Au-delà, il a tendance à se dessécher et à perdre de sa mollesse.

Brie de Meaux

France (Île-de-France)

Lait de vache

Sa texture crémeuse a toujours fait le bonheur des gourmets. Elle est liée à sa recette (égouttage spontané, qui conserve beaucoup d'humidité) et à sa faible épaisseur (ce fromage s'affine depuis la croûte sous l'action des moisissures de surface). C'est un fromage pas comme les autres, que sa succulence a souvent fait briller. Dans les coulisses du congrès de Vienne, en 1815, les cent quarante-trois négociateurs présents déclarent le brie apporté par Talleyrand « prince des fromages et premier des desserts ». À l'unanimité ! On se souvient aussi que Louis XVI, dans sa fuite, commet l'imprudence de s'arrêter à Varennes-en-Argonne pour déguster une galette de brie… Initialement centrée sur le plateau de la Brie, l'aire de fabrication s'est progressivement élargie vers l'est. La zone AOC s'étend ainsi jusqu'à la Meuse. L'affinage du brie de Meaux ne doit pas être trop poussé : de six à dix semaines, selon la saison.
Sa conservation étant délicate, surtout en été, il est plus sage de l'acheter bien à point et de le déguster sans trop attendre. Celui de Madeleine Dongé, à Triconville, me régale toujours.
Saviez-vous que les bouchées à la reine ont été conçues, à l'origine, avec du brie de Meaux ? Aujourd'hui, ce fromage est plus volontiers employé dans des recettes assez rustiques, comme celle du croque-briard (croque-monsieur gratiné au brie).

Bleu de Gex

France (Franche-Comté)

Lait de vache

C'est à des moines que ce fromage, assez sec et moucheté de bleu, doit son existence, mais c'est grâce à des médecins qu'il s'est fait connaître hors de son berceau du haut Jura. À partir du XIIe siècle, l'abbaye de Sainte-Claude entreprend de défricher les hautes terres, ouvrant la voie à l'élevage, d'abord de moutons et de chèvres, puis de vaches. Deux siècles plus tard apparaît un « fromage gris », ancêtre du bleu de Gex. L'exploitation des bassins houillers de la région stéphanoise lui permet de s'exporter : les médecins le conseillent aux mineurs en raison de la présence de pénicillium, ainsi que me l'a raconté Isabelle Seignemartin, affineuse de bonne réputation et spécialiste de ce fromage. Aujourd'hui encore, la région de Saint-Étienne en est grande consommatrice, avec une prédilection pour les textures crayeuses. Mes clients le préfèrent plus affiné, de l'ordre de deux mois et demi à trois mois, avec une pâte plus souple et un bleu plus prononcé. Dans le Jura, il est apprécié pour la confection de raclettes et de soufflés. Toujours au lait cru, il présente une petite pointe d'amertume, qui fait partie intégrante de sa personnalité. Le grand-père d'Isabelle collectait les fromages dans soixante-cinq fermes. Il n'y a plus aujourd'hui que trois ateliers, mais l'avenir du bleu de Gex ne suscite pas d'inquiétudes.

Feuille de Dreux

France (Centre)

Lait de vache

Jusqu'à l'après-guerre, la feuille de Dreux, dite aussi dreux à la feuille, servait de collation aux ouvriers agricoles employés sur les exploitations céréalières de la Beauce. Il s'agissait d'un fromage de ménage. Cette galette, fabriquée à partir de lait écrémé, à la croûte souvent grisâtre et au goût parfois prononcé, était abrité sous une feuille. Un fromage rustique, sans grande prétention. Aujourd'hui, il ne reste plus qu'un seul fabricant de feuille de Dreux et le fromage se veut bien plus distingué : il se rapproche désormais d'un coulommiers à croûte blanche, en plus gros mais moins épais. Du côté de Chartres, les gens l'appellent plus simplement le « dreux » ou le « marsauceux », du nom d'une bourgade d'Eure-et-Loir dont le fromage était renommé. La feuille de châtaignier présente sur sa croûte n'a plus qu'une vocation décorative. Historiquement, les feuilles étaient utilisées pour séparer les fromages les uns des autres et les empêcher de coller pendant l'affinage. Dans les campagnes, les paysans utilisent le dreux pour une recette très particulière : la fromagée. Il s'agit d'une espèce de mille-feuille de lanières de fromage et de poivre, arrosé de cidre ou d'alcool et mis à macérer de une à deux semaines dans une terrine hermétique. Une manière plutôt corsée de récupérer des fromages trop vieux !

Soumaintrain

France (Bourgogne)
Lait de vache

Le soumaintrain revient de loin. Il a été relancé il y a une quinzaine d'années, après avoir bien failli disparaître. La production fermière, très importante au siècle dernier, s'était pratiquement éteinte. Ce sont les quotas laitiers qui lui ont donné un coup de pouce décisif en incitant de jeunes fermiers à mieux valoriser leur lait (il en faut 3 litres pour fabriquer un soumaintrain). J'ai suivi les efforts de Claude Leroux, affineur à Brion, qui a encouragé la résurrection de ce fromage d'aspect rustique, vendu surtout localement. Il collecte désormais les produits de cinq fermiers. La fabrication de ce fromage très typé s'apparente à celle de l'époisses : même grain de pâte assez fin, même croûte ocre parfois collante, lavages fréquents (deux ou trois fois par semaine) pour favoriser la présence du « ferment du rouge », gage de saveur. Différence essentielle : le soumaintrain n'est pas affiné à l'alcool. Claude Leroux le garde au minimum dix-huit jours — certains l'apprécient jeune —, et jusqu'à deux mois pour les amateurs de sensations plus fortes. Il peut être nécessaire de le mettre dans une boîte lorsqu'il est très affiné (certains le passent ainsi au four avant de le déguster avec des pommes de terre). Le soumaintrain du printemps est vraiment excellent. Claude me recommande de le déguster lors du casse-croûte matinal, accompagné d'un chablis.

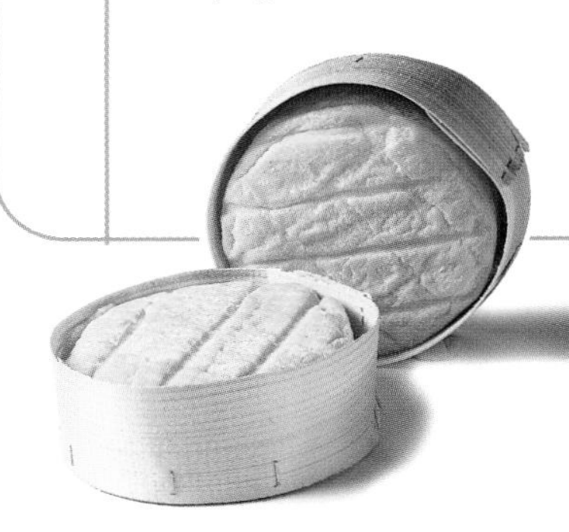

Sbrinz

Suisse centrale
Lait de vache

Le sbrinz (prononcez le z final comme un s) est considéré comme l'un des plus vieux fromages suisses : son existence est avérée dès le XVe siècle. Il s'apparente largement au *parmigiano reggiano* fabriqué sur le versant italien des Alpes, et partage avec lui un très long affinage (qui peut aller de deux à quatre ans) ainsi que la même pâte, cassante et très sèche, qui le prédestine à la cuisine. Une meule pèse en moyenne une quarantaine de kilos. Le fromage est affiné en cave assez chaude. Son goût intense, concentré, très parfumé fait merveille dans tous les plats, dont il relève la saveur, souvent sous forme râpée. Jacques-Alain Dufaux, détaillant et affineur à Morges, recommande de l'offrir à l'apéritif en petits dés ou en copeaux à laisser fondre sur la langue en compagnie, par exemple, d'un blanc sec de cépage chasselas, typique de la région. Depuis trois ans, ses producteurs ont entrepris de bien redéfinir le terroir d'origine, centré sur le pied du sommet montagneux du Rigi, dans la région de Lucerne, en Suisse centrale. C'est le troisième fromage le plus exporté de Suisse après le gruyère et l'emmental.

Tilsit

Suisse orientale
Lait de vache

Ne cherchez pas Tilsit sur les cartes de Suisse : il s'agit du nom d'une ancienne région de Prusse orientale, désormais située en Lituanie, où des immigrants hollandais avaient mis au point la recette d'un fromage de type gouda. À la fin du XIXe siècle, en 1893, le produit plut beaucoup à un fromager suisse de passage, un certain Wemüller, qui à son tour l'imposa dans son canton de Thurgovie, région de Suisse orientale baignée par le lac de Constance. Le tilsit devrait bientôt devenir un fromage d'appellation d'origine contrôlée, fabriqué également dans les cantons de Saint-Gall et de Zurich. Les Suisses l'apprécient beaucoup pour la préparation de gratins, auxquels sa texture souple et bien liée se prête parfaitement. Sa pâte mi-dure est très lisse et sans cavité, contrairement à celle de son homonyme allemand, qui présente de nombreux trous de fermentation. Sa croûte, régulièrement frottée en cave d'affinage, offre un aspect brun rougeâtre. Il atteint son optimum à partir de six mois, et présente alors un goût assez raffiné.

Fromages de fête : tout le monde en plateau

Le plateau de fromages doit être digne d'un défilé de haute couture : faire s'écarquiller les yeux, susciter l'envie, débrider l'imagination. À vous d'en régler la chorégraphie pour que chaque pièce joue à merveille sa partition.

Plateau de fromages ou non ? À l'approche des réveillons, la question se pose rituellement pour le préposé au menu. Coincé entre le plat principal, rarement frugal, et un dessert que l'on espère grandiose, le fromage est suspecté d'alourdir inutilement les estomacs. Seul un menu bien pensé peut permettre de résoudre ce dilemme. Le plateau de fromages doit en effet être élaboré comme un véritable dessert, synonyme de fraîcheur, de subtilité et de plaisir. L'originalité et le style lui font trop souvent défaut, alors qu'il exige de la recherche dans la composition et dans la mise en scène.

IL DOIT S'INSCRIRE DANS LA CONTINUITÉ DU REPAS, sous peine d'engendrer un couac dans la partition générale du réveillon. Les plats les plus raffinés appelleront des fromages légers et subtils (chèvre jeune, fromages frais, comté de quelques mois). Les plats plus robustes s'accommoderont de pâtes plus typées (bleus, fromages de brebis, maroilles). Au sein même du plateau, une certaine progression doit être respectée : les fromages les plus hauts en saveur doivent toujours se déguster en dernier lieu pour ne pas rendre insipides les pâtes plus délicates.

UNE SOLUTION INTERMÉDIAIRE consiste à ne présenter qu'un seul fromage, choisi de façon très soignée. Un brie de Meaux, une belle pièce de gruyère (beaufort, comté, fribourg) ou un vacherin crémeux à point peuvent animer avec brio ce « one-cheese-show ». La pièce unique pose cependant une difficulté de taille : outre une qualité irréprochable, elle doit convenir au goût de chacun des convives.

LA CONFECTION D'UN PLATEAU RÉUSSI est, on l'aura compris, un exercice délicat qui doit être entouré de grands soins. Il suffit de petites erreurs pour annihiler de méritants efforts : une présentation malheureuse (des feuilles de laitue humides qui collent au fromage), un invité envahissant (un camembert onctueux qui va s'aventurer sur les pieds d'un pouligny-saint-pierre) ou encore un choix déséquilibré (un roquefort perdu au milieu de fromages frais)...

Un plateau de fromages aux allures champêtres, réalisé par mon confrère de Boulogne-sur-Mer, Philippe Olivier.
Une mise en scène très étudiée pour mettre l'eau à la bouche.

Philippe Olivier
COMTÉ
Franche-Comté
ROQUEFORT
Rouergue
Philippe Olivier

L'art de couper les fromages en quatre

La manière de découper les fromages relève à la fois d'un art de vivre (il faut respecter le fromage et les autres convives) et de strictes règles pratiques d'usage et de conservation. L'exemple type des mauvaises manières est celle qui consiste à couper le roquefort depuis le centre, là où le « bleu » est le plus présent, en laissant les parties plus blanches, moins savoureuses, aux convives suivants… Une règle s'impose : toute part de fromage doit comprendre une partie du talon, d'une part pour ne léser personne, d'autre part parce que le goût d'un fromage n'est jamais uniforme (il en général plus affirmé à proximité de la croûte). Découvrir ces nuances fait partie du plaisir de la dégustation. Il existe des outils spécialement conçus pour découper le fromage dans les règles de l'art. Ainsi, la roquefortaise, semblable au fil à couper le beurre, permet de trancher la texture fragile du fromage sans qu'il ne s'effrite. La girolle, quant à elle, permet de tirer des copeaux de la tête-de-moine suisse. Certains fromages à pâte très dure nécessitent un couteau à deux mains. Pour les fromages à pâte molle, le petit couteau à pointe recourbée et dédoublée fera parfaitement l'affaire. N'hésitez pas à le passer sous l'eau chaude pour faciliter la découpe de fromages tels que les bleus. Si vous ne disposez d'aucun de ces outils, contentez-vous d'un couteau assez long, à lame bien rigide, auquel vous adjoindrez une fourchette.

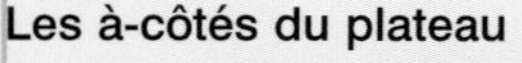

Les à-côtés du plateau

• ***Le support du plateau peut être en bois***, en osier ou en marbre, mais jamais en plastique ni en métal . Avant d'y déposer les fromages, on peut le recouvrir de paillons. Les fromages doivent être présentés dans leur plus simple appareil, hors de leur boîte ou de leur emballage, sauf cas spécial (saint-félicien, vacherin, etc.).

• ***Pour rendre votre plateau encore plus appétissant,*** vous pouvez y adjoindre par exemple des tomates cerises, des grains de raisin, des tranches de pomme, des abricots secs, des cerneaux de noix ou des raisins de Corinthe. À chacun selon ses goûts.

• ***Le beurre a ses partisans*** et ses détracteurs. Quoi qu'on en pense, laissons à ses adeptes le plaisir d'y succomber.

Quelle quantité par personne ?

Voici une astuce : déterminez le nombre de fromages à proposer en divisant le nombre d'invités par deux (soit, par exemple, cinq fromages pour dix personnes), en sachant qu'il est imprudent de dépasser dix fromages par plateau.

Les fromages savent séduire l'œil : appétissant étalage de la fromagerie Goursat, à Fontainebleau.

LES FROMAGES n'apprécient guère la promiscuité. Il ne faut pas qu'ils se touchent les uns les autres, aussi votre plateau doit-il être suffisamment vaste pour leur permettre de respirer et de se laisser découper sans encombre (les plateaux à rebord, peu pratiques, sont donc déconseillés). Mieux vaut, à défaut d'espace, préférer la qualité à la quantité… ou présenter deux plateaux jumeaux.

LA GOURMANDISE NAÎT DU REGARD. L'œil apprécie la diversité et les contrastes. Les fromages s'y prêtent à merveille : en forme de pyramide tronquée (pouligny-saint-pierre), de petite roue (murol) ou de bûche (sainte-maure-de-Touraine), coniques (*tetilla* espagnole), cylindriques (*lancashire* britannique) ou encore sphériques (mimolette), ils aiment confronter leurs personnalités. Les petits formats (*cabécous*) mettent en valeur les fromages élancés (tranche de beaufort), les trapus (maroilles) regardent avec un brin de condescendance les malingres (pérail de brebis), les petits compacts (crottin de Chavignol) se gaussent de la fragilité des moins consistants (fromages frais). Le jeu des couleurs permet également de multiples combinaisons : songez au persillé gris-vert du roquefort, au teint d'albâtre du *provolone*, à la pâte jaune d'or du cantal, à la croûte orangée du herve.

MAIS ATTENTION AU SURNOMBRE ! « Je hais la terrible promiscuité de la planche à fromages où tous les arômes se confondent sans parvenir à fraterniser, dans une inexprimable cacophonie », disait Curnonsky. La vue d'un plateau abondamment garni donne l'envie de tout goûter et induit ce désordre sensoriel qu'évoque le « prince des gastronomes ». En l'occurrence, point trop n'en faut. Mieux vaut susciter la curiosité : glissez toujours à côté des grands classiques un ou deux fromages peu connus, comme un *niolo* corse, un chevrotin des Aravis ou encore un *stilton* anglais.

QUAND PRÉPARER LE PLATEAU ? Surtout pas plus de deux heures à l'avance, sous peine d'entames qui ternissent, de fromages qui suent, de pâtes qui s'affaissent. L'effet est assez désastreux. À défaut de pouvoir le dresser au dernier moment, conservez-le dans le bas du réfrigérateur et sortez-le environ une demi-heure avant de l'offrir à vos convives. Pensez à couper les entames devenues ternes pour redonner aux pâtes l'éclat qu'elles méritent.

UN SEUL SERVICE ? La règle stipulant que le plateau de fromages ne doit pas être présenté une seconde fois aux invités et qu'il est incorrect de se resservir est ancrée dans les esprits. Elle n'est pas sans justification : les derniers fromages dégustés, en principe les plus forts, ne permettent plus d'apprécier à leur juste valeur les pâtes plus douces que l'on aimerait déguster à nouveau.

VOUS TROUVEREZ CI-APRÈS quelques fromages qui, sur un plateau, tirent toujours leur épingle du jeu en raison de leur forme (bouton de culotte, cœur d'Arras), de leur grande générosité (explorateur) ou de la curiosité qu'ils suscitent (*venaco* corse).

Un plateau réussi est une symphonie fantastique de formes, de couleurs, d'odeurs et de saveurs. Une œuvre qui sollicite résolument tous les sens.

Dauphin

France (Nord)

Lait de vache

Dérivé du maroilles, le dauphin est fabriqué dans une région qui n'a rien de maritime. Sa forme est un clin d'œil à l'histoire. Lorsque Louis XIV vint dans le Hainaut prendre possession des territoires qui lui revenaient au titre du traité de Nimègue, ses hôtes lui préparèrent un fromage sortant de l'ordinaire : un maroilles, produit phare du terroir local, aromatisé aux fines herbes. Le cortège royal — et parmi ce dernier, le dauphin — apprécia beaucoup. La réputation du fromage fut ainsi faite, et on finit par lui faire adopter le nom et la forme d'un… dauphin. Il est fabriqué à partir de maroilles abîmés en cours de fabrication, et donc sans avenir commercial. La pâte est malaxée avec différentes herbes et des épices (estragon, persil, girofle, poivre), et colorée au rocou. Sa composition est très proche de celle de la boulette d'Avesnes. Le dauphin est affiné de deux à quatre mois, le temps que ses différents ingrédients mêlent parfaitement leurs arômes et leurs saveurs.

Cœur d'Arras

France (Nord)

Lait de vache

C'est Philippe Olivier, mon confrère affineur de Boulogne-sur-Mer qui m'a raconté l'anecdote suivante. Lorsque la ville d'Arras était sous tutelle espagnole, les occupants avaient placardé sur une des portes de la cité : « Quand les Français prendront Arras, les souris mangeront les chats. » La ville finit par être prise par Turenne, en 1654, après un siècle et demi d'occupation. Les Arrageois, qui ne manquaient pas d'humour, parodièrent la formule : « Quand les Français rendront Arras, les souris mangeront les chats ». Chaque année, la Fête des rats, organisée à la Pentecôte, commémore ces hauts faits historiques. Cette fête est peut-être nommée ainsi en raison d'un mauvais jeu de mots (Arras, pour « à rats »), mais son nom peut aussi venir de l'affirmation selon laquelle les Espagnols auraient lâché des rats dans la ville. Qu'importe, à cette occasion, les spécialités locales sont à l'honneur, et elles sont traditionnellement toutes en forme de cœur (chocolat, pain d'épice, etc.). Il était logique qu'un fromage adopte lui aussi cette forme, ce qui fut fait de manière récente. Lorsqu'on le déguste les yeux fermés, le cœur d'Arras se confond facilement avec un maroilles tant les recettes sont proches. Sa pâte est plus liée en raison d'un affinage plus rapide, dû à sa taille modeste. Fondant à souhait, ce petit cœur est irrésistible.

Bouton de culotte

France (Bourgogne)

Lait de chèvre

Le plus gros élevage de chèvres européen produit aussi la plus petite pièce de fromage : le bouton de culotte ne pèse qu'une quinzaine de grammes lorsqu'il est affiné, le double lorsqu'il est frais. Pour Thierry Chévenet, tout est parti d'un caprice : en 1966, alors qu'il est encore enfant, il demande à ses parents, agriculteurs, de lui offrir une chèvre. Depuis, et en l'espace vingt-cinq ans, il a constitué un élevage de mille sept cents chèvres en Saône-et-Loire. Son exploitation combine extrême sophistication (les chèvres sont dotées d'implants informatiques pour la traçabilité) et méthodes traditionnelles : pas d'ensilage, aucune vaccination ni aucun traitement parasitaire, pas d'écornage, pâturage en extérieur autant que possible. Le bouton de culotte, est produit avec parcimonie. Seuls les grands noms sont visés. L'un des premiers clients fut Paul Bocuse, suivi de son confrère Georges Blanc. C'est l'un des rares fromages qui puissent s'égoutter sans avoir besoin d'être retourné, grâce sa forme tronconique. Ce n'est pas un hasard : dans cette région viticole, les femmes allaient à la vigne tout le jour et ne revenaient qu'au soir ; elles ne pouvaient donc pas retourner les fromages pendant la journée. Le bouton de culotte se déguste très frais, au petit déjeuner par exemple, ou bien presque sec, affiné jusqu'à trois à quatre semaines.

Explorateur
France (Île-de-France)
Lait de vache

L'explorateur est né dans les années 1950 au sein d'une laiterie de Seine-et-Marne, et fut opportunément baptisé ainsi en l'honneur du lancement de la fusée Explorer. C'est une marque commerciale déposée. Il s'inscrit dans la longue lignée des fromages enrichis à la crème fraîche, inaugurée en 1890 avec l'excelsior, popularisée par le brillat-savarin (lancé en 1930 par Henri Androuët), puis « dopée » par les années d'après-guerre. Passé les rigueurs du rationnement, ces fromages, à la texture satinée et à la bonne odeur de crème, sont alors synonymes d'abondance et de prospérité retrouvées. De nombreuses imitations sont ainsi nées, essentiellement en Normandie et en Île-de-France, dont cet explorateur qui se satisfait de deux à trois semaines d'affinage. Est-il aussi gras que le laissent supposer les 75 % de matières grasses affichés sur l'étiquette ? Ce chiffre est trompeur car il est calculé sur l'extrait sec, c'est-à-dire sur le poids du fromage débarrassé de toute son humidité. Or, un produit comme l'explorateur a une teneur en eau de près de 80%, surtout lorsqu'il est frais, ce qui relativise considérablement sa richesse en corps gras.

Venaco
France (Corse)
Lait de chèvre ou de brebis

Le *venaco* est l'un des fromages corses les plus réputés. Il porte le nom d'un village situé dans le centre de l'île et est de forme carrée avec des bords arrondis. Comme le *niolo*, il est fabriqué indifféremment au lait de chèvre ou au lait de brebis : il s'agissait à l'origine d'un fromage au lait de chèvre, mais les paysans corses le fabriquent de plus en plus au lait de brebis. D'une part parce que le lait de chèvre revient beaucoup plus cher, d'autre part parce que les consommateurs réclament désormais des goûts moins prononcés (le lait de brebis est plus doux que celui de chèvre). Le *venaco* bénéficie d'une tradition pastorale restée vivace dans l'île de Beauté. Le fromage était autrefois fabriqué uniquement en estive et se caractérisait par un goût assez fort et piquant, lié en partie aux lavages successifs de sa croûte à l'eau salée. Tout dépend de son degré d'affinage : frais, *fattu* (de six à huit semaines), ou *vecchiu* (de trois à quatre mois et plus). Sa croûte oscille entre des teintes grises et des tons orangés. Sa pâte, de couleur blanc cassé, tend à devenir onctueuse et ne manque jamais de caractère. C'est un produit dont la maîtrise exige beaucoup de savoir-faire car son goût peut rapidement devenir trop prononcé.

Laruns
France (Aquitaine)
Lait de brebis

Le laruns, du nom d'une bourgade située dans la vallée d'Ossau, en pays béarnais, est l'un des principaux fromages de brebis des Pyrénées. Historiquement, les fromages étaient surtout fabriqués en estive, de la fin du printemps au début de l'automne, dans des cabanes baptisées *cajulas*. La production hivernale était très faible. Aujourd'hui, en collectant le lait de plusieurs éleveurs, des ateliers situés dans la vallée en fabriquent toute l'année. Ce fromage constitue une bonne introduction à des produits plus ambitieux, ceux qui sont uniquement fabriqués en estive. Le laruns, qui pèse en moyenne 5 kilos, présente une pâte assez souple, avec très peu d'ouvertures, abritée par une épaisse croûte lavée et séchée. Il supporte volontiers six mois d'affinage en cave. Sur la croûte des laruns fermiers sont gravées les initiales du berger. Celui-ci peut ainsi aisément identifier ses produits lorsqu'il les récupère auprès de l'affineur, à qui il les a confiés contre rémunération… en fromages.

Des fromages en odeur de sainteté

Le plateau de Noël vous a plu ? Saisissez l'occasion de cette grande fête religieuse pour rendre hommage aux générations de moines, souvent bénédictins, sans lesquels l'Europe ne serait pas une aussi riche terre fromagère.

Croyant ou athée, tout amateur de fromage devrait vénérer sans se faire prier les générations de moines qui ont forgé la diversité du patrimoine fromager européen. Sans eux, le maroilles, le munster allemand, le roquefort, le pont-l'évêque, le livarot et tant d'autres fromages n'existeraient sans doute pas. À l'origine de cette vocation, saint Benoît de Nursie, « père des moines », fondateur de l'ordre bénédictin et auteur d'une *Règle* qu'il rédigea aux alentours de 540. Celle-ci énumère, en soixante-treize chapitres, ce que doit être la vie quotidienne dans un monastère. Benoît avait vécu au sud de Rome, sur le mont Cassin, où le fromage constituait depuis des siècles la principale nourriture de la population. La fabrication du fromage n'est jamais directement évoquée dans cette *Règle*, mais on y lit que « le travail, la pauvreté volontaire, voilà les marques distinctives des moines » ; plus précisément, au chapitre 48, « ils seront vraiment moines s'ils vivent du travail de leurs mains ».

Dans les caves de l'abbaye d'Orval, dans les Ardennes belges, Frère Paul prépare la dégustation du fromage. L'abbaye est aussi célèbre pour sa bière à triple fermentation.

La fabrication du munster fermier de la Graine Johe, près du col du Bonhomme. Le matériel de moulage n'a pas changé depuis plus d'un demi-siècle.

ALIMENT DES HUMBLES, de tous ceux qui ne peuvent s'offrir de nourriture carnée, le fromage ne pouvait qu'être apprécié par des moines ayant décidé de vivre dans le détachement le plus complet. De nombreux monastères se sont créés après le premier millénaire, et chacun d'eux a entrepris de faire fructifier le lait de son troupeau, nourri sur les terres défrichées. S'adaptant ici et là aux contraintes locales (terroir, climat, races d'animaux), les recettes se transmettent de monastère en monastère. Ceux-ci sont en effet liés les uns aux autres par un système de parrainage et des relations de solidarité (les moins fortunés recevant des contributions des mieux lotis).

DE NOMBREUSES FABRICATIONS initiées par les moines ont fini par franchir les murs des monastères et sont devenues des fromages de grande renommée qui ne se réclament plus, aujourd'hui, d'une quelconque tradition monastique. C'est le cas, par exemple, du roquefort, dont la recette pourrait être née dans les caves de l'abbaye Sainte-Foy, à Conques, dans l'Aveyron.

SEULS UNE DOUZAINE DE FROMAGES sont encore élaborés dans des monastères. J'ai un faible pour ces produits, qui n'atteignent pas toujours des sommets en termes de goût mais dont la texture est souvent pleine de sensualité. Ils se sont regroupés en 1986 sous une marque commerciale, Monastic. Les moines, las de voir des fromageries privées s'approprier leur imaginaire, ne sont plus des enfants de chœur en matière d'affaires. Tant d'étiquettes n'utilisent-elles pas le nom ou la figure d'un moine replet au sourire de bon vivant ? Le label Monastic regroupe plus d'une dizaine d'abbayes et permet aux consommateurs de reconnaître les fromages fabriqués par de véritables moines. Parmi celles-ci, l'abbaye d'Orval, dans les Ardennes belges, est célèbre pour son fromage et pour sa bière à triple fermentation. Comme bien d'autres, elle a failli disparaître lorsqu'est tombé le couperet de la Révolution. Détruite en 1793, elle n'a été réinvestie par des moines qu'en 1926, et une trentaine d'entre eux vivent désormais dans ce cadre paisible. La fromagerie est située derrière les murs imposants d'une ancienne grange, édifiée sur le côté de l'abbaye. L'atelier de fabrication, ultramoderne, n'a rien à envier aux plus

Le Port-Salut ne sait plus à quel saint se vouer !
L'histoire du Port-Salut est pour le moins mouvementée. Son nom vient de l'abbaye du Port-du-Salut, située à Entrammes, au sud de Laval. C'est là que ce fromage fut créé, vers 1815, lorsque les moines trappistes reprirent possession de l'abbaye après en avoir été chassés par la Révolution.
Le fromage connut rapidement un grand renom — il fit son apparition sur les étals parisiens en 1873 —, si bien que des imitations portant le nom de « port-salut » se multiplièrent, le Port-du-Salut étant une marque protégée depuis 1876. Se sentant injustement concurrencés, les moines intentèrent un procès aux fabricants qui utilisaient un nom si proche du leur, et ils le gagnèrent en janvier 1938. Les perdants décidèrent alors d'adopter, en 1946, le nom « saint-paulin ». Les moines d'Entrammes finirent par vendre leur marque à une grande entreprise laitière mais, au sein de l'abbaye, ils continuèrent jusqu'en 1988 à fabriquer leur fromage au lait cru… sous le nom d'« entrammes ».

Rompons le pain en toute simplicité
• ***Si vous ne servez qu'un seul type de pain*** avec le fromage, je vous déconseille les extravagances : il doit plaire à tous et avoir le bon goût de se marier avec tous les fromages présents. Une bonne baguette au levain, si elle est de qualité, fera parfaitement l'affaire. Choisissez-la avec une croûte bien brune et une mie couleur crème présentant des ouvertures irrégulières.
• ***Si vous trouvez la baguette trop commune***, vous pouvez choisir un bon pain de campagne au levain,qui saura s'adapter à tous les fromages.
• ***Le pain de mie ne convient guère*** au fromage car il est trop fondant et sucré pour ne pas le dénaturer. À la rigueur, une crème de roquefort peut s'en accommoder à l'apéritif.
• ***Les pains aux noix*** peuvent être intéressants. Dans certaines régions, les noix sont servies traditionnellement avec le fromage car leur arôme se marie très bien aux notes de sous-bois et de grillé que l'on trouve dans de nombreux fromages. Goûtez donc un vieux comté avec un vin jaune du Jura et des petits pains aux noix, et vous découvrirez que tous ces produits jouent dans le même registre avec une parfaite harmonie.

performantes des fromageries. Avec sa propreté impeccable et son Inox rutilant, il détonne presque dans cet environnement voué à la tradition. Ce sont les moines de l'abbaye de Sept-Fons, dans l'Allier, qui lui ont apporté la technologie fromagère. La recette n'est pas, à vrai dire, la plus sophistiquée qui soit.

À ORVAL, comme dans les autres abbayes, la production est modeste. Faute de vocations, les fromages monastiques voient au fil du temps leur nombre baisser. Ces dernières années, les abbayes de Campénéac et de Soligny-la-Trappe ont ainsi cessé toute activité fromagère. La production totale se maintient à environ 1 000 tonnes par an. Certains fromages portent le nom d'une abbaye qui existe toujours mais dont les moines ou les moniales ont vendu la marque et n'assurent plus aucune production fromagère. C'est le cas du maredsous, en Belgique, ou bien celui de la trappe de Bricquebec, dans le Cotentin. Situation intermédiaire, l'abbaye belge de Chimay sous-traite la fabrication à une laiterie industrielle mais reste propriétaire de sa marque. Pour sa part, l'abbaye de la Pierre-qui-Vire possède son propre troupeau, mais la fabrication et l'affinage sont sous-traités sur place, dans l'enceinte monastique. On a beau se consacrer à l'Éternel, il faut bien vivre avec son temps…

Fabrication fermière du munster. Le mot « munster » serait issu de « monastère ». À l'origine de ce fromage : des moines bénédictins venus de Rome.

Pierre-qui-vire

France (Bourgogne)

Lait de vache ou de chèvre

Dans le nord du parc régional du Morvan, entre Avallon et Saulieu, l'abbaye de la Pierre-qui-Vire a confié à des laïcs la fabrication de ses fromages et le soin d'élever son troupeau de soixante vaches laitières (brunes des Alpes) et de soixante chèvres (alpines). L'abbaye est revenue à une saine tradition après un échec cuisant dans les années 1960 : elle avait alors acquis des vaches à fort rendement (pies-noires) et intensifié sa production. En 1969, elle s'est convertie à une agriculture durable, respectueuse de son environnement. Les animaux sont nourris essentiellement à l'herbe fraîche et au foin, et l'ensilage a été arrêté il y a trois ans. Le pierre-qui-vire est né après-guerre dans la ferme qui avait été créée par les moines pour produire le lait de consommation des locataires de leur pensionnat. Ce fromage existe soit au lait de vache (produit toute l'année), soit au lait de chèvre (du 15 février au 15 décembre). Sa recette s'apparente à celle de l'époisses, affinage mis à part. Le fromage a grosso modo la taille d'un camembert, sa croûte fleurie orangée est teintée au rocou, un colorant naturel originaire du Mexique, et sa texture est assez moelleuse. Il se consomme plutôt frais (de sept à quinze jours d'affinage tout au plus), mais il existe aussi un pierre-qui-vire au chablis, affiné plus longuement, que je vous recommande.

Troisvaux

France (Picardie)

Lait de vache

Les fromages monastiques se sont implantés de manière spectaculaire dans toute l'Europe grâce aux relations de parrainage et aux systèmes de solidarité mis en place entre abbayes : les moines et les moniales s'échangeaient recettes et secrets de fabrication. Une démarche difficilement envisageable dans un monde paysan, jaloux de ses savoir-faire et souvent méfiant. De génération en génération, ce système — aujourd'hui en perte de vitesse — a magnifiquement fructifié, donnant naissance à un vaste patrimoine. Le troisvaux en constitue un excellent exemple : comme le belval, ce fromage est fabriqué par les moines de l'abbaye Sainte-Marie du Mont-des-Cats, et il est affiné par les sœurs trappistines de l'abbaye cistercienne de Notre-Dame de Belval, créée en 1893. Il s'agit d'une toute petite production destinée à faire vivre la congrégation. Le troisvaux est affiné de sept à huit semaines et lavé très régulièrement à la bière d'abbaye, ce qui lui confère sa teinte sombre et son goût assez vif, inhabituel pour un fromage de type Port-Salut. Les gens du Nord aiment le déguster sur du pain beurré et le tremper dans du café à la chicorée. Je m'en régale, pour ma part, avec une bonne bière.

Bergues

France (Nord)

Lait et petit-lait de vache

Bergues est une pimpante petite ville de l'arrière-pays dunkerquois, entourée de remparts et dont l'abbaye a survécu, tant bien que mal, aux incendies et aux pillages. C'est sans doute en ses murs qu'est né, à la fin du Moyen Âge, le bergues, dont la recette s'inspire des fromages trappistes. Particularités : l'utilisation de lait écrémé et de petit-lait, ainsi que de fréquents lavages à l'eau salée et à la bière, d'où une odeur relevée qui peut surprendre l'amateur, voire le détourner. À tort ! En bouche, le bergues est bien plus doux que ne le laisse augurer l'approche olfactive. Il a eu du mal à se forger une identité et est longtemps passé pour une imitation des fromages de Hollande... assez approximative, car les producteurs ne parvenaient pas à faire durcir suffisamment sa pâte. Devenu confidentiel il y a une trentaine d'années, il semble cependant sauvé aujourd'hui : il est fabriqué par huit producteurs fermiers, et sa recette est désormais bien établie. Un bon affinage nécessite une trentaine de jours. Il s'opère dans des caves semi-enfouies (il est difficile de creuser dans cette partie des Flandres) appelées les « hoffsteads ». Je vous invite à vous rendre le lundi sur le marché de Bergues pour découvrir le goût franc et typique de ce fromage dont se délectaient les marins du Nord.

Époisses

France (Bourgogne)
Lait de vache

C'est sans doute à une communauté religieuse installée au début du XVIe siècle en Bourgogne, dans le village d'Époisses, que ce fromage de grande personnalité doit sa naissance. Les moines restèrent là deux siècles durant, le temps de léguer aux paysans du voisinage la recette d'un fromage à croûte lavée, de couleur orangée à rougeâtre. Dès le début, l'alcool fut l'un des ingrédients importants de la recette : la présure, qui active la coagulation du lait, est aromatisée à l'eau-de-vie et aux épices, et le fromage subit en cave des lavages réguliers au marc de Bourgogne qui lui donnent sa croûte poisseuse caractéristique. L'époisses a failli disparaître corps et biens dans les années 1950, victime des deux grandes guerres et de l'exode rural. Il faut rendre hommage à la fromagerie Berthaut, qui a su relancer magnifiquement ce fromage, et ce jusqu'à l'octroi d'une appellation d'origine contrôlée, en 1991. L'époisses se distingue par la finesse de sa pâte, fondante lorsque l'affinage est mené dans les règles de l'art (de six à huit semaines), et par son goût franc et soutenu, qui ne doit être ni agressif ni piquant. Un fromage pour les vrais amateurs !

Munster

France (Lorraine)
Lait de vache

L'origine du munster est plus que millénaire : il est né sous la « ligne bleue » des ballons vosgiens, dans la vallée de la Fecht, qui abrite la ville de Munster. Le terme est issu d'une déformation de « monastère » : le fromage a en effet été créé par des moines bénédictins de Rome venus implanter une abbaye dans la vallée. Ils entreprirent de défricher afin de créer des pâturages pour le bétail, franchirent la crête et continuèrent leur œuvre sur le versant lorrain des Vosges. Les Lorrains finiront par monnayer aux Alsaciens l'utilisation de leurs pâturages. Aujourd'hui, les producteurs sont lorrains (versant herbager) et les affineurs alsaciens (versant viticole). Le munster est précédé par sa réputation de fromage fort qui se vérifie plus au nez qu'en bouche : sa belle pâte onctueuse présente une saveur franche et parfumée. Le travail d'affinage est exigeant car le fromage doit être régulièrement frotté à la saumure. Quelques éleveurs pratiquent encore la transhumance : les vaches montent sur les chaumes (de 1 000 à 1 400 mètres d'altitude). Les fromages au lait cru atteignent leur qualité optimale durant cette période. Le munster apprécie parfaitement son compagnon de terroir, le gewurztraminer, qui équilibre sa puissance et sa longueur en bouche. Il existe du munster au cumin, plante qui aurait des vertus digestives, mais les grands amateurs de munster lui reprochent de masquer la saveur du fromage.

Orval

Belgique (Champagne-Ardenne)
Lait de vache

En forme de brique, cet authentique fromage trappiste présente une couleur orangée assez prononcée (il est teint au rocou), et sa pâte est souple et moelleuse comme un bon oreiller. Fabriqué au lait pasteurisé, il dispense une saveur très douce. Le tout ne manque pas de sensualité. Ce sont les moines d'Orval qui assurent eux-mêmes le ramassage du lait ainsi que la fabrication et l'affinage, réalisés dans l'enceinte même de l'abbaye. Le lait provient d'exploitations locales car l'abbaye d'Orval n'a plus de cheptel en propre depuis les années 1960. La recette utilisée est celle du Port-Salut, et les fromages sont affinés trois semaines en cave humide avant d'être commercialisés. Si vous séjournez à l'abbaye (qui dispose d'un service hôtelier), vous pourrez peut-être découvrir le produit que les moines conservent pour leur consommation personnelle : un fromage de forme ronde, affiné en cave sèche de quatre à six mois, dont la pâte est beaucoup plus ferme et présente une saveur plus affirmée, portée par une belle longueur en bouche. Peut-être finiront-ils un jour par le commercialiser… L'abbaye n'est pas obsédée par les volumes : elle se contente de produire une centaine de tonnes par an.

Le goût du jour

La mode est aux textures sensuelles, aux saveurs délicates. Certains fromages excellent dans cet exercice. Mais laissons aussi de la place à tous les produits de caractère, qui font le délice des amateurs, sans les obliger à s'affadir et à perdre leur âme.

Lorsque je regarde des images prises dans ma boutique il y a une trentaine d'années, je suis stupéfait du changement de physionomie des fromages. Je n'oserais plus proposer aujourd'hui à ma clientèle des camemberts aussi brunâtres, des chèvres aussi bleus, des roqueforts à la pâte aussi jaune. Nos goûts ont évolué, c'est indéniable, nos produits aussi. De manière générale, les goûts sont moins affirmés, les odeurs fortes rejetées, les moisissures trop encombrantes combattues. Que de chemin parcouru depuis la description, haute en couleur (et en odeurs...), que fit Zola des Halles de Paris il y a plus de cent ans. Regardez tous ces nouveaux produits pasteurisés qui apparaissent chaque année : ils sont sans défaut, parfois aimables, mais toujours passe-partout, et on a de temps en temps bien du mal à déterminer s'il s'agit de lait de vache, de lait de chèvre ou de lait de brebis.

À Verrières, dans les environs de Millau, le troupeau de brebis dont le lait sert à fabriquer le pérail des Cabasses, de Jean-François Dombre.

Fromage de BREBIS au lait cru moulé à la louche
PERAIL
DES
CABASSES
50%
de mat. gr.
Poids net
à l'emballage
150g
fabriqué sur les Grands Causses en Aveyron
Rosine et Jean-François DOMBRE
Les Cabasses
12520 VERRIERES

La préparation des moules à *manchego* dans la fromagerie espagnole de Sainte Cuquerella. Le caillé est enveloppé dans une toile, dont la croûte du fromage conservera la trace. *Ci-dessous :* scène de fabrication.

CERTAINES RÉGIONS DE FRANCE, qui cultivaient la très ancienne tradition des fromages forts, ont refréné leur tempérament. Pensons à la région Rhône-Alpes, où tous les produits impétueux sont en perte de vitesse : la pâtefine (fromage de vache additionné de vin blanc et d'épices diverses), le fromage fort du mont Ventoux (au lait de chèvre ou de brebis, avec du cognac ou de l'eau-de-vie ainsi que des épices), les arômes de Lyon (rigottes ou pélardons mis à fermenter avec du marc non distillé) ou encore le cachat (fromage de chèvre macéré dans du marc). Au Nord, le vieux-lille, le fromage fort de Béthune ou la boulette d'Avesnes peinent à renouveler leur clientèle d'amateurs.

TOUS CES FROMAGES avaient un caractère solidement charpenté, sans doute moins par dessein que par méconnaissance des règles de conservation et non-maîtrise du froid. Le rance, l'âcre, le piquant ont été très longtemps le lot commun de tous. À température ambiante, l'activité biologique — et notamment enzymatique — se développe très (trop) rapidement, et une fermentation secondaire s'enclenche. Les acides gras peuvent avoir tendance à se dégrader, donnant des odeurs métalliques, de savon ou de rance.

CES GOÛTS PRONONCÉS étant de moins en moins acceptés, les fromages forts ont été contraints d'apprendre la pudeur. Finis les goûts agressifs, les saveurs impétueuses, les parfums tenaces. Répondant au goût d'une clientèle qui recherche des produits plus sensuels que virils, plus urbains que rustiques, les fromagers ont appris à calmer les ardeurs de leurs produits. Pour la boulette d'Avesnes, par exemple, ils ajoutent du fromage blanc à des maroilles peu affinés. Au risque, aux yeux des puristes, de dénaturer la recette originelle. Quant au « véhément maroilles dont la tonitruante saveur résonne comme le son du saxophone dans la symphonie des fromages », ainsi que le décrivait Curnonsky, il a changé d'ère.

N'ENVIONS POURTANT PAS LE CAMEMBERT de nos grands-parents, car si nous le goûtions aujourd'hui nous ferions sans doute la grimace. Et, de nos jours, peu d'entre nous peuvent se régaler, à l'instar de Maurice Astruc (Roquefort Société), d'un roquefort vieux de trente mois, « dont le bleu a disparu et qui donne des sueurs ». Ce qui me soucie plus, en revanche, est la transformation irrémédiable de certains produits, leur affadissement. Des fromages

L'art de donner du goût aux fromages
Hormis l'affinage, les fromagers disposent de plusieurs outils pour relever le goût des fromages.

• *En les épiçant*. C'est le cas de nombreux fromages fabriqués à partir de petit-lait ou de brisures de fabrication, comme le gaperon, poivré et aillé, ou encore la boulette d'Avesnes, poivrée et aromatisée au cerfeuil et à l'estragon.

• *En les imbibant d'alcool*. La boulette d'Avesnes était traditionnellement lavée à la bière, l'époisses l'est au marc de Bourgogne et le banon était imbibé d'eau-de-vie. Ces procédés étaient souvent des cache-misère, une manière de donner du goût à des produits qui n'en avaient pas forcément ou, au contraire, une façon de masquer des odeurs indésirables ou mal contrôlées.

• *En les faisant macérer*. La fermentation en pot hermétique, avec épices et alcool, est une spécialité du quart sud-est de la France. Cette technique donne des fromages particulièrement relevés, comme le cachat par exemple.

• *En « lavant » la croûte*. Les maroilles, munsters et autres livarots se distinguent par leur saveur relevée due à la présence, sur leur croûte, du « ferment du rouge » (*Bacteria linens*), qui leur donne leur couleur orangée caractéristique. Cette bactérie a la propriété d'accélérer la protéolyse de la pâte (déstructuration des protéines), qui devient ainsi crémeuse et prend de la saveur. Le ferment du rouge ayant besoin d'humidité pour se développer, les fromages sont « lavés » à plusieurs reprises, en cours d'affinage, avec de la saumure.

Savoir expédier du fromage
Que faire si un ami expatrié vous a demandé de lui faire parvenir un bon camembert au lait cru ? Comment envoyer à votre fils, qui effectue sa coopération en Nouvelle-Calédonie, du comté et du saint-nectaire, ses deux fromages préférés ? Enfermés dans un colis, les fromages risquent d'être martyrisés au cours du voyage. Les écarts de température inévitables accélèrent la déstructuration de leur pâte. Préférez donc les pâtes dures, qui évoluent bien moins vite que les pâtes molles. Si vous insistez pour une pâte molle, envoyez une pièce entière, sa croûte jouera son rôle protecteur, et prenez soin de choisir un fromage pas trop affiné ainsi que d'utiliser l'emballage d'origine. Ne privez pas le fromage d'oxygène : il doit pouvoir respirer. Choisissez une boîte en polystyrène ou en carton, et prévoyez une circulation d'air. L'ajout de poudre de charbon dans l'emballage peut permettre de fixer une partie des odeurs. Attention : certains pays réglementent de manière très restrictive l'importation de produits agro-alimentaires. Votre colis risque d'être bloqué en douane…

autrefois excellents — taisons leur nom — sont devenus neutres, semblent avoir perdu leur âme.

EST-CE LA DEMANDE qui a suscité cette offre ou bien, au contraire, les nouvelles manière de produire qui ont généré, avec l'appui du marketing, de nouveaux comportements et d'autres attentes ? Difficile de répondre. Je constate simplement que ces évolutions sont allées de pair avec la métamorphose productiviste des modes

Page de gauche : la salle d'expédition des *manchego*. Les produits sont triés et conditionnés selon leur destinataire final.

de collecte et de transformation, avec le renforcement parfois démesuré des normes d'hygiène et avec le souci de faire « tourner » rapidement les produits sans leur laisser le temps de s'affiner.

DE NOMBREUX FROMAGES À PÂTE MOLLE ont ainsi changé de physionomie : autrefois très crayeux les premières semaines (technologie lactique), ils présentent désormais une texture assez liée et souple (technologie présure). Parmi les exemples les plus significatifs de ce changement de mode de coagulation, on peut citer la feuille de Dreux, le munster ou encore le maroilles. Avec, au final, le risque d'une certaine banalisation des produits et d'une perte de typicité : un caillé présure a besoin de davantage de temps qu'un caillé lactique pour s'affiner. Malheureusement, ce temps, on ne le prend plus. Sans doute est-on allé trop loin dans cette démarche.

IL FAUT PRENDRE GARDE À NE PAS COUPER LES RACINES DE L'EXCELLENCE, de la richesse et de la diversité. Avec optimisme, on peut espérer un retour de balancier. Que les fromages interchangeables qui ont envahi les rayons de la grande distribution se distinguent enfin par leur personnalité et ne soient pas simplement une source de protéines et de calcium sous plastique. Il est rare que les fromageries proposent aujourd'hui de mauvais produits, mais on attend d'elles qu'elles étonnent, stimulent et ravissent nos papilles, non qu'elles les endorment.

JE VOUS PRÉSENTE DANS LES PAGES SUIVANTES des fromages dont le profil ou l'histoire sont significatifs de ces évolutions. La boulette de Cambrai est une version adoucie de la boulette d'Avesnes. La tomme de brebis d'Arles tend à avoir plus de succès dans sa version fraîche. Le brie de Melun est de moins en moins rougeâtre et corsé, et s'apparente de plus en plus à un brie de Meaux. Le pérail ou le mascaré correspondent au goût actuel pour les textures fondantes. Quant au *manchego*, il existe en de multiples versions pour ne fâcher personne, des plus passe-partout aux plus exigeantes.

Ci-dessus : un affineur fier de son produit. La griffe de l'entreprise se dessine nettement gravée dans la croûte.

Boulette de Cambrai

France (Nord)

Babeurre de vache

C'est un pur produit de récupération, comme seuls les fermiers savent en imaginer : la boulette de Cambrai est réalisée avec du babeurre (sous-produit du beurre) et des brisures de fromages abîmés, en général de type maroilles, difficilement commercialisables. Le tout est consciencieusement malaxé à la main, et prend donc la forme que lui imprime la poigne du fromager. En général, la boulette de Cambrai évoque une poire d'environ 7 à 8 centimètres de hauteur pour un poids dépassant à peine 200 grammes, mais elle existe aussi sous forme de boule. Parfois — ce n'est pas systématique — du poivre, de l'estragon, du persil ou de la ciboulette sont mêlés à la pâte. Autrefois, cela permettait de conserver le produit plus longtemps ; aujourd'hui, c'est une façon de l'aromatiser. Il existe des versions au lait cru et d'autres au lait pasteurisé. Contrairement à sa cousine, la boulette d'Avesnes, qui ne dédaigne pas d'être consommée assez affinée, la boulette de Cambrai reste plutôt un produit frais, à savourer étalé sur une tartine. C'est ainsi qu'on l'apprécie dans la région cambrésienne, dont elle peine malheureusement à dépasser les frontières.

Brie de Melun

France (Île-de-France)

Lait de vache

Avec ses stries rouges qui pointent sous le duvet blanc de sa croûte, le brie de Melun est le plus rustique des bries français. L'un des plus anciens, aussi, puisque son origine serait au moins millénaire. Il est plus corsé, plus typé, plus salé que le brie de référence, celui de Meaux, adepte d'un certain raffinement. Si ce dernier, porté par un succès ancien, a fait le tour du monde, le brie de Melun n'a jamais eu l'âme voyageuse ni l'esprit conquérant. Sa zone d'appellation se limite essentiellement au département de la Seine-et-Marne. Il est longtemps resté un fromage fermier, réservé à la seule consommation domestique, ce qu'atteste sa taille, plus modeste que celle du brie de Meaux. Une durée de caillage plus longue et un affinage favorisant l'apparition du « ferment du rouge » expliquent son tempérament. Il a toujours été très délicat à bien maîtriser, le sel pouvant rapidement prendre le dessus. Historiquement, il se vendait plutôt jeune, à peine affiné. Je le propose aux alentours de huit à dix semaines d'affinage. On peut également le trouver encore plus affiné : il devient alors sec et sombre, avec un goût très prononcé. C'est une réminiscence du « brie des moissons », fromage de second choix que l'on laissait sécher pour le réserver aux ouvriers agricoles. La confrérie du brie de Melun ne manque jamais, à la fin du printemps, de célébrer cette tradition.

Manchego

Espagne (Mancha)

Lait de brebis

Originaire de la Manche, d'où son nom, le *manchego* est l'un des plus fameux fromages espagnols, sans doute parce que son épaisse carapace et la fermeté de sa pâte lui ont permis, depuis des temps ancestraux, de se faire connaître sous toutes les latitudes. Il est naturellement cité dans le roman de Cervantès, *Don Quichotte*, mais les Romains le savouraient déjà bien auparavant. Fabriqué au lait de brebis, il se présente classiquement sous la forme d'une petite meule à la croûte jaune orangé, ornée de motifs entrelacés sur les flancs, réminiscence de l'alfa tressé qui tenait le caillé. Lorsqu'il est affiné dans de l'huile d'olive (jusqu'à deux ans !), sa carapace devient bronze, puis noire : c'est le *manchego en aceite*. Très consommé en Espagne, il lui arrive d'être utilisé sous forme râpée dans la cuisine. Ce n'est pas, à mon avis, le meilleur service qu'on puisse lui rendre. Jeune, lorsqu'il est âgé de deux à trois mois, il est baptisé *semicurado* ou *mediocurado* (demi-sec), puis il devient *curado* ou *viejo*. Au-delà d'un an, on le dit *anejo*. C'est à ce stade seulement qu'il commence vraiment à révéler tout son potentiel aromatique. Comme tout fromage de brebis qui se respecte, sa pâte est légèrement piquante et acidulée lorsqu'il est jeune, puis elle acquiert une splendide profondeur au fur et à mesure que les mois passent.

Mascaré

France (Provence-Côte d'Azur)
Laits de chèvre et de brebis

Ce fromage de forme carrée est très apprécié dans la région de Forcalquier, où on le déguste crémeux. Il présente l'originalité d'être fabriqué à partir d'un mélange de laits crus (chèvre et brebis), dans la droite tradition de tous les fromages de Provence : selon la saison et les cycles de lactation des animaux, les paysans utilisaient ce qu'ils avaient de disponible.
La manie de tout réglementer et de tout calibrer n'était pas encore la règle.
Le mascaré présente un bel équilibre en bouche : le lait de brebis adoucit son caractère « chèvre ». Il est ceint d'une feuille de châtaignier et orné, sur le dessus, d'une herbe de Provence.
Ma consœur, Claudine Mayer, d'origine avignonnaise, s'est éprise de ce fromage qu'elle affine avec talent.
Elle vient d'ouvrir une boutique dotée de splendides caves voûtées du XIIe siècle à Saint-Rémy-de-Provence.
Les mascarés y sont parfaitement heureux, tout comme les autres spécialités provençales qu'elle affectionne : tomme fraîche des Alpilles à l'huile d'olive, camarguais (tomme pressée au lait de brebis), trident (tomme fraîche au lait de brebis de la région d'Arles). Elle vous fera déguster son mascaré en compagnie d'un vin blanc de la vallée des Baux.
Le bonheur, tout simplement…

Pérail

France (Midi-Pyrénées)
Lait de brebis

Cette succulente petite galette au lait de brebis a mis des siècles à sortir de l'ombre de l'imposante gloire locale, le roquefort. Historiquement, le pérail n'était produit que lorsque le roquefort ne l'était pas, c'est-à-dire au cours de la seconde moitié de l'année, quand la période de lactation des brebis a fini de battre son plein mais que les bêtes continuent de fournir du lait. Moins abondant mais particulièrement riche, ce dernier était destiné au pérail.
Ce fromage, qui est désormais fabriqué toute l'année, vit sa propre vie.
L'un des grands artisans de cette émancipation est Jean-François Dombre, fromager affineur, producteur du pérail des Cabasses, qui a refusé l'issue fatale à laquelle on l'invitait il y a une trentaine d'années : quitter le pays et devenir fonctionnaire à Paris. Le lait est collecté sur un large périmètre allant des Grands Causses aux garrigues de la Méditerranée en passant par les contreforts des Cévennes, vieilles terres d'élevage ovin.
Le lait de brebis est traditionnellement mis en valeur sous la forme de tommes ou de roquefort. Avec le pérail, il révèle un autre pan de sa personnalité : plus sage, plus subtil, il fait de ce fromage attachant une petite gourmandise.

Tomme de brebis d'Arles

France (Bouches-du-Rhône)
Lait de brebis

La tomme d'Arles serait l'un des plus anciens fromages de Provence.
Autrefois, dans tous les mas de Camargue, elle constituait le quotidien des ouvriers agricoles et de leur famille.
Les sols ont toujours été pauvres, les brebis et chèvres y paissaient librement. C'était un fromage sans prétention, dont seule une petite partie allait tenter l'aventure commerciale sur les marchés locaux. Selon la manière dont elle était stockée, la tomme d'Arles était ronde (sa forme « normale ») ou carrée (lorsqu'elle se déformait dans les caisses…).
Aujourd'hui, elle est fabriquée le plus souvent au lait cru de brebis, même s'il arrive que celui-ci soit encore mélangé à du lait de chèvre. Elle est en train de détrôner, dans les habitudes locales, les picodons et les pélardons, qui avaient su profiter de sa baisse de production. Bien relancé depuis une dizaine d'années, ce petit palet se fait doucement mais sûrement une place au soleil provençal. Il en existe aussi une version fraîche : l'amateur n'a plus qu'à y ajouter un filet d'huile d'olive.

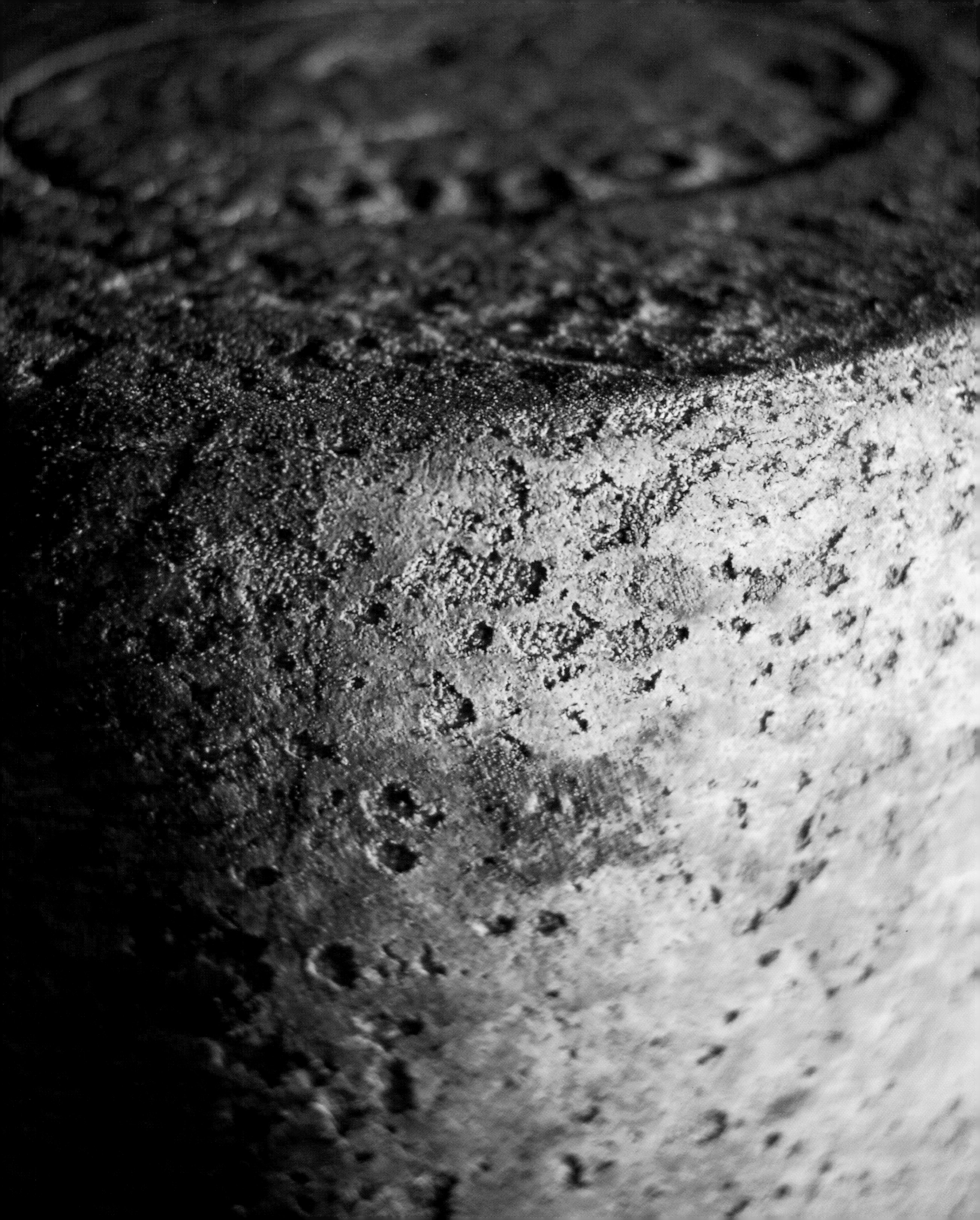

1200 fromages du monde

La nature ignore les classements. Regrouper, trier, cataloguer, c'est forcément simplifier et donc trahir un peu la vérité. La liste des 1 200 fromages que nous vous présentons dans les pages qui suivent n'échappe pas à ce travers. Elle est bâtie autour d'une cinquantaine de grandes familles qui s'identifient, peu ou prou, à un fromage de référence. Les puristes jugeront certains regroupements un peu audacieux et plusieurs familles moins cohérentes que d'autres. Nous avons tout simplement choisi de nous mettre dans la peau de tous ces consommateurs, nombreux, qui nous demandent « un fromage de la famille de tel ou tel autre fromage ». Certaines familles sont ainsi bâties sur une espèce animale, d'autres sur un type de forme, d'autres encore sur une technologie précise de fabrication. Cette volonté de simplification est destinée à rendre la lecture de ces annexes la plus accessible possible à tous les amateurs que les termes techniques rebutent.

L'autre difficulté que nous avons rencontrée, inhérente à la chose écrite, est de figer un paysage en constante mutation. Tous les jours, des produits disparaissent et d'autres renaissent. Certains, tout en gardant le même nom, voient leur technologie évoluer. Ils changent par exemple d'échelle, passant d'une fabrication fermière au lait cru à un stade plus industriel au lait pasteurisé... Le lecteur nous pardonnera ces erreurs ou ces inexactitudes éventuelles.

Dans la mesure du possible, le terroir d'origine de chaque fromage est précisé, sachant que ce dernier peut être fabriqué, vicissitudes de l'histoire obligent, dans un périmètre beaucoup plus large que son berceau originel. Pour quelques fromages, plusieurs espèces animales sont mentionnées : leur producteur mélange différents laits, régulièrement ou à certaines saisons seulement, ou bien procède à des alternances. De nombreux fromages, enfin, existent dans des versions au lait cru, au lait thermisé ou au lait pasteurisé. Certains bénéficient d'une appellation d'origine contrôlée (AOC) ou, dans sa version européenne, d'une appellation d'origine protégée (AOP). Ce système de reconnaissance, inauguré en France par le roquefort, est fondé sur l'ancrage très fort d'un produit dans un terroir bien délimité. Il s'est peu à peu étendu à d'autres pays européens (la Suisse a attendu l'année 2000 pour l'adopter). Par ailleurs, il est encore un autre label européen, l'IGP (indication géographique protégée), qui définit et préserve des produits qui peuvent se prévaloir d'une certaine attache à un terroir spécifique. Ces appellations n'ont pas encore gagné des terres plus lointaines comme l'Amérique du Nord ou l'Océanie, où la notion de terroir est un peu moins valorisée.

Quant à l'affinage optimal indiqué, il résulte d'un avis personnel qui mérite, bien sûr, d'être nuancé en fonction de chaque produit, de l'art de l'affineur, de la saison... Cette liste ne relève pas d'une sélection qualitative ou d'inclinaisons personnelles. Beaucoup des fromages cités n'ont jamais figuré et ne figureront jamais sur les étals de Roland Barthélemy. Cette liste a plutôt vocation de dresser un état des lieux et de donner un aperçu de l'extraordinaire diversité du patrimoine fromager.

La famille Chaource

et fromages apparentés

Cette famille de fromages au lait de vache, spécifique du quart nord-est de la France, se caractérise par une pâte assez acide, à grain très fin. Elle ne devient jamais crémeuse en s'affinant.

				Race				Lait			Produit			Label			
Fromage	**Autres noms**	**Pays**	**Terroir d'origine**	**Vache**	**Chèvre**	**Brebis**	**Bufflonne**	**Cru**	**Thermisé**	**Pasteurisé**	**Fermier**	**Artisanal**	**Industriel**	**AOC-AOP**	**IGP**	**Monastic**	**Affinage optimal**
Bray picard		France	Picardie	•						•		•					1 mois
Butte de Doué		France		•						•		•					1 mois
Carré de Bray		France	Normandie	•				•		•	•	•	•				1 mois
Chaource		France	Aube et Yonne	•				•		•		•		•			1 mois
Maromme		France		•				•			•						1 mois
Neufchâtel	Cœur de Bray	France	Pays de Bray	•				•		•	•	•	•	•			3 semaines
Vignotte		France		•						•		•					1 mois
Villebarou		France	Orléanais	•				•			•						2 mois
Villedieu		France		•				•			•						1 mois

La famille Époisses

et fromages apparentés

C'est la version à croûte lavée, de couleur orangée, de la famille du chaource, avec un goût beaucoup plus prononcé. Certains de ces fromages sont affinés avec de l'alcool ou du marc d'alcool.

				Race				Lait			Produit			Label			
Fromage	Autres noms	Pays	Terroir d'origine	Vache	Chèvre	Brebis	Bufflonne	Cru	Thermisé	Pasteurisé	Fermier	Artisanal	Industriel	AOC-AOP	IGP	Monastic	Affinage optimal
Abbaye de la Pierre-qui-Vire		France	Bourgogne	●				●				●					1 mois
Affidélis		France	Bourgogne	●				●		●		●					2 mois
Aisy cendré	Cendré d'Aisy	France	Bourgogne	●				●			●	●					2 mois
Ami du chambertin (L')		France	Bourgogne - Gevrey-Chambertin	●				●		●		●					2 mois
Chablis		France	Bourgogne	●						●		●					2 mois
Chaumont		France	Champagne	●				●				●					3 mois
Époisses		France	Bourgogne	●				●	●	●	●	●		●			2 mois
Langres		France	Plateau de Langres	●				●	●	●	●	●		●			2 mois
Plaisir au chablis		France	Brochon Côte-d'Or	●						●		●					1 mois
Prestige de Bourgogne		France	Bourgogne	●						●			●				1 mois
Soumaintrain		France	Bourgogne	●				●		●	●	●	●				2 mois
Trou du cru	Cœur d'époisses	France	Bourgogne	●				●	●			●					1 mois

La famille Brie de Meaux

et fromages apparentés

Cette famille est née à l'est de Paris. Il s'agit d'élégants disques de fromages au lait de vache recouverts d'un fin duvet blanc (croûte fleurie). Ces fromages ont une texture qui aime devenir crémeuse en s'affinant.

				Race				Lait			Produit			Label			
Fromage	Autres noms	Pays	Terroir d'origine	Vache	Chèvre	Brebis	Bufflonne	Cru	Thermisé	Pasteurisé	Fermier	Artisanal	Industriel	AOC-AOP	IGP	Monastic	Affinage optimal
Bath cheese	Bath soft cheese	Angleterre	Avon	●				●		●		●					1 mois
Melbury		Angleterre		●						●			●				2 mois
Sharpam		Angleterre	Devon	●				●			●						2 mois
Somerset brie		Angleterre	Somerset	●						●			●				1 mois
Grape vine aash brie		Australie	Nouvelle-Galles du Sud	●						●		●					1 mois
Jindi brie		Australie	Victoria	●						●	●						1 mois
Timboon farmhouse blue		Australie	Victoria	●						●		●					2 mois
Vermont farmhouse brie		États-Unis	Vermont	●						●			●				1 mois
Brie		France		●						●			●				1 mois
Brie de Coulommiers	Brie petit moule	France	Seine-et-Marne	●				●				●	●				2 mois
Brie de Macquelines		France	Île-de-France	●						●		●					2 mois
Brie de Malhesherbes		France	Seine-et-Marne	●				●				●					6 semaines
Brie de Meaux	Brie de Valois	France	Seine-et-Marne	●				●				●	●	●			3 mois
Brie de Melun		France	Seine-et-Marne- Brie	●				●			●	●	●	●			3 mois
Brie de Montereau		France	Île-de-France	●				●				●					2 mois
Brie de Nangis		France	Île-de-France	●				●				●					2 mois
Brie de Provins		France	Île-de-France	●				●				●					2 mois
Brie fermier		France	Île-de-France	●				●			●						2 mois
Brie noir		France	Île-de-France	●				●				●					6 mois
Chevru		France	Île de France	●				●		●		●					3 mois
Fougeru		France	Île-de-France	●				●				●	●				1 mois
Abbey blue brie		Irlande		●				●			●						2 mois
Dunbarra		Irlande		●						●			●				1 mois
Pencarreg		Pays de Galles	Cardiganshire	●						●		●					1 mois

La famille Camembert

et fromages apparentés

Fils du brie, le camembert est plus petit et plus épais. Son format commode a favorisé son essor et sa notoriété. Il en existe de multiples variantes dans le monde entier.

Fromage	Autres noms	Pays	Terroir d'origine	Race				Lait			Produit			Label			Affinage optimal
				Vache	Chèvre	Brebis	Bufflonne	Cru	Thermisé	Pasteurisé	Fermier	Artisanal	Industriel	AOC-AOP	IGP	Monastic	
Weisse lady		Allemagne	Bavière	•						•			•				1 mois
Camembert du Somerset		Angleterre	Somerset	•						•		•					1 mois
Waterloo		Angleterre	Berkshire	•				•				•					1 mois
Bouquet des moines		Belgique		•						•		•					1 mois
Bonchester		Écosse	Roxburghshire	•				•	•			•		•			2 mois
Teviotdale		Écosse		•				•	•			•		•			3 mois
Airiños		Espagne	Asturies	•						•		•					1 mois
Barberey	Fromage de Troyes	France	Champagne	•				•		•		•					1 mois
Belle-des-champs		France		•						•			•				3 semaines
Bouysette		France	Rouergue	•				•			•						3 semaines
Brillador		France		•						•			•				1 mois
Brique de Jussac		France		•						•		•					1 mois
Briquette de Coubon		France	Auvergne	•				•			•						3 semaines
Camembert		France	Basse-Normandie	•						•			•				3 semaines
Camembert au calvados		France	Normandie	•				•				•					1 mois
Camembert de Normandie		France	Normandie	•				•			•	•	•	•			1 mois
Caprice des dieux		France	Champagne	•						•			•				2 semaines
Carré		France		•						•			•				1 mois
Carré de l'est		France	Lorraine - Champagne	•						•			•				1 mois
Carré de Lorraine		France	Lorraine	•						•			•				1 mois
Cendré d'Argonne		France	Champagne-Ardenne	•						•		•					2 mois
Cendré de Champagne	Fromage cendré	France	Champagne-Ardenne	•				•		•		•					1 mois
Chécy		France	Orléanais	•						•		•					1 mois
Chiberta		France	Pays basque	•						•		•					1 mois
Colombier		France	Bourgogne - Auxois	•				•			•						1 mois
Coulommiers		France	Île-de-France	•				•		•		•	•				1 mois
Crème des prés		France		•						•			•				1 mois
Crémet du cap Blanc-Nez	Cap blanc-nez	France	Nord-Pas-de-Calais	•				•			•						3 semaines
Évry-le-châtel		France	Champagne	•				•		•		•					1 mois
Feuille de Dreux	Dreux à la feuille - Marsauceux	France	Dreux	•				•		•		•					1 mois
Feuille de sauge		France	Orléanais	•						•		•					1 mois
Frinault		France	Orléanais	•						•		•					1 mois
Galette des monts du Lyonnais		France	Lyonnais	•				•				•					3 semaines
Géramont		France		•						•			•				1 mois
Henri IV		France		•						•			•				1 mois
Olivet bleu		France	Loiret	•				•	•	•		•					1 mois
Olivet cendré		France	Loiret	•				•	•	•		•					1 mois
Olivet foin		France	Loiret	•				•	•	•		•					1 mois
Oreiller de ciboulette		France		•						•		•					1 mois
Pannes cendré		France	Loiret	•				•		•		•					3 mois
Pas de l'escalette		France	Sud de l'Aveyron	•	•			•			•						1 mois
Patay		France	Loiret	•						•		•					2 mois
Pavé d'affinois		France		•						•			•				1 mois
Petit-bessay		France	Bourbonnais	•				•			•						1 mois
Pithiviers au foin	Bondaroy au foin	France	Loiret	•						•			•				1 mois
Riceys	Cendré des Riceys	France	Champagne	•				•				•					2 mois
Rigotte de sainte-colombe		France	Savoie	•						•		•					3 semaines
Saint-benoît		France	Orléanais	•				•				•					1 mois
Saint-félicien		France	Vivarais	•				•		•	•	•	•				1 mois
Saint-marcellin		France	Dauphiné	•	•			•	•	•	•	•	•				1 mois
Saint-morgon		France	Mayenne	•						•			•				15 jours
Tomme de Romans	Romans	France	Drôme et Ardèche	•						•		•	•				15 jours
Val des moines		France		•						•			•				1 mois
Vendôme cendré	Vendôme bleu	France	Orléanais	•				•			•						2 mois
Voves		France		•						•		•					2 mois
Cooleeney		Irlande	Tipperary	•				•			•						6 semaines
Saint killian		Irlande	Wexford	•						•		•					1 mois
Formaggella		Italie	Préalpes italiennes	•						•			•				1 mois
Tomme de Rougement		Suisse	Canton de Vaud	•				•				•					3 semaines
Tomme vaudoise		Suisse		•				•	•	•		•					3 semaines

La famille Munster

et fromages apparentés

Tous ces fromages présentent un caractère affirmé en raison de leur technique d'affinage (croûte lavée) qui favorise le développement du « ferment du rouge ». Ils aiment devenir coulants.

				Race				Lait			Produit			Label			
Fromage	Autres noms	Pays	Terroir d'origine	Vache	Chèvre	Brebis	Bufflonne	Cru	Thermisé	Pasteurisé	Fermier	Artisanal	Industriel	AOC-AOP	IGP	Monastic	Affinage optimal
Andescher		Allemagne	Bavière	•						•		•					3 mois
Knappenkäse		Allemagne		•						•			•				2 mois
Münster		Allemagne	Forêt Noire	•				•		•		•	•				2 mois
Romadur	Romadurkäse	Allemagne		•						•			•				2 mois
Weinkäse		Allemagne		•						•			•				2 mois
Weisslaacker Bierkäse	Weisslacker	Allemagne		•						•			•				2 mois
Stinking Bishop		Angleterre	Gloucestershire	•						•		•					2 mois
Polkolbin smear ripened		Australie		•						•		•					6 semaines
Bierkäse		Autriche		•						•		•					3 mois
Mondseer		Autriche	Région de Salsbourg	•						•		•					2 mois
Schlosskäse		Autriche		•						•			•				2 mois
Beaux prés		Belgique		•						•			•				2 mois
Fromage de Bruxelles	Brusselse kaas	Belgique	Brabant	•						•			•				1 mois
Herve	Herve kaas	Belgique	Herve	•				•		•		•	•	•			3 mois
Remedou	Piquant	Belgique	Région de Liège	•						•	•	•					4 mois
Ange cornu		Canada (Québec)	Région de Québec	•				•			•						2 mois
Laracam		Canada (Québec)	Lanaudière	•				•				•					3 mois
Lechevalier-Mailloux		Canada (Québec)	Région de Québec	•				•			•						2 mois
Pied-de-vent		Canada (Québec)	Îles-de-la-Madeleine	•				•			•						2 mois
Pont couvert		Canada (Québec)	Mauricie-Bois-Francs	•				•				•					2 mois
Bishop Kennedy		Écosse	Pertshire	•				•				•	•				2 mois
Tetilla		Espagne	Galice	•						•		•	•	•			2 mois
Tronchón		Espagne	Manche	•	•					•	•	•					2 mois
Ulloa		Espagne	Galice	•						•		•					1 mois
Liederkranz		États-Unis		•						•			•				2 mois
Baguette laonnaise	Baguette de Thiérache	France	Picardie	•						•			•				3 mois
Bergues		France	Flandre maritime (région de Dunkerque)	•				•			•	•					2 mois
Chaumes		France	Dordogne-Pyrénées	•						•			•				1 mois
Cœur d'Arras		France	Artois	•						•		•					1 mois
Cœur d'Avesnes		France	Nord	•						•		•					1 mois
Cœur de Thiérache		France	Picardie	•						•		•					1 mois
Craquegnon affiné à la bière « la gauloise »		France	Nord	•				•				•					3 mois
Crayeux de Roncq		France	Flandre	•				•			•						2 mois
Creux de Beaufou		France	Vendée	•				•			•						2 mois
Croquin de la Mayenne		France	Mayenne	•						•		•					3 semaines
Curé nantais	Fromage du pays nantais - Petit breton - Fromage du curé	France	Pays nantais	•						•		•	•				1 mois
Dauphin		France	Flandre	•				•		•		•	•				3 mois
Fleur de bière		France	Meurthe-et-Moselle	•						•		•					1 mois
Fromage de foin		France	Picardie	•				•			•						3 mois
Fromage fort de Béthune		France	Flandre	•				•				•					3 mois
Gauville		France	Normandie	•				•	•	•	•						2 mois
Gérardmer		France	Vosges	•						•			•				2 mois
Gris-de-Lille	Puant macéré - Vieux-lille - Maroilles gris - Vieux-gris-de-Lille	France	Flandre	•				•		•		•	•				4 mois
Guerbigny		France	Picardie	•				•				•					1 mois
Le quart (maroilles)		France	Nord	•				•	•	•	•	•		•			3 mois
Lisieux	Petit lisieux	France	Pays d'Auge	•				•	•	•		•	•				2 mois
Livarot	Colonel	France	Pays d'Auge	•				•	•	•		•	•	•			2 mois
Losange-de-saint-pol		France	Nord	•				•				•					3 mois
Mamirolle		France	Doubs	•						•		•					15 jours
Maroilles		France	Nord et Aisne	•				•		•	•	•		•			4 mois
Mignon (maroilles)		France	Flandres	•				•			•			•			3 mois
Mignot	Mignot blanc	France	Pays d'Auge	•				•			•						2 mois
Munster	Géromé	France	Vosges	•				•	•	•	•	•	•	•			3 mois
Pas de l'Ayau		France	Nord	•				•				•					2 mois
Pavé d'Auge	Pavé de Moyaux	France	Basse-Normandie	•				•		•	•	•					3 mois

Fromage	Autres noms	Pays	Terroir d'origine	Race: Vache	Race: Chèvre	Race: Brebis	Race: Bufflonne	Lait: Cru	Lait: Thermisé	Lait: Pasteurisé	Produit: Fermier	Produit: Artisanal	Produit: Industriel	Label: AOC	Label: IGP	Label: Monastic	Affinage optimal
Pavé de Moyeux		France	Normandie - Pays d'Auge	●				●		●	●	●					2 mois
Pavé du Plessis		France	Haute-Normandie	●				●				●					3 mois
Pont-l'évêque		France	Normandie	●				●	●	●	●	●	●	●			2 mois
Récollet		France	Lorraine	●						●		●					1 mois
Rigotte d'Échalas		France	Lyonnais	●						●		●					3 semaines
Rigotte de Condrieu		France	Lyonnais	●	●			●			●						1 mois
Rigotte des Alpes		France	Dauphiné, Lyonnais	●						●			●				2 semaines
Rigottes		France	Dauphiné, Lyonnais, Loire	●				●		●		●					1 mois
Rocroi	Cendré des Ardennes	France	Ardennes	●				●			●						2 mois
Rollot	Cœur de rollot	France	Picardie	●				●		●	●	●	●				2 mois
Roucoulons		France	Franche-Comté	●						●			●				1 mois
Rougette		France		●						●			●				1 mois
Rouy		France	Bourgogne	●						●			●				1 mois
Saint-albray		France	Sud-Ouest	●						●			●				3 semaines
Saint-aubin		France	Anjou	●						●			●				1 mois
Saint-rémy		France	Franche-Comté - Vosges	●						●			●				2 mois
Saulxurois		France	Champagne-Ardenne	●					●			●					2 smois
Sorbais (maroilles)		France	Flandre	●				●			●			●			3 mois
Tomme de Séranon		France	Provence	●				●			●						3 semaines
Trouville		France	Normandie	●						●		●					2 mois
Vacherol		France		●						●			●				3 mois
Vieux-boulogne		France	Boulonnais	●				●				●					2 mois
Vieux pané		France	Mayenne	●						●			●				3 semaines
Vieux-boulogne		France	Boulonnais	●				●				●					3 mois
Void		France	Lorraine	●						●		●					3 mois
Ardrahan		Irlande	Cork	●						●		●					2 mois
Brescianella		Italie	Lombardie	●						●		●					3 mois
Quartirolo lombardo		Italie	Lombardie	●				●		●	●	●		●			1 mois
Robiola della Valsasina		Italie	Lombardie	●						●		●					3 semaines
Salva		Italie	Lombardie	●				●		●		●					3 mois
Taleggio		Italie	Piémont, Lombardie, Vénitie	●				●		●		●	●	●			2 mois

La famille Pérail

et fromages apparentés

Ces fromages au lait de brebis ont en général un goût assez doux. Recouvert d'un duvet blanc, ils deviennent crémeux en s'affinant.

Fromage	Autres noms	Pays	Terroir d'origine	Race: Vache	Race: Chèvre	Race: Brebis	Race: Bufflone	Lait: Cru	Lait: Thermisé	Lait: Pasteurisé	Produit: Fermier	Produit: Artisanal	Produit: Industriel	Label: AOC-AOP	Label: IGP	Label: Monastic	Affinage optimal
Emlett		Angleterre	Avon			●		●				●					6 semaines
Flower Mary		Angleterre	Sussex			●		●				●					6 semaines
Little Rydings		Angleterre	Avon			●		●				●					2 mois
Weisser prinz		Autriche				●				●			●				1 mois
Berger plat		France	Bresse			●		●			●						1 mois
Brebiou		France	Jurançon			●				●			●				2 semaines
Brebis de Meyrueis		France	Languedoc-Roussillon-Corse			●		●			●						3 semaines
Caldegousse		France	Aveyron			●		●				●					15 jours
Castagniccia		France	Corse			●		●				●					1 mois
Fedo		France	Provence		●	●		●				●					2 semaines
Fromageon fermier		France	Rouergue			●		●			●						2 semaines
Gayrie, La		France	Rouergue			●		●			●						6 semaines
Lacandou		France	Rouergue			●		●				●					3 semaines
Nabouly d'en haut		France	Pyrénées			●		●			●						3 semaines
Notle		France	Touraine			●		●				●					3 semaines
Pérail		France	Rouergue			●		●			●	●					3 semaines
Tomme de brebis d'Arles		France	Camargue			●		●			●						3 semaines
Vieux corse		France	Haute-Corse			●		●				●					3 mois
Paglietta		Italie	Piémont	●						●		●					1 mois
Azeitão		Portugal	Estrémadure			●		●				●		●			1 mois

La famille Rotolo
et fromages apparentés

Ces fromages de brebis ont un goût un peu plus corsé que ceux de la famille Pérail en raison de lavages fréquents en cave d'affinage. Ils aiment également devenir crémeux.

Fromage	Autres noms	Pays	Terroir d'origine	Race: Vache	Race: Chèvre	Race: Brebis	Race: Bufflonne	Lait: Cru	Lait: Thermisé	Lait: Pasteurisé	Produit: Fermier	Produit: Artisanal	Produit: Industriel	Label: AOC-AOP	Label: IGP	Label: Monastic	Affinage optimal
Herriot Farmhouse		Angleterre	Yorkshire			●				●	●						3 mois
Brebichon de Haute-Provence		France	Haute-Provence			●		●			●						5 sem
Brebis du Lochois		France	Touraine			●		●			●						1 mois
Caussedou		France	Quercy			●		●			●						1 mois
Fium' orbo		France	Corse		●	●		●			●	●					2 mois
Moularen		France	Provence			●		●			●						1 mois
Niolo		France	Corse - Plateau de Niolo		●	●		●			●	●					3 mois
Rotolo		France	Corse			●		●			●						6 mois
U rustinu		France	Haute-Corse			●		●			●	●					4 mois

La famille Saint-nectaire
et fromages apparentés

Le caillé de ces fromages au lait de vache est légèrement pressé lors de la fabrication. Leur texture, assez liée, mollit au cours de l'affinage, qui se déroule en milieu humide, jusqu'à devenir fondante.

Fromage	Autres noms	Pays	Terroir d'origine	Race: Vache	Race: Chèvre	Race: Brebis	Race: Bufflonne	Lait: Cru	Lait: Thermisé	Lait: Pasteurisé	Produit: Fermier	Produit: Artisanal	Produit: Industriel	Label: AOC-AOP	Label: IGP	Label: Monastic	Affinage optimal
Northumberland		Angleterre	Northumberland	●						●	●						3 mois
Spenwood		Angleterre	Berkshire			●		●				●					6 mois
Torville		Angleterre	Somerset	●				●			●						2 mois
Beauvoorde		Belgique		●						●		●					2 mois
Victor et Berthold		Canada (Québec)	Lanaudière	●				●				●					3 mois
Bethmale	Oustet	France	Ariège - Comté de Foix	●				●		●		●	●				6 mois
Chambérat		France	Bourbonnais	●				●	●		●	●					3 mois
Colombière		France	Alpes	●				●				●					3 mois
Doux de montagne		France	Haute-Garonne, Ariège	●				●			●						4 mois
E bamalou		France	Ariège - Comté de Foix	●				●				●					2 mois
Fourme de Rochefort		France	Auvergne	●				●			●						3 mois
Fromage de Lège		France	Pyrénées centrales	●				●			●						6 mois
Fromage du pic de la Calabasse		France	Comté de Foix	●				●			●						3 mois
Montagnard, Le		France	Franche-Comté	●				●				●					2 mois
Moulis		France	Pyrénées - Comté de Foix	●				●				●					3 mois
Murol		France	Auvergne	●						●			●				2 mois
Murolait	Trou de Murol	France	Auvergne	●						●			●				15 jours
Pavin		France	Auvergne	●						●			●				2 mois
Petit pardou, Le		France	Béarn	●				●				●					2 mois
Phébus		France	Comté de Foix	●				●				●					3 mois
Reblochon		France	Aravis	●				●			●	●	●	●			6 semaines
Rogallais		France	Comté de Foix	●				●				●					2 mois
Saint-nectaire		France	Auvergne	●				●	●	●	●	●	●	●			3 mois
Savaron		France	Auvergne	●						●		●					2 mois
Tomme de montagne des Vosges		France	Vosges	●				●			●						3 mois
Toupin		France	Haute-Savoie	●				●				●					4 mois
Durrus		Irlande	Cork	●				●				●					3 mois
Gubbeen		Irlande	Cork	●						●	●						3 mois
Milleens		Irlande	Cork	●				●			●						4 mois
Branzi		Italie	Lombardie	●				●		●		●					6 mois
Caerphilly		Pays de Galles		●				●	●	●	●						2 mois
Tournagus		Pays de Galles		●				●				●					3 mois
Wedmore		Pays de Galles		●				●				●					1 mois

La famille Tomme de Savoie

et fromages apparentés

La fabrication de ces fromages est très proche de celle du saint-nectaire. La grosse différence tient à l'affinage : la croûte est simplement brossée. Elle est en général grisâtre et la pâte est plus sèche.

				Race				Lait			Produit			Label			
Fromage	Autres noms	Pays	Terroir d'origine	Vache	Chèvre	Brebis	Bufflonne	Cru	Thermisé	Pasteurisé	Fermier	Artisanal	Industriel	AOC-AOP	IGP	Monastic	Affinage optimal
Coquetdale		Angleterre	Northumberland	●						●	●						3 mois
Cotherstone		Angleterre	Durham	●				●				●					3 mois
Menallack farmhouse		Angleterre	Cornouailles	●				●				●					6 mois
Saint-basile		Canada (Québec)	Région de Québec	●				●			●						3 mois
Cantabria		Espagne	Santander	●						●		●	●	●			6 mois
Formatge de la Selva		Espagne	Catalogne	●				●		●		●					4 mois
Queso ahumado		Espagne	Navarre	●	●	●		●				●					6 mois
Bargkass		France	Vosges	●				●	●		●						2 mois
Bourricot		France	Auvergne	●						●			●				2 mois
Esbareich		France	Pyrénées centrales	●				●			●						3 mois
Fouchtra		France	Cantal	●				●			●	●					6 mois
Fromage de Poubeau		France	Pyrénées centrales	●				●				●					3 mois
Fromage de vache brûlé		France	Pays basque	●				●				●					3 mois
Lou magré		France	Gascogne	●				●				●					3 mois
Montségur		France	Pyrénées	●						●			●				3 mois
Persillé du Semnoz		France	Savoie	●	●			●			●						2 mois
Petite tomme beulet		France	Haute-Savoie	●						●			●				6 semaines
Pyrénées de vache		France	Pyrénées	●						●			●				3 mois
Tome des Bauges		France	Bauges	●				●			●		●				2 mois
Tomette de Yenne		France	Rhône-Alpes	●				●				●					2 mois
Tomme au marc de raisin		France	Pays de Savoie	●				●			●						2 mois
Tomme d'alpage de la Vanoise		France	Savoie	●				●			●						3 mois
Tomme d'Auvergne		France	Auvergne	●				●		●		●					2 mois
Tomme de Bonneval		France	Haute-Maurienne	●				●				●	●				2 mois
Tomme de chèvre de la vallée de Novel		France	Savoie		●			●			●						6 mois
Tomme de l'Aveyron		France	Larzac	●				●			●						3 mois
Tomme de la Frasse		France	Savoie	●				●			●						6 mois
Tomme de Lomagne		France	Gascogne	●				●				●					2 mois
Tomme de Lullin		France	Savoie	●				●				●					6 mois
Tomme de ménage	Boudane	France	Haute-Tarentaise	●				●			●						3 mois
Tomme de Morzine		France	Savoie		●			●			●						6 mois
Tomme de Pont-Astier		France	Doubs	●				●		●		●					2 mois
Tomme de Savoie		France	Pays de Savoie	●				●	●	●	●	●	●		●		4 mois
Tomme de Thônes		France	Savoie - Chaîne des Aravis	●				●			●						2 mois
Tomme de Val-d'Isère		France	Savoie - Haute-Tarentaise	●				●			●						2 mois
Tomme des Allobroges		France	Pays de Savoie	●				●			●						3 mois
Tomme des Allues		France	Savoie	●				●		●		●					3 mois
Tomme des Aravis		France	Pays de Savoie	●				●			●						3 mois
Tomme du Beaujolais		France	Beaujolais	●						●		●					2 mois
Tomme du bougnat		France	Auvergne	●				●			●						2 mois
Tomme du Faucigny		France	Savoie	●				●			●						5 mois
Tomme du Mont-Cenis		France	Savoie	●				●			●						3 mois
Tomme du Pelvoux		France	Savoie	●				●				●					3 mois
Tomme du Revard		France	Savoie	●				●		●		●					3 mois
Tomme fermière des Lindarets		France	Savoie	●				●			●						6 mois
Tomme grise de Seyssel		France	Savoie	●				●				●					6 mois
Tomme le Gascon		France	Gascogne	●				●				●					2 mois
Tommette de l'Aveyron		France	Rouergue			●		●			●						2 mois
Vachard		France	Auvergne	●				●				●					2 mois
Bra		Italie	Piémont	●	●	●		●		●	●	●		●			6 mois
Raschera		Italie	Piémont	●	●	●		●		●	●	●		●			3 mois
Sora		Italie	Piémont	●		●		●		●		●					1 an
Toma brusca		Italie	Piémont	●				●		●	●	●					4 mois
Toma del maccagno		Italie	Piémont	●				●		●	●	●					2 mois
Toma di capra		Italie	Piémont	●				●		●	●	●					4 mois
Toma di lanzo		Italie	Piémont	●				●		●	●	●					3 mois
Toma piemontese		Italie	Piémont	●				●		●		●		●			4 mois
Toma valle elvo		Italie	Piémont	●				●		●	●	●					3 mois
Toma valsesia		Italie	Piémont	●				●		●	●	●					3 mois
Valle d'Aosta fromadzo		Italie	Lombardie, Val d'Aoste	●				●				●		●			9 mois
Alvorca		Portugal		●	●	●		●				●					6 mois

La famille Vacherin
et fromages apparentés

Spécialité d'origine franco-suisse, cette famille désigne des fro-
très généreux qui doivent être sanglés et mis en boîte pour
pâte crémeuse ne s'affaisse pas.

				Race				Lait			Produit			Label			
Fromage	Autres noms	Pays	Terroir d'origine	Vache	Chèvre	Brebis	Bufflonne	Cru	Thermisé	Pasteurisé	Fermier	Artisanal	Industriel	AOC-AOP	IGP	Monastic	Affinage optimal
Vacherin Chaput		Canada (Québec)	Montérégie	•				•			•						1 mois
Cabri ariégeois		France	Comté de Foix		•			•				•					6 semaines
Mont-d'or	Vacherin du Haut-Doubs	France	Doubs	•				•				•	•	•			1 mois
Vacherin d'Abondance		France	Savoie - Vallée d'Abondance	•				•			•						1 mois
Vacherin des Aillons		France	Bauges	•				•			•						3 mois
Vacherin des Bauges		France	Bauges	•				•			•						2 mois
Vacherin mont-d'or	Mont-d'or de Joux	Suisse	Jura suisse	•					•	•		•					1 mois

La famille Venaco
et fromages apparentés

Cette famille de tommes souples au lait de brebis se distingue par sa belle ampleur gustative, plus ou moins affirmée selon que l'affinage consiste ou non à laver la croûte.

				Race				Lait			Produit			Label			
Fromage	Autres noms	Pays	Terroir d'origine	Vache	Chèvre	Brebis	Bufflonne	Cru	Thermisé	Pasteurisé	Fermier	Artisanal	Industriel	AOC-AOP	IGP	Monastic	Affinage optimal
Aragón	Tronchón	Espagne	Aragon		•	•		•			•	•					2 semaines
Penamellera		Espagne	Asturies		•	•		•			•						2 mois
A filetta	Fougère	France	Haute-Corse		•	•		•				•					1 mois
Amou		France	Sud-Ouest			•		•			•						4 mois
Barousse		France	Pyrénées	•				•			•						2 mois
Brebis de Bersend		France	Savoie			•		•			•						2 mois
Brebis du pays de Grasse		France	Provence			•		•			•						2 mois
Corsica		France	Corse			•		•		•		•					1 mois
Fromage des Pyrénées		France	Pyrénées			•				•			•				2 mois
Galette du val de Dagne		France	Corbières			•		•			•						3 mois
Napoléon		France	Corse			•		•				•					6 semaines
Ourliou		France	Lot			•				•		•					2 mois
Tomme de brebis		France	Savoie			•		•			•						1 mois
Tomme de brebis de Haute-Provence		France	Haute-Provence			•		•			•						2 mois
Tommette des Corbières		France	Corbières			•		•			•						2 mois
Venaco		France	Haute-Corse		•	•		•			•						2 mois
Orla		Irlande	Cork			•		•				•					6 mois
Caciotta toscana		Italie	Toscane	•		•				•		•					3 semaines
Casciotta di Urbino		Italie	Marche	•		•		•		•	•			•			1 mois
Marzolino		Italie	Toscane	•		•		•		•		•					2 mois
Queijo da Ovelha		Portugal				•		•				•					2 mois
Serpa		Portugal	Alentejo			•		•				•		•			2 mois
Serra da Estrela		Portugal	Serra da Estrela			•		•			•	•		•			2 mois

La famille Chevrotin

et fromages apparentés

Ces fromages de chèvre, très prolifiques dans le massif alpin, sont caractérisés par un pressage du caillé en cours de fabrication. Leur texture est assez dense, leur goût caprin affirmé.

				Race				Lait			Produit			Label			
Fromage	Autres noms	Pays	Terroir d'origine	Vache	Chèvre	Brebis	Bufflonne	Cru	Thermisé	Pasteurisé	Fermier	Artisanal	Industriel	AOC-AOP	IGP	Monastic	Affinage optimal
Basing		Angleterre	Kent		●			●			●						2 mois
Loddiswel Avondale		Angleterre	Devon		●			●			●						2 mois
Ribblesdale		Angleterre	Yorkshire		●			●			●						2 mois
Ticklemore		Angleterre	Devon		●			●			●	●					3 mois
Vulscombe		Angleterre	Devon		●			●			●						1 mois
Wigmore		Angleterre	Bergshire		●			●			●						2 mois
Capra (Le)		Canada (Québec)	Lanaudière		●			●			●						1 mois
Breña		Espagne			●			●				●					3 mois
Garrotxa		Espagne	Catalogne		●			●		●		●					3 mois
Ibores		Espagne	Estrémadure		●			●			●	●					3 mois
Queso del Montsec	Cendrat	Espagne	Catalogne		●			●				●					3 mois
Queso majorero		Espagne	Canaries		●			●			●	●		●			2 mois
Annot		France	Arrière-pays niçois		●			●				●					2 mois
Asco		France	Corse du nord		●	●		●			●						3 mois
Aubisque		France	Pyrénées - Vallée de l'Ossau		●	●		●				●					3 mois
Cabrioulet	Tomme Loubières	France	Comté de Foix		●			●			●						3 mois
Caprinu		France	Corse		●			●				●					6 mois
Chèvre fermier des Pyrénées		France	Béarn-Gascogne Midi-Pyrénées		●			●				●					1 mois
Chevrotin de Macôt		France	Savoie - Tarentaise		●			●			●						2 mois
Chevrotin de Montvalezan		France	Savoie - Tarentaise		●			●			●						2 mois
Chevrotin de Morzine		France	Savoie		●			●			●						3 mois
Chevrotin de Peizey-Nancroix		France	Savoie		●			●			●						3 mois
Chevrotin des Aravis		France	Haute-Savoie - Aravis		●			●			●						2 mois
Chevrotin des Bauges		France	Bauges		●			●			●						2 mois
Chevrotin du Mont-Cenis		France	Savoie		●			●			●						2 mois
Figue		France	Périgord		●			●				●					3 semaines
Fort de la Platte		France	Briançonnais		●			●				●					6 mois
Grataron d'Arèches		France	Savoie		●			●			●						2 mois
Grataron de Haute-Luce		France	Savoie		●			●			●						2 mois
Lou pennol		France	Sud du Quercy		●			●			●						3 mois
Palouse des Aravis		France	Alpes - Aravis		●			●			●						6 mois
Péchegros		France	Tarn		●			●			●	●					1 mois
Sarteno		France	Corse		●	●		●			●						3 mois
Tome de chèvre de Gascogne		France	Gascogne		●			●			●						2 mois
Tome pressée		France	Provence		●	●		●			●						1 an
Tomme au muscadet		France	Pays de la Loire		●			●				●					6 mois
Tomme de chèvre corse		France	Corse		●			●			●						3 mois
Tomme de chèvre de Belleville		France	Savoie - Tarentaise		●			●			●						2 mois
Tomme de chèvre de la vallée de Morzine		France	Savoie		●			●			●						2 mois
Tomme de chèvre de Provence		France	Provence		●			●				●					1 mois
Tomme de chèvre Pays nantais		France	Pays nantais		●			●			●						6 semaines
Tomme de Courchevel		France	Savoie		●			●			●						2 mois
Tomme de Crest		France			●			●			●						2 mois
Tomme de huit litres		France	Provence		●			●			●						6 mois
Tomme de Vendée		France	Vendée		●			●				●					2 mois
Tomme du Pays basque		France	Pays basque		●	●		●			●						3 mois
Tomme du Vercors		France	Vercors		●			●			●						2 mois
Tomme fermière des Hautes-Vosges		France	Hautes-Vosges		●					●		●					3 mois
Tomme mi-chèvre de Lécheron		France	Savoie	●	●			●			●						3 mois
Tomme mi-chèvre des Bauges		France	Savoie	●	●			●			●						2 mois
Tomme sainte-Cécile		France	Bourgogne		●			●			●						6 mois
Tommette mi-chèvre des Bauges		France	Bauges	●	●			●			●						2 mois
Valde blore		France	Arrière-pays niçois		●			●				●					2 mois
Kefalotyri		Grèce			●	●		●			●	●					3 mois
Croghan		Irlande	Vexford		●			●			●						3 mois
Gjetost		Norvège		●	●					●			●				1 mois

La famille Gouda
et fromages apparentés

Grands voyageurs, les Hollandais ont imaginé ces fromages à pâte pressée, souvent enrobés d'une croûte de paraffine protectrice, qui se logeaient parfaitement dans les cales des bateaux sans s'abîmer.

				Race				Lait			Produit			Label			
Fromage	**Autres noms**	**Pays**	**Terroir d'origine**	**Vache**	**Chèvre**	**Brebis**	**Bufflonne**	**Cru**	**Thermisé**	**Pasteurisé**	**Fermier**	**Artisanal**	**Industriel**	**AOC-AOP**	**IGP**	**Monastic**	**Affinage optimal**
Bianco		Allemagne		•						•			•				2 mois
Deutsche trappistenkäse		Allemagne		•						•			•				2 mois
Geheimratskäse		Allemagne		•						•			•				1 mois
Geltinger		Allemagne	Schleswig-holstein	•						•			•				3 mois
Gouda allemand	Deutscher gouda	Allemagne		•						•			•				6 mois
Schwäbischer landkäse		Allemagne		•						•			•				2 mois
Steppe		Allemagne		•						•			•				6 mois
Tilsit		Allemagne	Lituanie	•						•			•				3 mois
Tollenser		Allemagne	Allemagne de l'Est	•						•			•				2 mois
Vitadam		Allemagne		•						•			•				1 mois
Wilster marschkäse	Wilstermarsch	Allemagne	Hollstein	•						•			•				3 mois
Coverdale		Angleterre	Yorkshire	•						•		•					2 mois
Curworthy		Angleterre	Devon	•				•				•					4 mois
Steirischer bauernkäse		Autriche		•		•				•		•					2 mois
Steirischer hirtenkäse		Autriche		•		•				•		•					2 mois
Esrom	Bütterkäse danois	Danemark		•						•			•		•		3 mois
Havarti	Tilsit danois	Danemark		•						•			•				2 mois
Maribo		Danemark	Ile de Lolland	•						•			•				4 mois
Molbo		Danemark		•						•			•				3 mois
Bola		Espagne		•						•			•				3 mois
Mahón		Espagne	Baléares	•		•		•	•	•	•	•	•	•			1 an
San simón		Espagne	Galice	•				•			•	•					2 mois
Brick		États-Unis	Wisconsin	•						•			•				2 mois
Kesti		Finlande		•						•			•				2 mois
Kreivi		Finlande		•						•			•				2 mois
Lappi		Finlande		•						•			•				3 mois
Babybel		France		•						•			•				1 mois
Bonbel		France		•						•			•				1 mois
Gouda français		France		•						•			•				6 mois
Mimolette	Boule de Lille-Vieux lille	France	Nord	•					•	•		•	•				2 ans
Pavé de Roubaix		France	Nord	•						•		•					1 an
Baby gouda	Lunchies kaas	Hollande		•						•			•				3 mois
Boerenkaas		Hollande	Zuid Holland	•				•			•	•		•			1 an
Edam	Tête de maure-Manbollen-Katzenkopf-Tête de chat	Hollande	Nord Holland	•						•			•	•			6 mois
Friese nagelkaas		Hollande		•						•		•	•				3 mois
Friese Nelkenkaas		Hollande	Frise	•						•			•				3 mois
Friesekaas	Frise	Hollande	Frise	•						•			•				3 mois
Gouda	Goudse kaas	Hollande	Zuid Holland	•						•	•	•	•	•			6 mois
Kernhem		Hollande		•						•			•				2 mois
Kruidenkaas		Hollande		•						•		•	•				3 mois
Kummel		Hollande		•						•			•				3 mois
Leidener	Leidsekaas-Leiden	Hollande	Leiden	•						•		•	•				1 an
Mimolette	Commissiekaas	Hollande		•						•			•				6 mois
Minell		Hollande		•						•			•				1 mois
Nagelkaas		Hollande		•						•		•	•				3 mois
Pardano		Hollande		•						•			•				1 mois
Roomkaas		Hollande		•						•			•				3 mois
Coolea		Irlande	Cork	•				•				•					1 an
Doolin		Irlande	Waterford	•						•		•					3 mois
Bel Paese		Italie	Nord	•						•			•				2 mois
Italico		Italie		•						•			•				2 mois
Edda		Norvège		•						•			•				2 mois
Nökkelost		Norvège		•						•			•				3 mois
Norvegia		Norvège		•						•			•				3 mois
Penbryn		Pays de Galles	Carmarthenshire	•						•			•				2 mois
Teifi		Pays de Galles	Carmarthenshire	•				•				•					3 mois
Flamengo		Portugal		•						•		•	•				6 mois
São Jorge		Portugal	Açores	•				•			•	•		•			6 mois
Ambrosia		Suède		•						•			•				3 mois
Drabant		Suède		•						•			•				3 mois

Fromage	Autres noms	Pays	Terroir d'origine	Race				Lait			Produit			Label			Affinage optimal
				Vache	Chèvre	Brebis	Bufflonne	Cru	Thermisé	Pasteurisé	Fermier	Artisanal	Industriel	AOC	IGP	Monastic	
Gårda		Suède		•						•			•				3 mois
Gräddost		Suède		•						•			•				2 mois
Kryddal		Suède		•						•			•				2 mois
Prästost		Suède		•						•		•	•				2 mois
Sveciaost	Svecia	Suède		•						•			•		•		3 mois

La famille Cheddar

et fromages apparentés

Sans doute amenée par les Romains aux Britanniques après leur passage dans le Cantal, la recette du cheddar, qui consiste notamment à broyer le caillé (d'où la texture irrégulière de la pâte), est devenue universelle !

Fromage	Autres noms	Pays	Terroir d'origine	Race				Lait			Produit			Label			Affinage optimal
				Vache	Chèvre	Brebis	Bufflonne	Cru	Thermisé	Pasteurisé	Fermier	Artisanal	Industriel	AOC-AOP	IGP	Monastic	
Buffalo		Angleterre	Hereford-Worcester				•	•				•					3 mois
Cheddar		Angleterre	Somerset	•				•	•	•	•		•	•			1 an
Cheshire	Chester	Angleterre	Cheshire	•				•		•	•	•	•				3 mois
Cornish Yarg		Angleterre	Cornouailles	•						•		•					2 mois
Costwold		Angleterre		•						•			•				4 mois
Denhay Dorset drum		Angleterre	Dorset	•						•	•						2 mois
Derby		Angleterre	Derbyshire	•						•			•				4 mois
Devon garland		Angleterre	Devon	•				•				•					2 mois
Double gloucester		Angleterre	Comté de Gloucester	•				•		•	•	•	•				6 mois
Double worcester		Angleterre	Worcester	•				•			•						9 mois
Gospel green		Angleterre	Surrey	•				•			•						3 mois
Hereford hop		Angleterre	Gloucestershire	•						•	•	•					4 mois
Lancashire		Angleterre	Lancashire	•				•		•	•	•	•				6 mois
Leicester	Red leicester	Angleterre	Centre	•						•			•				6 mois
Lincolnshire poacher		Angleterre	Lincolnshire	•				•				•					6 mois
Sage derby		Angleterre	Derby	•						•			•				1 an
Sage Lancashire		Angleterre		•				•		•		•	•				4 mois
Single gloucester		Angleterre	Comté de Gloucester	•				•		•	•	•	•	•			9 mois
Staffordshire organic		Angleterre	Staffordshire	•				•			•						4 mois
Swaledale		Angleterre	Yorkshire	•		•				•	•			•			3 mois
Wellington		Angleterre	Berkshire	•				•				•					2 mois
Wensleydale	White wensleydale-White cheese	Angleterre	Yorkshire	•						•		•	•				6 mois
Cheedam		Australie		•						•			•				1 an
Pyengana cheddar		Australie	Tasmanie	•						•	•						18 mois
Cheddar l'ancêtre		Canada (Québec)	Bois-Francs	•				•				•					3 mois
Aran		Écosse		•				•				•					1 an
Dunlop		Écosse	Ayrshire	•				•				•	•				1 an
Gowrie		Écosse	Perthsire	•						•		•					4 mois
Isle of Mull		Écosse	Isle of mull	•				•				•					6 mois
Lairobell		Écosse	Orkney	•				•				•					6 mois
Loch Arthur Farmhouse		Écosse	Dumphries-Galloway	•				•				•					1 an
Orkney		Écosse	Orkney	•						•		•					1 an
Scottish farmhouse cheddar		Écosse		•				•				•					1 an
Cheddar de Shelburne		États-Unis		•				•				•					1 an
Colby crowley		États-Unis	Wisconsin-Vermont	•						•			•				6 mois
Grafton cheddar		États-Unis	Vermont	•				•				•					1 an
Longhorn		États-Unis		•						•			•				6 mois
Monterey	Monterey jack-Jack-Bear flag	États-Unis	Californie	•						•			•				10 mois
Cantal	Fourme du Cantal	France	Cantal	•				•	•	•	•	•	•	•			1 an
Laguiole		France	Aubrac (Aveyron, Cantal, Lozère)	•				•				•		•			18 mois
Salers	Fourme de Salers-Cantal salers	France	Cantal	•				•			•			•			18 mois
Lavistown		Irlande	Kilkenny	•				•				•					3 mois
Llanboidy		Pays de Galles	Pembrokeshire	•				•			•						6 mois
Llangloffan farmhouse		Pays de Galles	Pembrokeshire	•				•				•					6 mois
Tyn crug		Pays de Galles	Cardiganshire	•				•				•					6 mois

La famille Pélardon

et fromages apparentés

Le palet, plus ou moins gros et plat, est une forme très répandue pour les fromages de chèvre. On la retrouve dans toutes les régions, sans exception. Elle est utilisée aussi bien pour les fromages à caillé lactique qu'à caillé présure.

				Race				Lait			Produit			Label			
Fromage	Autres noms	Pays	Terroir d'origine	Vache	Chèvre	Brebis	Bufflonne	Cru	Thermisé	Pasteurisé	Fermier	Artisanal	Industriel	AOC-AOP	IGP	Monastic	Affinage optimal
Bosworth		Angleterre	Staffordshire		●			●			●						1 mois
Cerney village		Angleterre	Gloucestershire		●					●	●						1 mois
Capriole banon	Indiana	États-Unis	Indiana		●					●	●						1 mois
Alpicrème		France	Alpilles		●			●			●						2 semaines
Anneau de Vic-Bilh		France	Pyrénées		●			●			●						2 semaines
Arôme à la gêne de marc	Arôme de Lyon	France	Lyonnais	●	●			●				●					3 mois
Arôme au vin blanc		France	Lyonnais	●	●			●				●					3 mois
Banon	Banon à la feuille	France	Provence	●	●	●		●			●	●					1 mois
Banon poivre		France	Provence	●	●	●		●			●	●					1 mois
Banon sarriette		France	Provence	●	●	●		●			●	●					1 mois
Beaujolais pur chèvre		France	Beaujolais		●			●				●					1 mois
Bigoton		France	Orléanais		●			●			●						15 jours
Bruyère de Joursac		France	Auvergne		●			●			●						1 mois
Cabécou d'Entraygues		France			●			●			●						3 semaines
Cabécou de Cahors		France	Lot		●			●			●						3 semaines
Cabécou du Béarn		France			●			●			●						3 semaines
Cabécou du Fel		France	Quercy		●			●			●						3 semaines
Cabécou du Périgord		France	Aquitaine		●			●			●	●					3 semaines
Cabri de Parthenay		France	Deux-Sèvres		●			●			●						15 jours
Cabri des Gors		France	Deux-Sèvres		●			●			●						3 semaines
Capri lezéen		France	Poitou		●			●			●						15 jours
Capricorne de Jarjat		France	Ardèche-Vivarais		●			●			●						1 mois
Cendré de la Drôme		France	Drôme provençale		●			●			●						15 jours
Château vert		France	Mont Ventoux		●			●			●						15 jours
Chèvre à la sarriette		France	Provence		●			●			●						3 semaines
Chèvre affiné au marc de bourgogne		France	Bourgogne		●			●			●						1 mois
Chèvre de l'Ariège		France	Pyrénées		●			●			●						15 jours
Chèvre de Provence		France	Provence		●			●			●						1 mois
Chèvre des Alpilles		France	Provence		●			●			●						3 semaines
Chèvre du Larzac		France	Larzac		●			●			●						2 semaines
Chèvre du Morvan		France	Morvan		●			●				●					3 semaines
Chèvre du Ventoux		France	Provence		●			●			●						2 semaines
Chevriou		France	Saône-et-Loire		●			●			●	●					1 mois
Cujassous de Cubjac		France	Périgord		●			●			●						3 semaines
Fromage corse (Manenti)		France	Corse-du-Sud		●	●		●			●						2 mois
Fromage du Jas		France	Provence		●			●			●						3 semaines
Galet de Bigorre		France	Pyrénées		●			●			●						2 semaines
Galet solognot		France	Orléanais		●			●			●						2 semaines
Galette de La Chaise-Dieu		France	Auvergne	●	●			●			●						1 mois
Gavotine		France	Provence		●	●		●			●						1 mois
Gramat		France	Quercy		●			●			●						1 mois
Groû du Bâne		France	Provence		●			●			●						3 semaines
Livernon du Quercy		France	Quercy		●			●			●	●					3 semaines
Lunaire		France	Quercy		●			●			●						2 semaines
Lusignan		France	Poitou		●			●				●					3 semaines
Mont d'or du Lyonnais	Mont d'or de Lyon	France	Lyonnais	●	●			●			●	●					1 mois
Mothais sur feuille		France	Poitou		●			●			●						3 semaines
Pélardon		France	Cévennes		●			●			●	●	●	●			3 semaines
Pélardon des Corbières		France	Corbières		●			●				●					1 mois
Petit pastre camarguais		France	Provence			●		●			●						3 semaines
Petit quercy		France	Quercy		●			●			●						3 semaines
Petite meule		France	Quercy		●			●			●						1 mois
Picadou		France			●			●			●	●					3 semaines
Picodon		France	Vallée du Rhône		●			●	●	●	●	●		●			3 semaines
Poivre d'âne	Pèbre d'aï	France	Provence	●	●	●		●			●	●	●				15 jours
Pougne cendré		France	Gâtine		●			●			●						1 mois
Provençal		France	Provence		●			●			●	●					1 mois
Rocamadour	Cabécou de Rocamadour	France	Quercy		●			●			●	●		●			2 semaines

Fromage	Autres noms	Pays	Terroir d'origine	Race: Vache	Race: Chèvre	Race: Brebis	Race: Bufflonne	Lait: Cru	Lait: Thermisé	Lait: Pasteurisé	Produit: Fermier	Produit: Artisanal	Produit: Industriel	Label: AOC-AOP	Label: IGP	Label: Monastic	Affinage optimal
Rogeret de Lamastre		France	Vivarais	•	•			•			•	•					1 mois
Rond'oc		France	Tarn		•			•			•						3 semaines
Rouelle du Tarn	Rouelle blanche	France	Tarn		•			•			•						1 mois
Ruffec		France	Poitou		•			•			•						3 semaines
Saint-félicien		France	Vercors	•	•			•		•	•	•	•				3 semaines
Saint-félicien de Lamastre		France	Vivarais		•			•			•						3 semaines
Saint-gelais		France	Poitou		•			•			•						3 semaines
Saint-héblon		France	Périgord	•						•		•					3 semaines
Saint-mayeul		France	Haute-Provence-Plateau de Valensole		•			•			•						1 mois
Saint-nicolas de l'Hérault		France			•			•			•						3 semaines
Saint-pancrace		France	Rhône-Alpes		•			•			•						3 semaines
Saint-rémois		France	Saint-Rémy-de-Provence		•			•			•						15 jours
Séchon		France	Dauphiné		•			•			•						4 semaines
Selles-sur-cher		France	Berry		•			•			•	•		•			15 jours
Tomme capra		France	Vallée du Rhône		•			•			•						3 semaines
Tomme de Banon		France	Provence	•	•	•		•			•	•					3 semaines
Tomme de chèvre d'Arles		France	Provence		•			•			•						3 semaines
Tomme de Provence à l'ancienne		France	Camargue		•			•			•						3 semaines
Tomme de Saint-Marcellin		France	Dauphiné	•	•			•	•	•	•	•	•				2 semaines
Tomme des quatre reines de Forcalquier		France	Haute-Provence		•			•			•						1 mois
Tommette à l'huile d'olive		France	Provence		•			•			•						15 jours
Vieillevie		France	Lot		•			•			•						2 semaines
Robiola della langhe		Italie	Piémont-Province de Cuneo	•	•	•		•	•	•		•					3 semaines
Scimudìn		Italie	Lombardie	•	•			•		•		•					1 mois

La famille Trappiste

et fromages apparentés

La recette de ces fromages à pâte pressée, dont le nom le plus connu est celui du Port-Salut, s'est transmise pendant des siècles entre abbayes et monastères. Ils sont souvent à croûte lavée mais leur goût restent généralement assez doux.

Fromage	Autres noms	Pays	Terroir d'origine	Race: Vache	Race: Chèvre	Race: Brebis	Race: Bufflonne	Lait: Cru	Lait: Thermisé	Lait: Pasteurisé	Produit: Fermier	Produit: Artisanal	Produit: Industriel	Label: AOC-AOP	Label: IGP	Label: Monastic	Affinage optimal
Bruder Basil		Allemagne	Bavière	•						•			•				1 mois
Butterkäse		Allemagne		•						•			•				2 mois
Limbourg	Limburger	Allemagne		•						•			•				3 mois
Steinbuscher		Allemagne		•						•			•				2 mois
King river gold		Australie	Victoria	•						•		•					2 mois
Trappistenkäse		Autriche		•						•			•				2 mois
Abbaye de Leffe		Belgique		•						•		•					3 mois
Brigand		Belgique		•						•			•				2 mois
Chimay		Belgique	Wallonie	•						•		•					3 mois
Loo véritable		Belgique		•						•			•				2 mois
Maredsous		Belgique		•						•		•					3 mois
Orval	Abbaye d'Orval	Belgique	Ardennes belges	•						•		•				•	1 mois
Passendale		Belgique	Flandre	•						•			•				2 mois
Plateau de herve		Belgique	Herve	•						•		•	•				3 mois
Postel		Belgique		•						•		•					3 mois
Rubens		Belgique	Flandre	•				•		•	•	•					2 mois
Saint-andrews		Écosse	Perthshire	•				•				•					2 mois
Abbaye de Citeaux	Trappe de Cîteaux, trappiste de Cîteaux	France	Bourgogne	•				•			•	•				•	2 mois
Abbaye de la Coudre		France	Bretagne	•						•		•					3 mois
Abbaye de la Joie Notre-Dame		France	Bretagne	•				•			•						2 mois
Abbaye de Timadeuc		France	Morbihan	•						•		•				•	2 mois
Beaumont		France	Savoie	•				•		•			•				2 mois
Belval	Trappe de Belval	France	Flandre-Artois-Picardie	•				•				•				•	2 mois
Bricquebec	Abbaye de Bricquebec, Trappe de Bricquebec	France	Cotentin	•						•		•					3 mois
Campénéac		France	Bretagne	•						•		•					2 mois

Fromage	Autres noms	Pays	Terroir d'origine	Race				Lait			Produit			Label			Affinage optimal
				Vache	Chèvre	Brebis	Bufflonne	Cru	Thermisé	Pasteurisé	Fermier	Artisanal	Industriel	AOC	IGP	Monastic	
Chambarand	Trappiste de Chambarand	France	Dauphiné	•						•		•				•	2 mois
Entrammes	Port du salut - Trappiste d'Entrammes	France	Mayenne	•				•		•			•				2 mois
Fleuron d'Artois		France	Nord	•				•		•	•						4 mois
Fromage d'Hesdin		France	Artois	•				•				•					2 mois
Galette de Frencq		France	Nord	•				•			•						3 mois
Igny	Trappiste d'Igny	France	Champagne	•				•				•					3 mois
Laval	Trappiste de Laval	France	Maine	•				•				•					3 mois
Meilleraye		France	Bretagne	•						•		•					3 mois
Monts-des-Cats	Trappe de Bailleul	France	Nord - Mont-des-Cats	•				•				•				•	3 mois
Oelenberg		France	Alsace	•						•		•					2 mois
Port-Salut		France	Mayenne-Maine	•						•			•				3 mois
Saint-paulin		France	Bretagne et Maine	•						•			•				2 mois
Saint-winoc		France	Flandre	•				•			•						2 mois
Tamié	Abbaye de Tamié	France	Massif des Bauges	•				•				•				•	2 mois
Trappe (abbaye de la Coudre)		France	Maine	•						•		•				•	1 mois
Trappe d'Échourgnac		France	Périgord	•						•		•				•	3 mois
Troisvaux		France	Ternois	•				•				•					2 mois
Crimlin		Irlande		•						•			•				2 mois
Cushlee		Irlande		•						•			•				2 mois
Ridder		Norvège		•						•			•				2 mois
Celtic promise		Pays de Galles	Carmarthenshire	•				•				•					2 mois
Saint David's		Pays de Galles	Monmouthshire	•						•		•					2 mois
Ridder		Suède		•						•			•				2 mois

La famille Gruyère
et fromages apparentés

Originaires du pays de Fribourg, ces fromages, qui présentent parfois des petits trous, ont été conçus pour de longs affinages : le caillé est cuit et pressé pour extraire le maximum d'humidité. Leurs arômes se développent très lentement mais intensément.

Fromage	Autres noms	Pays	Terroir d'origine	Race				Lait			Produit			Label			Affinage optimal
				Vache	Chèvre	Brebis	Bufflonne	Cru	Thermisé	Pasteurisé	Fermier	Artisanal	Industriel	AOC-AOP	IGP	Monastic	
Allgäuer bergkäse	Alpkäse	Allemagne	Bavière	•				•		•		•	•	•			1 an
Heidi gruyère		Australie	Tasmanie	•						•		•					18 mois
Bergkäse		Autriche		•				•				•					1 an
Beaufort		France	Beaufortin - Tarentaise - Maurienne	•				•			•	•		•			12 mois
Brouère, Le		France	Nord-Est	•						•			•				2 mois
Comté	Gruyère de comté	France	Massif jurassien	•				•				•		•			18 mois
Graviera		Grèce	Épire, Crète	•						•			•				6 mois
Favorel		Hollande		•						•			•				6 mois
Gabriel		Irlande	Cork	•				•				•					9 mois
Asiago		Italie	Nord-Est	•				•				•		•			18 mois
Asiago d'Allevo	Asiago d'Allievo	Italie	Nord-Est	•				•				•					18 mois
Asiago grasso di monte		Italie	Nord-Est	•				•				•					18 mois
Asiago pressato	Pressato	Italie	Nord-Est	•				•		•			•				1 mois
Bergkäse		Italie	Alpes	•				•		•		•					6 mois
Latteria		Italie	Frioul, Trentin, Vénitie, Lombardie	•				•		•		•					1 an
Montasio		Italie	Vénitie-Frioul	•				•		•		•	•	•			1 an
Monte veronese		Italie	Vénitie	•				•				•		•			2 ans
Puzzone di moena		Italie	Trentin	•				•				•					1 an
Silter		Italie	Lombardie	•				•				•					1 an
Ubriaco		Italie	Vénétie	•				•		•		•					6 mois
Vezzena		Italie	Trentin	•				•		•		•					2 ans
Étivaz, L'		Suisse	Canton de Vaud	•				•			•			•			18 mois
Fribourg		Suisse	Suisse romande	•				•				•					18 mois
Gruyère		Suisse	Suisse romande	•				•				•		•			18 mois
Rebibes		Suisse		•				•				•					3 ans
Spalen	Spalenkäse	Suisse	Suisse centrale	•				•				•					6 mois
Tête-de-moine	Bellelay	Suisse	Jura bernois	•				•				•		•			6 mois

La famille Manchego

et fromages apparentés

Les tommes dures de brebis sont une grande spécialité de la péninsule ibérique. Elles peuvent allègrement se conserver jusqu'à deux ans, mais seules les meilleures ne deviennent pas piquantes.

Fromage	Autres noms	Pays	Terroir d'origine	Race				Lait			Produit			Label			Affinage optimal
				Vache	Chèvre	Brebis	Bufflonne	Cru	Thermisé	Pasteurisé	Fermier	Artisanal	Industriel	AOC-AOP	IGP	Monastic	
Berkswell		Angleterre	Midlands			•		•			•						3 mois
Duddleswell		Angleterre	Sussex			•		•				•					4 mois
Friesla		Angleterre	Devon			•				•	•						3 mois
Leafield		Angleterre	Oxfordshire			•				•		•					2 mois
Malvern		Angleterre	Hereford-Worcester			•		•				•					4 mois
Tala		Angleterre	Cornouailles			•		•			•						6 mois
Tyning		Angleterre	Avon			•		•			•						1 an
Cairnsmore		Écosse	Dumfries-Galloway			•		•				•					1 an
Aralar		Espagne	Pays basque			•		•				•	•				6 mois
Castellano		Espagne	Castille-Leon			•		•			•	•	•				6 mois
Gorbea		Espagne	Pays basque			•		•				•	•				6 mois
Grazamela		Espagne	Région de Cadix			•		•		•		•	•				6 mois
Idiazábal		Espagne	Pays basque			•		•			•	•		•			6 mois
Manchego		Espagne	Manche			•		•		•	•	•	•	•			1 an
Manchego an aceite		Espagne	Manche			•		•		•		•	•				6 mois
Orduña		Espagne	Pays basque			•		•				•	•				6 mois
Oropesa de Tolède		Espagne	Région de Tolède			•		•		•		•	•				6 mois
Pedroches de Cordoue		Espagne	Région de Cordoue			•		•		•		•	•				6 mois
Queso iberico		Espagne	Centre	•	•	•				•		•	•				4 mois
Roncal		Espagne	Navarre			•		•			•	•	•	•			1 an
Serena		Espagne	Andalousie-Cordoue			•		•		•		•	•	•			6 mois
Sierra de zuheros		Espagne	Estrémadure			•		•		•	•	•					6 mois
Urbasa		Espagne	Pays basque			•		•				•	•				6 mois
Urbia		Espagne	Pays basque			•		•				•	•				6 mois
Zamorano		Espagne	Castille-Léon			•		•				•		•			6 mois
Abbaye de Belloc		France	Pays basque			•				•		•	•				6 mois
Ardi-gasna	Iraty	France	Pays basque			•		•			•						18 mois
Arnéguy		France	Pyrénées			•		•				•					6 mois
Aulus		France	Ariège	•				•			•						6 mois
Cayolar		France	Pays basque			•		•				•					6 mois
Cierp de Luchon		France	Ariège	•				•			•						6 mois
Etorki		France	Sud-Ouest			•				•			•				2 mois
Laruns		France	Pyrénées			•		•				•					6 mois
Lavort	Médiéval	France	Auvergne			•		•			•						3 mois
Matocq		France	Pyrénées	•		•		•				•					6 mois
Ossau-iraty		France	Béarn-Pays basque			•		•	•	•	•	•	•	•			6 mois
Oustet		France	Ariège	•				•			•						6 mois
Saint-lizier		France	Ariège	•				•			•	•					6 mois
Tardets		France	Pyrénées			•		•				•					6 mois
Tomme de brebis corse		France	Corse			•		•			•	•					3 mois
Tomme de brebis de Camargue		France	Camargue			•		•			•						1 an
Tomme des Grands Causses		France	Rouergue			•		•			•						8 mois
Tommette du Pays Basque		France	Pays basque			•			•			•	•				1 mois
Tourmalet		France	Béarn			•		•				•					2 mois
Canestrato pugliese		Italie	Pouilles			•		•		•		•		•			1 an
Formaggio di fossa		Italie	Emilie-Romagne-Marche	•		•		•		•		•					3 mois
Formaggio di Grotta Sulfurea		Italie	Emilie-Romagne			•		•				•					6 mois
Pecorine lucano		Italie	Basilicate		•	•		•				•					3 mois
Pecorino di filiano		Italie	Basilicate		•	•		•				•					3 mois
Pecorino di moliterno	Canestrato di moliterno	Italie	Basilicate		•	•		•				•					3 mois
Pecorino di pienza		Italie	Toscane			•		•				•					6 mois
Pecorino « foja de noce »	Pecorino di Montefeltro, Caciotta di Montefeltro	Italie	Marche			•		•				•					2 mois
Pecorino romano		Italie	Lazio-Sardaigne-Toscane			•		•	•			•		•			9 mois
Pecorino sardo	Fiore sardo-Pecorino fiore sardo	Italie	Sardaigne			•		•				•		•			6 mois
Pecorino siciliano	Canestrato siciliano	Italie	Sicile			•		•		•	•	•		•			6 mois
Pecorino toscano	Pecorino toscanello	Italie	Toscane			•		•		•	•	•	•	•			6 mois
Piacintinu		Italie	Sicile			•		•				•					2 mois
Acorn		Pays de Galles	Cardiganshire			•		•				•					6 mois
Cwmtawe pecorine		Pays de Galles	Swansea			•		•			•						6 mois
Evora		Portugal			•	•		•			•	•		•			4 mois

La famille Emmental
et fromages apparentés

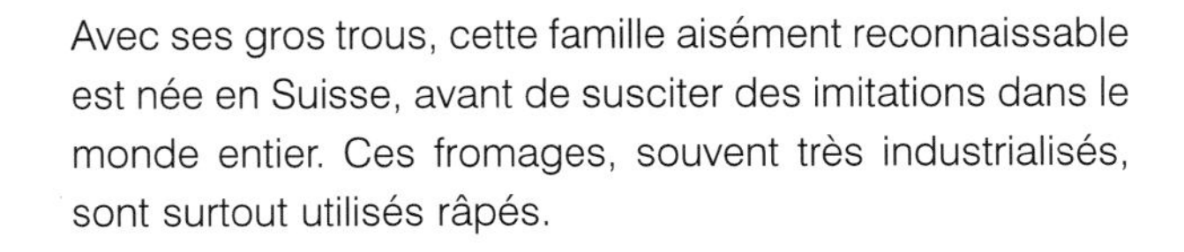

Avec ses gros trous, cette famille aisément reconnaissable est née en Suisse, avant de susciter des imitations dans le monde entier. Ces fromages, souvent très industrialisés, sont surtout utilisés râpés.

				Race				Lait			Produit			Label			
Fromage	**Autres noms**	**Pays**	**Terroir d'origine**	**Vache**	**Chèvre**	**Brebis**	**Bufflonne**	**Cru**	**Thermisé**	**Pasteurisé**	**Fermier**	**Artisanal**	**Industriel**	**AOC-AOP**	**IGP**	**Monastic**	**Affinage optimal**
Alpsberg		Allemagne		•						•			•				6 mois
Emmental bavarois	Allgäuer Emmentaler	Allemagne	Bavière	•						•			•	•			4 mois
Emmental autrichien		Autriche		•						•			•				4 mois
Murbodner		Autriche		•						•			•				4 mois
Tiroler alpkäse		Autriche		•				•		•			•	•			6 mois
Colombier des Aillons		France	Bauges	•	•			•		•	•	•					2 mois
Emmental de Savoie		France	Haute-Savoie - Savoie	•				•					•		•		6 mois
Emmental français		France	Savoie-Haute-Savoie	•				•	•	•		•	•				6 mois
Emmental grand cru		France	Franche-Comté-Savoie	•				•					•				6 mois
Leerdamer		Hollande	Sud	•						•			•				1 mois
Maasdamer	Maasdam	Hollande		•						•			•				1 mois
Jarlsberg		Norvège		•						•			•				6 mois
Grevéost	Grevé	Suède		•						•			•				1 an
Emmental		Suisse	Vallée de l'Emme	•				•				•					1 an

La famille Gorgonzola
et fromages apparentés

Ces bleus présentent une texture beaucoup plus crémeuse que celle des fromages du type Stilton. Leur goût est en général moins affirmé, sans doute aussi parce que leur production est désormais très industrialisée.

				Race				Lait			Produit			Label			
Fromage	**Autres noms**	**Pays**	**Terroir d'origine**	**Vache**	**Chèvre**	**Brebis**	**Bufflonne**	**Cru**	**Thermisé**	**Pasteurisé**	**Fermier**	**Artisanal**	**Industriel**	**AOC-AOP**	**IGP**	**Monastic**	**Affinage optimal**
Bayerhofer blue		Allemagne	Bavière	•						•			•				2 mois
Bleu de Bavière		Allemagne	Bavière	•						•			•				1 mois
Cambozola		Allemagne		•						•			•				1 mois
Montagnolo		Allemagne		•						•			•				2 mois
Exmoor blue		Angleterre	Somerset	•	•	•		•			•				•		2 mois
Lymeswold		Angleterre		•						•			•				2 mois
Gippsland blue		Australie	Victoria	•						•		•					3 mois
Milawa blue		Australie	Victoria	•						•		•					3 mois
Mycella		Danemark		•						•			•				2 mois
Dunsyre blue		Écosse	Lanarkshire	•				•				•					3 mois
Bleu de Bresse	Bresse bleu	France		•						•			•				2 mois
Bleu du Vercors-Sassenage		France	Vercors	•				•		•	•		•	•			3 mois
Montbriac		France	Auvergne	•						•		•					15 jours
Saingorlon		France		•						•			•				2 mois
Saint-agur		France	Forez	•						•			•				1 mois
Bavaria blu		Italie		•						•			•				1 mois
Dolcelatte		Italie	Lombardie	•						•			•				3 mois
Dolcelatte torta		Italie	Lombardie	•						•			•				1 mois
Gorgonzola		Italie	Piémont-Lombardie	•						•		•	•	•			4 mois

La famille Parmigiano reggiano

et fromages apparentés

Grande spécialité italienne, ces fromages à texture extradure, sèche et granuleuse sont destinés en priorité à relever de leur goût affirmé de multiples plats. Certains peuvent être affinés jusqu'à quatre ans !

Fromage	Autres noms	Pays	Terroir d'origine	Race				Lait			Produit			Label			Affinage optimal
				Vache	Chèvre	Brebis	Bufflonne	Cru	Thermisé	Pasteurisé	Fermier	Artisanal	Industriel	AOC-AOP	IGP	Monastic	
Parmesello		Allemagne		•						•			•				6 mois
Creusois		France	Limousin Marche	•				•		•	•						6 mois
Mizen		Irlande	Cork	•				•				•					1 an
Bagos		Italie	Lombardie	•				•				•					1 an
Bitto		Italie	Lombardie	•				•				•		•			1 an
Grana		Italie	Nord	•				•		•		•	•				18 mois
Grana padano		Italie	Italie du Nord-Plaine du Pô	•				•				•	•	•			2 ans
Grana trentino		Italie	Trentin	•				•				•					2 ans
Parmigiano reggiano		Italie	Lombardie - Emilie-Romagne	•				•				•	•	•			3 ans
Västerbottenost	Västerbotten	Suède	Botnie	•						•			•				1 an
Saanen	Hobelkäse	Suisse	Fribourg	•				•				•					2 ans
Sbrinz		Suisse	Suisse centrale	•				•				•					18 mois
Schabzieger	Sapsago (Suisse romande) - Kraüterkäse (Suisse alémanique)	Suisse	Suisse orientale	•				•		•		•					2 mois

La famille Raclette

et fromages apparentés

Produites historiquement dans des zones moins enclavées que les gruyères, ces meules à texture souple présentent un goût moins affirmé. Le caillé est moins chauffé, et ces fromages se dégustent plus rapidement, principalement en raclette.

Fromage	Autres noms	Pays	Terroir d'origine	Race				Lait			Produit			Label			Affinage optimal
				Vache	Chèvre	Brebis	Bufflonne	Cru	Thermisé	Pasteurisé	Fermier	Artisanal	Industriel	AOC-AOP	IGP	Monastic	
Cave cheese		Danemark		•						•			•				4 mois
Danbo		Danemark		•						•			•				6 mois
Elbo		Danemark		•						•			•				6 mois
Fynbo		Danemark		•						•			•				6 mois
Samsø		Danemark		•						•			•				6 mois
Tybo		Danemark		•						•			•				6 mois
Abondance	Tomme d'Abondance	France	Haute-Savoie - Chablais	•				•			•	•	•	•			6 mois
Morbier	Faux septmoncel	France	Franche-Comté	•				•		•	•	•	•	•			4 mois
Raclette		France	Alpes	•				•		•	•	•	•				2 mois
Almkäse		Italie	Province de Bolzano	•				•				•					1 an
Fontal		Italie	Val d'Aoste	•						•			•				3 mois
Fontella		Italie	Val d'Aoste	•						•			•				3 mois
Fontina		Italie	Val d'Aoste	•				•			•	•		•			6 mois
Fontinella		Italie	Val d'Aoste	•						•			•				3 mois
Formai de mut dell'alta val brembana		Italie	Lombardie	•				•				•		•			6 mois

Fromage	Autres noms	Pays	Terroir d'origine	Race				Lait			Produit			Label			Affinage optimal
				Vache	Chèvre	Brebis	Bufflonne	Cru	Thermisé	Pasteurisé	Fermier	Artisanal	Industriel	AOC-AOP	IGP	Monastic	
Mezzapasta		Italie	Piémont	●				●		●		●					1 an
Ossalano bettelmatt		Italie	Piémont, vallée d'Ossola	●				●				●					1 an
Herrgårdsost		Suède		●						●	●	●	●				6 mois
Anniviers		Suisse		●				●				●					6 mois
Appenzell		Suisse	Canton d'Appenzell	●				●				●					3-6 mois
Bagnes		Suisse		●				●				●					6 mois
Conches		Suisse		●				●				●					6 mois
Forclaz		Suisse		●				●				●					6 mois
Gomser		Suisse		●				●				●					6 mois
Orsières		Suisse		●				●				●					6 mois
Raclette (fromage à)		Suisse		●						●		●	●				6 mois
Rasskaas		Suisse	Canton d'Appenzell	●				●				●					6 mois
Saint-Niklauss		Suisse		●				●				●					6 mois
Schweizer mutschli		Suisse		●				●				●					3 mois
Tilsit	Royalp	Suisse	Saint-Gall-Thurgovie	●				●		●		●					6 mois
Vacherin fribourgeois		Suisse	Valais	●				●		●		●					6 mois
Valais	Raclette du Valais (fromage à)	Suisse	Valais	●				●				●					6 mois

La famille Stilton
et fromages apparentés

Les fromages à pâte veinée de moisissure bleue forment une famille prolifique depuis que des fromagers (sans doute auvergnats) ont compris comment obtenir systématiquement du « bleu ». À cet effet, ils percent notamment les fromages de fines aiguilles.

Fromage	Autres noms	Pays	Terroir d'origine	Race				Lait			Produit			Label			Affinage optimal
				Vache	Chèvre	Brebis	Bufflonne	Cru	Thermisé	Pasteurisé	Fermier	Artisanal	Industriel	AOC-AOP	IGP	Monastic	
Bergader		Allemagne		●						●			●				2 mois
Blue bayou		Allemagne	Bavière	●						●			●				3 mois
Edelpilzkäse		Allemagne		●		●				●			●				3 mois
Montsalvat		Allemagne		●						●			●				2 mois
Paladin		Allemagne		●						●			●				2 mois
Blue Cheshire		Angleterre	Shropshire	●				●		●			●				4 mois
Blue vinny	Blue veiny - Dorset blue	Angleterre	Dorset	●						●			●				2 mois
Blue Wensleydale		Angleterre	Yorkshire	●						●			●				2 mois
Buxton blue		Angleterre	Derbyshire	●						●			●	●			3 mois
Devon blue		Angleterre	Devon	●				●				●					3 mois
Dovedale blue		Angleterre		●						●			●	●			3 mois
Oxford blue		Angleterre	Oxfordshire	●						●		●					3 mois
Shropshire blue		Angleterre	Chesire	●						●			●				3 mois
Stilton	Blue stilton- White stilton	Angleterre	Comté de Leicestershire	●						●		●	●	●			6 mois
Bla Castello	Castello blue	Danemark		●						●			●				3 mois
Danablu	Danish blue cheese - Danblue - Marmora	Danemark		●						●			●		●		3 mois
Jutland blue		Danemark		●						●			●				2 mois
Layered blue		Danemark		●						●			●				2 mois
Mellow blue		Danemark		●						●			●				2 mois
American blue		États-Unis		●						●			●				2 mois
Blue cheese		États-Unis		●						●			●				3 mois
Maytag blue		États-Unis	Iowa	●				●				●					6 mois
Aura		Finlande		●						●			●				2 mois
Bleu d'Auvergne		France	Auvergne	●				●	●	●			●	●			6 mois
Bleu de Bonneval		France	Vallée de Bonneval - Haute-Maurienne	●				●				●					2 mois
Bleu de Brissac		France	Auvergne	●				●				●					6 mois
Bleu de Cayres		France	Auvergne	●				●				●					6 mois

Fromage	Autres noms	Pays	Terroir d'origine	Race				Lait			Produit			Label			Affinage optimal
				Vache	Chèvre	Brebis	Bufflonne	Cru	Thermisé	Pasteurisé	Fermier	Artisanal	Industriel	AOC-AOP	IGP	Monastic	
Bleu de Costaros		France	Auvergne	●				●			●						3 mois
Bleu de Gex	Bleu du Haut-Jura - Bleu de Septmoncel	France	Franche-Comté	●				●				●	●	●			2 mois
Bleu de la Planèze		France	Auvergne	●				●				●					6 mois
Bleu de Langeac		France	Auvergne	●				●				●					2 mois
Bleu de Laqueuille		France	Auvergne	●						●	●	●	●				3 mois
Bleu de Loudès		France	Auvergne	●				●				●					2 mois
Bleu de Pontgibaud		France	Auvergne	●				●				●					6 mois
Bleu de Thiézac		France	Auvergne	●				●				●					6 mois
Bleu de Tulle		France	Auvergne	●				●				●					6 mois
Bleu des Causses		France	Aveyron-Lot-Lozère-Gard-Hérault	●				●	●	●		●	●	●			6 mois
Bleu du col Bayard	Petit bayard	France	Dauphiné-Provence	●				●				●					1 mois
Bleu du Quercy		France	Quercy	●						●			●				3 mois
Carré d'Aurillac		France	Auvergne	●						●	●						1 mois
Fourme d'Ambert		France	Auvergne	●				●	●	●	●	●	●	●			4 mois
Fourme de la Pierre-sur-Haute		France	Auvergne	●				●				●	●				4 mois
Fourme de Montbrison		France	Auvergne	●				●	●	●	●	●	●	●			4 mois
Fourme du Forez		France	Forez	●				●	●	●		●					4 mois
Velay	Fromage aux artisons	France	Auvergne	●				●			●						3 mois
Cashel blue	Cashel irish blue	Irlande	Tipperary	●						●	●						4 mois
Strachitùnd	Erborinato di artavaggio	Italie	Lombardie-Val Taleggio	●				●		●		●	●				3 mois
Oryzae		Japon		●						●			●				1 mois
Adelost	Ædelost	Suède		●						●			●				2 mois

La famille Brillat-savarin

et fromages apparentés

Les doubles-crèmes et triples-crèmes sont le « foie gras du fromage », a-t-on coutume de dire. Ces produits ne lésinent pas sur l'ajout de crème pour enrober le palais de leur très généreuse pâte, à la texture satinée.

Fromage	Autres noms	Pays	Terroir d'origine	Race				Lait			Produit			Label			Affinage optimal
				Vache	Chèvre	Brebis	Bufflonne	Cru	Thermisé	Pasteurisé	Fermier	Artisanal	Industriel	AOC-AOP	IGP	Monastic	
Double cream cheese		Angleterre		●						●		●	●				1 mois
Finn		Angleterre	Herford-Worcester	●				●			●						1 mois
Prince Jean		Belgique		●						●		●					1 mois
Bonde	Bondard - Bondon	France	Normandie	●				●		●	●	●					1 mois
Bouille		France	Normandie	●						●		●					2 mois
Boursault		France	Brie	●						●			●				1 mois
Brillat-savarin		France	Normandie-Bourgogne	●				●	●	●		●	●				1 mois
Châteaubriand	Magnum	France	Normandie	●						●		●	●				2 mois
Clovis		France	Bourgogne	●						●		●					1 mois
Croupet		France	Normandie-Bourgogne	●						●			●				3 semaines
Délice de Pommard		France	Bourgogne	●						●		●					2 semaines
Délice de Saint-Cyr		France	Brie-Bourgogne	●					●	●			●				1 mois
Excelsior		France	Pays de Bray	●						●		●	●				2 mois
Explorateur		France	Île-de-France	●				●				●	●				3 semaines
Fin-de-siècle		France	Normandie - Pays de Bray	●						●		●					3 semaines
Fromage de Monsieur	Monsieur fromage	France	Normandie - Calvados	●						●			●				3 semaines
Grand Vatel		France	Bourgogne	●						●		●					1 mois
Gratte-paille		France	Brie	●				●				●					1 mois
Lucullus		France	Brie	●						●			●				3 semaines
Pierre-Robert		France	Brie	●				●				●					1 mois
Royal briard		France	Île-de-France	●						●		●					6 semaines
Saint-gildas-des-bois		France	Bretagne	●						●		●					1 mois
Suprême		France	Normandie	●						●		●	●				2 mois

La famille Cabrales
et fromages apparentés

Les bleus de chèvre constituent une très petite famille dont l'épicentre se trouve en Espagne. Le bleu apparaît plutôt sous forme de marbrures, de manière assez inégale. Leur goût est inimitable !

Fromage	Autres noms	Pays	Terroir d'origine	Race: Vache	Race: Chèvre	Race: Brebis	Race: Bufflonne	Lait: Cru	Lait: Thermisé	Lait: Pasteurisé	Produit: Fermier	Produit: Artisanal	Produit: Industriel	Label: AOC-AOP	Label: IGP	Label: Monastic	Affinage optimal
Beenleigh Blue		Angleterre	Devon		•	•		•				•					8 mois
Harbourne blue		Angleterre	Devon		•			•				•					2 mois
Chèvre-Noit		Canada (Québec)	Cantons-de-l'Est		•					•		•					3 mois
Cabrales	Cabraliego	Espagne	Asturie	•	•	•		•	•		•	•		•			6 mois
Gamonedo		Espagne	Gamoneu		•			•			•	•					6 mois
Picón		Espagne	Monts Cantabriques	•	•	•		•				•					3 mois
Picos de Europa		Espagne	Monts Cantabriques	•	•	•		•		•	•	•					3 mois
Champignon de luxe		France		•						•			•				1 mois
Blue rathgore		Irlande	Nord		•					•			•				6 mois

La famille Roquefort
et fromages apparentés

Le plus glorieux des bleus tire du lait de brebis un supplément de fougue et de puissance qui le distingue aisément des bleus au lait de vache. Quel dommage de le destiner parfois à la confection de sauces !

Fromage	Autres noms	Pays	Terroir d'origine	Race: Vache	Race: Chèvre	Race: Brebis	Race: Bufflonne	Lait: Cru	Lait: Thermisé	Lait: Pasteurisé	Produit: Fermier	Produit: Artisanal	Produit: Industriel	Label: AOC-AOP	Label: IGP	Label: Monastic	Affinage optimal
Yorkshire blue		Angleterre	Yorkshire			•				•	•						2 mois
Meredith blue		Australie	Victoria			•				•		•					2 mois
Bleu de la Moutonnière		Canada (Québec)	Bois-Francs			•				•		•					4 mois
Lanark blue		Écosse	Lanarkshire			•		•			•	•					3 mois
Bleu de Brach	Tomme de Brach	France	Limousin			•		•				•					3 mois
Bleu de Corse		France	Corse			•		•			•	•					2 mois
Bleu de Séverac		France	Aveyron			•		•			•						3 mois
Roquefort		France	Rouergue			•		•			•	•	•	•			6 mois

La famille Termignon
et fromages apparentés

Cette famille restreinte est issue d'une recette très particulière qui consiste à faire recuire le caillé. Le goût est assez acide, le bleu apparaît spontanément, de manière irrégulière, sous forme de veinures et de marbrures.

Fromage	Autres noms	Pays	Terroir d'origine	Race: Vache	Race: Chèvre	Race: Brebis	Race: Bufflonne	Lait: Cru	Lait: Thermisé	Lait: Pasteurisé	Produit: Fermier	Produit: Artisanal	Produit: Industriel	Label: AOC-AOP	Label: IGP	Label: Monastic	Affinage optimal
Bleu de Termignon		France	Haute-Maurienne	•				•			•						6 mois
Castelmagno		Italie	Piémont	•	•	•		•			•	•		•			6 mois
Murianengo		Italie	Piémont	•	•			•			•						6 mois

La famille Chabichou

et fromages apparentés

La forme de tour ou de bonde, plus ou moins ramassée, est très fréquente pour les fromages de chèvre. Ceux-là s'affinent généralement en devenant secs (caillé lactique).

				Race				Lait			Produit			Label			
Fromage	**Autres noms**	**Pays**	**Terroir d'origine**	**Vache**	**Chèvre**	**Brebis**	**Bufflonne**	**Cru**	**Thermisé**	**Pasteurisé**	**Fermier**	**Artisanal**	**Industriel**	**AOC-AOP**	**IGP**	**Monastic**	**Affinage optimal**
Capricorn Goat		Angleterre	Somerset		•					•			•				1 mois
Chabis sussex goat cheese		Angleterre	Sussex		•			•			•						1 mois
Autun		France	Bourgogne	•	•			•			•						15 jours
Bonde de gâtine		France	Deux-Sèvres		•			•		•	•						1 mois
Bouca		France	Centre		•			•			•						15 jours
Bressan		France	Bresse	•	•			•			•						2 semaines
Cabardès		France	Aude		•			•			•						1 mois
Chabichou du Poitou		France	Haut-Poitou		•			•	•	•	•	•	•	•			1 mois
Charolais	Charolles	France	Bourgogne - Charolais	•	•			•			•	•					1 mois
Civray		France	Poitou-Charentes		•			•			•						2 semaines
Clacbitou		France	Bourgogne		•			•			•	•					1 mois
Cornilly		France	Berry		•			•				•					3 semaines
Dornecy		France	Nivernais		•			•			•						1 mois
Fourme de chèvre de l'Ardèche		France	Rhône-Alpes		•			•			•						2 mois
Gien		France	Orléanais	•	•			•			•	•					1 mois
Mâconnais	Chevreton de Mâcon Cabrion de Mâcon	France	Bourgogne - Région de Mâcon	•	•			•			•	•					2 semaines
Montoire		France	Orléanais		•			•			•						3 semaines
Montrachet		France	Bourgogne		•			•		•	•						3 semaines
Troo		France	Orléanais		•			•			•						3 semaines
Villageois		France	Charentes		•			•			•	•					3 semaines
Villiers-sur-Loir		France	Orléanais		•			•			•						3 semaines
Mine-Gabhar		Irlande	Wexford		•			•			•						1 mois

La famille Sainte-maure

et fromages apparentés

Cette famille doit sans doute sa popularité à sa forme très pratique pour le découpage. Il s'agit presque toujours de fromages à caillé lactique, qui se dessèchent progressivement.

				Race				Lait			Produit			Label			
Fromage	**Autres noms**	**Pays**	**Terroir d'origine**	**Vache**	**Chèvre**	**Brebis**	**Bufflonne**	**Cru**	**Thermisé**	**Pasteurisé**	**Fermier**	**Artisanal**	**Industriel**	**AOC-AOP**	**IGP**	**Monastic**	**Affinage optimal**
Golden Cross		Angleterre	Sussex		•			•				•					1 mois
Rosary Plain		Angleterre	Wilthsire		•			•			•						2 semaines
Bouchon lyonnais		France	Lyonnais		•			•			•						1 mois
Bûchette d'Anjou		France	Anjou		•			•				•					15 jours
Bûchette de Banon		France	Provence		•			•			•						1 semaine
Chouzé		France	Berry		•					•			•				3 semaines
Graçay		France	Berry		•			•				•					1 mois
Île d'Yeu		France	Île d'Yeu		•			•			•						1 mois
Joug		France	Berry		•			•			•	•					1 mois
Ligueil		France	Berry		•					•			•				3 semaines
Loches		France	Berry		•					•			•				3 semaines
Saint-loup		France	Berry		•					•			•				3 semaines
Sainte-maure		France			•			•		•	•	•	•				15 jours
Sainte-maure-de-Touraine		France	Touraine		•			•			•	•		•			1 mois
Tournon-saint-pierre		France	Touraine		•			•			•						1 mois
Vazerac		France	Quercy		•			•			•						3 semaines

La famille Brique du Forez
et fromages apparentés

Généralement fabriqués à partir d'un caillé présure, ces fromages deviennent, contrairement aux précédents, crémeux en s'affinant. Et ce d'autant plus que leur épaisseur est faible. Leur goût est assez doux.

				Race				Lait			Produit			Label			
Fromage	Autres noms	Pays	Terroir d'origine	Vache	Chèvre	Brebis	Bufflonne	Cru	Thermisé	Pasteurisé	Fermier	Artisanal	Industriel	AOC-AOP	IGP	Monastic	Affinage optimal
Brique ardéchoise		France	Ardèche		●			●			●						1 mois
Brique du bas Quercy		France	Rouergue			●		●			●						1 mois
Brique du Forez		France	Monts du Forez	●	●			●		●	●	●					1 mois
Brique du Livradois	Cabrion	France	Livradois	●	●					●	●						1 mois
Briquette d'Allanche		France	Cantal		●			●			●						3 semaines
Briquette de la Dombes		France	Dombes		●			●			●	●					2 semaines
Chêne		France	Quercy		●			●			●						2 semaines
Lingot ardéchois		France	Ardèche		●			●			●						1 mois
Lingot du Berry		France	Berry		●					●		●					1 mois
Rieumoise		France	Pyrénées		●			●			●						1 mois
Saint-Nicolas-de-la-Dalmerie		France	Haut-Languedoc		●			●			●						1 mois

La famille Bougor
et fromages apparentés

C'est l'imitation du camembert en version chèvre, avec une croûte fleurie blanche. La version moderne au lait pasteurisé est appelée, dans le jargon des professionnels, « chèvre boîte ».

				Race				Lait			Produit			Label			
Fromage	Autres noms	Pays	Terroir d'origine	Vache	Chèvre	Brebis	Bufflonne	Cru	Thermisé	Pasteurisé	Fermier	Artisanal	Industriel	AOC-AOP	IGP	Monastic	Affinage optimal
Bougon		France	Poitou-Charentes		●			●					●				2 semaines
Cathare		France	Laurageais		●			●			●						1 mois
Chabris		France	Touraine - Berry		●			●			●						1 mois
Mothe-saint-héray		France			●					●			●				1 mois
Saint-cyr		France	Poitou-Charentes		●					●			●				3 semaines

La famille Boulette
et fromages apparentés

Consommés généralement fraîches, les boulettes sont une grande spécialité du nord de la France. Il s'agit de fromages assez maigres, malaxés avec des épices et des aromates.

				Race				Lait			Produit			Label			
Fromage	Autres noms	Pays	Terroir d'origine	Vache	Chèvre	Brebis	Bufflonne	Cru	Thermisé	Pasteurisé	Fermier	Artisanal	Industriel	AOC-AOP	IGP	Monastic	Affinage optimal
Boulette de Charleroi		Belgique		●						●		●					Frais
Boulette de Namur		Belgique		●						●		●					Frais
Boulette de Romedenne		Belgique		●						●		●					Frais
Boulette d'Avesnes		France	Avesnois (Flandres)	●				●		●	●	●	●				3 mois
Boulette de Cambrai		France	Cambrésis	●				●		●	●	●					Frais
Boulette des moines		France	Bourgogne	●				●				●					Frais

La famille Carré du Tarn

et fromages apparentés

La forme carrée est plutôt en perte de vitesse auprès des consommateurs de fromage pour des raisons assez mystérieuses à comprendre. Voici quelques rescapés qui n'ont pas peur des angles.

Fromage	Autres noms	Pays	Terroir d'origine	Race				Lait			Produit			Label			Affinage optimal
				Vache	Chèvre	Brebis	Bufflonne	Cru	Thermisé	Pasteurisé	Fermier	Artisanal	Industriel	AOC-AOP	IGP	Monastic	
Cabra		France	Corse		•			•				•					6 semaines
Calenzana		France	Corse-du-Nord		•	•		•			•						3 mois
Carré de Chavignol		France	Centre		•			•				•					1 mois
Chèvrefeuille	Chèvre à la feuille	France	Deux-Sèvres		•			•				•					1 mois
Couhé-vérac		France	Poitou		•			•			•	•					1 mois
Curac	Pavé du Quercy	France	Quercy		•			•			•	•					15 jours
Fleur du maquis	Brindamour - Brin d'amour	France	Corse		•	•		•			•	•					3 mois
Fleury du col des Marousses		France	Pyrénées		•			•			•						6 semaines
Lauzeral		France	Quercy		•			•			•						1 mois
Mascaré		France	Provence		•	•		•				•					1 mois
Mouflon		France	Corse-du-sud - Calgese		•			•			•						3 mois
Pavé ardéchois		France	Ardèche		•			•			•						1 mois
Pavé blésois		France	Blois		•			•			•						1 mois
Pavé de Gâtine		France	Poitou-Charentes		•			•			•						1 mois
Pavé de la Ginestarie	Carré du Tarn-Pavé du Tarn	France	Albigeois		•			•			•						1 mois
Pavé des Dombes		France	Dombes		•	•		•			•	•					2 semaines
Saint-maixent		France	Poitou		•			•			•						1 mois
Sublime du Verdon		France	Verdon		•			•			•						1 mois
Tarnisa		France	Quercy		•			•				•					15 jours

La famille Chavignol

et fromages apparentés

Le crottin est né dans des zones viticoles pauvres où le peu de lait que les ouvriers agricoles obtenaient de leurs biquettes ne donnait pas matière à faire de gros fromages. Trapus et rustiques, ces fromages ont souvent une texture serrée.

Fromage	Autres noms	Pays	Terroir d'origine	Race				Lait			Produit			Label			Affinage optimal
				Vache	Chèvre	Brebis	Bufflonne	Cru	Thermisé	Pasteurisé	Fermier	Artisanal	Industriel	AOC-AOP	IGP	Monastic	
Bilou du Jura		France	Jura		•			•			•						10 jours
Bouchon de Sancerre		France	Sancerrois		•			•			•						1 mois
Cabécou de Thiers		France	Auvergne		•			•			•						1 mois
Caboin		France	Berry		•			•			•						3 semaines
Cathelain		France	Savoie		•			•			•						15 jours
Châtaignier		France	Quercy		•			•			•						3 semaines
Chèvroton du Bourbonnais		France	Bourbonnais	•	•			•			•						3 semaines
Crézancy	Sancerre	France	Sancerrois		•			•			•						1 mois
Crottin d'Ambert	Ambert	France	Auvergne		•			•			•						15 jours
Crottin de Chavignol	Chavignol	France	Cher-Loiret-Nièvre		•			•			•	•	•	•			1 mois
Lyonnais		France	Lyonnais		•			•			•						3 semaines
Marchal		France	Lorraine		•			•			•						15 jours
Quatre-vents		France	Dauphiné		•			•			•						3 semaines
Roncier		France	Vaucluse		•			•			•						2 semaines
Saint-amand-montrond		France	Sancerrois		•			•			•						1 mois
Santranges		France	Sancerrois		•			•			•						1 mois
Toucy		France	Bourgogne		•			•			•	•					15 jours
Vendômois		France	Vendômois		•			•			•						15 jours

La famille Bouton de culotte

et fromages apparentés

Ces fromages se destinent tout naturellement à l'apéritif. On peut les consommer soit frais, soit légèrement affinés. Il en existe des versions parfumées avec différentes herbes ou aromates.

Fromage	Autres noms	Pays	Terroir d'origine	Race				Lait			Produit			Label			Affinage optimal
				Vache	Chèvre	Brebis	Bufflonne	Cru	Thermisé	Pasteurisé	Fermier	Artisanal	Industriel	AOC-AOP	IGP	Monastic	
Grabetto		Australie	Victoria		•					•		•					1 mois
Apérobic		France	Bourgogne	•	•			•			•						10 jours
Baratte de chèvre		France	Bourgogne		•			•			•						10 jours
Bouton d'oc		France	Midi-Pyrénées		•			•			•						10 jours
Bouton de culotte		France	Bourgogne	•	•			•			•	•					15 jours
Caillou du Rhône		France	Macônnais		•			•			•	•					15 jours
Chevry		France	Saône-et-Loire		•			•			•	•					2 semaines
Gasconnades		France	Gers		•			•			•						1 semaine
Rigotton		France	Val-d'Oise		•			•			•						15 jours

La famille Cottage cheese

et fromages apparentés

Le lait de vache donne matière à une kyrielle de fromages à déguster frais, plus ou moins écrémés et parfois rallongés de crème fraîche ou mêlés d'herbes et aromates de toutes provenances.

Fromage	Autres noms	Pays	Terroir d'origine	Race				Lait			Produit			Label			Affinage optimal
				Vache	Chèvre	Brebis	Bufflonne	Cru	Thermisé	Pasteurisé	Fermier	Artisanal	Industriel	AOC-AOP	IGP	Monastic	
Dopplerahmfrischkäse		Allemagne		•						•			•				Frais
Körniger frischkäse		Allemagne		•						•			•				Frais
Quark	Speisequark	Allemagne	Bavière	•						•		•	•				Frais
Rahmfrischkäse		Allemagne		•						•			•				Frais
Schitkäse		Allemagne		•						•			•				Frais
Cambridge		Angleterre		•					•	•			•				Frais
Colwick cheese		Angleterre		•						•			•				Frais
Cornish pepper		Angleterre	Cornouailles	•						•		•					Frais
Lactic cheese		Angleterre		•						•			•				Frais
Paneer		Angleterre		•						•			•				Frais
Single cream cheese		Angleterre		•						•			•				Frais
York		Angleterre		•					•	•			•				Frais
Kugelkäse		Autriche	Danube	•				•				•					Frais
Sauerkäse		Autriche		•						•		•	•				Frais
Topfen		Autriche		•						•			•				Frais
Caboc		Écosse	Ross-Cromarty	•						•		•					Frais
Crowdie		Écosse	Ross-Cromarty	•						•	•						Frais
Afuega'l Pitu		Espagne	Asturies	•				•			•						Frais
Cream Cheese		États-Unis		•						•			•				Frais
Aligot	Tomme fraîche de l'Aubrac	France	Midi-Pyrénées-Rouergue-Auvergne	•				•		•	•	•	•				Frais
Bibbelkäse		France	Alsace	•						•		•					Frais
Boulamour		France		•				•				•					Frais
Boursin		France	Normandie	•						•			•				Frais
Cailles rennaises		France	Bretagne	•				•		•		•					Frais
Carré frais		France		•						•			•				Frais
Cervelle de canut	Claqueret lyonnais	France	Lyonnais	•						•		•	•				Frais
Chèvre frais du Berry		France	Berry	•				•			•						Frais

Fromage	Autres noms	Pays	Terroir d'origine	Race				Lait			Produit			Label			Affinage optimal
				Vache	Chèvre	Brebis	Bufflonne	Cru	Thermisé	Pasteurisé	Fermier	Artisanal	Industriel	AOC-AOP	IGP	Monastic	
Coulandon		France	Bourbonnais	●				●				●					Frais
Crémet nantais		France	Pays nantais	●				●		●	●	●	●				Frais
Demi-sel		France	Pays de Bray	●						●			●				Frais
Fontainebleau		France	Île-de-France	●				●		●		●					Frais
Fromage à la pie		France	Ouest	●				●		●		●					Frais
Gournay frais	Malakoff	France	Normandie	●						●		●					Frais
Jonchée niortaise		France	Poitou	●	●			●			●						Frais
Petit suisse		France		●						●			●				Frais
Poustagnac		France	Guyenne	●		●		●				●					Frais
Saint-florentin		France	Auxerrois	●						●		●	●				Frais
Saint-Moret		France		●						●			●				Frais
Samos 99		France		●						●			●				Frais
Ségalou		France	Quercy	●				●			●						Frais
Tartare		France		●						●			●				Frais
Quark		Hollande		●						●		●	●				Frais
Bresso		Italie		●				●				●					Frais
Crescenza		Italie	Lombardie	●						●		●	●				Frais
Giuncata		Italie	Italie du Sud	●		●		●		●		●	●				Frais
Graukäse		Italie	Tirol	●				●		●		●					Frais
Mascarpone		Italie	Lombardie	●						●		●	●				Frais
Murazzano		Italie	Piémont	●				●				●	●	●			Frais
Pannarello		Italie	Vénétie-Frioule	●						●		●	●				Frais
Prescinseûa		Italie	Gênes	●						●		●	●				Frais
Raviggiolo		Italie	Émilie-Romagne	●				●		●		●	●				Frais
Squacquerone		Italie	Émilie-Romagne	●						●		●	●				Frais
Stracchino		Italie	Lombardie	●						●		●					Frais
Cottage cheese		Universel		●				●	●	●		●	●				Frais
Fromage blanc		Universel		●				●	●	●	●	●	●				Frais
Fromage frais		Universel		●				●	●	●		●	●				Frais

La famille Rove des garrigues

et fromages apparentés

Les fromages frais au lait de chèvre sont pléthore. Contrairement au lait de brebis, le goût de chèvre s'exprime plus rapidement. On les déguste plus facilement tels quels, sans exhausteur de saveur.

Fromage	Autres noms	Pays	Terroir d'origine	Race				Lait			Produit			Label			Affinage optimal
				Vache	Chèvre	Brebis	Bufflonne	Cru	Thermisé	Pasteurisé	Fermier	Artisanal	Industriel	AOC-AOP	IGP	Monastic	
Button	Innes button	Angleterre	Staffordshire		●			●				●					Frais
Cerney		Angleterre	Gloucestershire		●			●				●					Frais
Perroche		Angleterre	Kent		●			●			●						Frais
Kervella		Australie	Ouest		●					●	●						Frais
Galloway goat's milk gems		Écosse	Dumfries-Galloway		●			●			●						Frais
Cabra del tietar		Espagne	Avila		●			●			●						Frais
Flor de oro		Espagne	Province de Valence	●	●	●		●			●	●					Frais
Queso de Murcia		Espagne	Murcie		●			●			●	●					Frais
Besace de pur chèvre		France	Savoie		●			●			●						Frais
Bouchée de chèvre		France	Centre		●			●				●					Frais
Brousse du Rove		France	Provence	●	●	●			●		●						Frais
Cabrette du Périgord		France	Aquitaine		●			●				●					Frais
Camisard		France	Cévennes		●			●				●					Frais
Champdenier		France	Poitou		●			●			●						Frais
Pastille de chèvre		France	Périgord		●			●			●						Frais
Petit frais de la ferme		France	Berry		●			●				●					Frais
Rove des garrigues		France	Languedoc-Roussillon		●			●				●					Frais
Cacioricotta		Italie	Sud		●			●			●						Frais
Caprini freschi		Italie			●			●			●	●					Frais
Pant ys gawn		Pays de Galles	Monmouthshire		●					●		●					Frais

La famille Persillé de la Tarentaise

et fromages apparentés

Cette famille de fromages au lait de chèvre, assez confidentielle, repose sur une vieille technique permettant de conserver plus longtemps les fromages en recuisant et broyant le caillé. Le bleu apparaît (ou non) de manière capricieuse.

				Race				Lait			Produit			Label			
Fromage	Autres noms	Pays	Terroir d'origine	Vache	Chèvre	Brebis	Bufflonne	Cru	Thermisé	Pasteurisé	Fermier	Artisanal	Industriel	AOC-AOP	IGP	Monastic	Affinage optimal
Bleu de Sainte-Foy		France	Rhône-Alpes	•	•			•			•						3 mois
Persillé de La Clusaz		France	Haute-Savoie	•	•			•			•						2 mois
Persillé de la haute Tarentaise		France	Haute-Tarentaise		•			•			•						3 mois
Persillé de la Tarentaise		France	Savoie - tarentaise		•			•			•						2 mois
Persillé de Thônes		France	Haute-Savoie	•	•			•			•						2 mois
Persillé de Tignes	Bleu de Tignes - Tignard	France	Savoie		•			•			•						3 mois
Persillé des Aravis		France	Haute-Savoie - Aravis		•			•			•						2 mois
Persillé du Grand-Bornand		France	Haute-Savoie	•	•			•			•						2 mois
Persillé du Mont-Cenis		France	Savoie	•	•			•			•						2 mois
Tarentais		France	Tarentaise		•			•			•						1 mois

La famille Pouligny-saint-pierre

et fromages apparentés

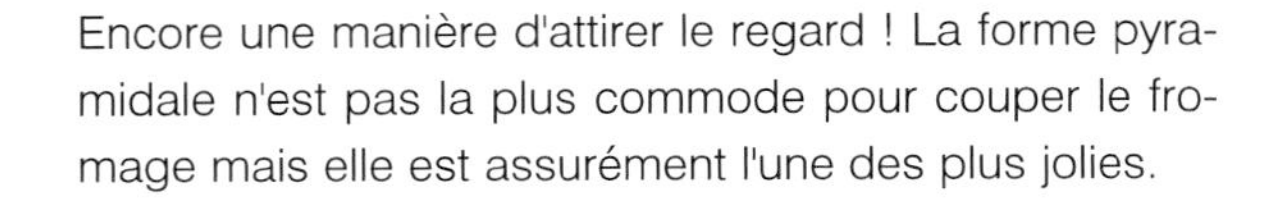

Encore une manière d'attirer le regard ! La forme pyramidale n'est pas la plus commode pour couper le fromage mais elle est assurément l'une des plus jolies.

				Race				Lait			Produit			Label			
Fromage	Autres noms	Pays	Terroir d'origine	Vache	Chèvre	Brebis	Bufflonne	Cru	Thermisé	Pasteurisé	Fermier	Artisanal	Industriel	AOC-AOP	IGP	Monastic	Affinage optimal
Tymsboro		Angleterre	Avon		•			•			•						1 mois
Chavroux		France			•					•			•				1 semaine
Chef boutonne		France	Poitou-Charentes		•			•			•	•					1 mois
Levroux		France	Touraine - Berry		•			•		•			•				1 mois
Pouligny-saint-pierre	Tour Eiffel	France	Indre - Berry		•			•			•			•			1 mois
Tournon Saint-Martin		France	Berry		•			•			•						1 mois
Valençay	Levroux	France	Touraine - Berry		•			•			•		•	•			1 mois

La famille Dôme du Poitou

et fromages apparentés

Cette famille assez récente a choisi une forme originale qui semble promise à une grande avenir. En matière de fromages de chèvre, de fabrication souvent très proche, c'est parfois la forme qui peut faire la différence !

				Race				Lait			Produit			Label			
Fromage	Autres noms	Pays	Terroir d'origine	Vache	Chèvre	Brebis	Bufflonne	Cru	Thermisé	Pasteurisé	Fermier	Artisanal	Industriel	AOC-AOP	IGP	Monastic	Affinage optimal
Dôme		France	Berry		•			•			•	•					3 semaines
Dôme du Poitou		France	Poitou		•			•				•					1 mois
Petit fermier		France	Provence		•			•			•						3 semaines
Taupinière des Charentes		France	Poitou-Charentes		•			•			•						3 semaines
Truffe de Valensole		France	Haute-Provence		•			•			•						3 semaines

La famille Chèvres fantaisie

et fromages apparentés

En forme de cœur, de triangle, de tétraèdre, de goutte d'eau, de cloche…, ces fromages ont toujours un franc succès sur un plateau. Ces curiosités sont à découvrir lorsque leur forme n'est pas le seul motif d'achat.

Fromage	Autres noms	Pays	Terroir d'origine	Race				Lait			Produit			Label			Affinage optimal
				Vache	Chèvre	Brebis	Bufflonne	Cru	Thermisé	Pasteurisé	Fermier	Artisanal	Industriel	AOC-AOP	IGP	Monastic	
Cabrigan		France	Haute-Provence		●			●			●						3 semaines
Chevrion		France	Agenais		●			●			●						1 mois
Clochette		France	Charente		●			●			●						2 semaines
Cœur d'Alvignac		France	Périgord		●			●				●					2 semaines
Cœur de chèvre cendré		France	Centre		●			●				●					2 semaines
Cœur de Saint-Félix		France	Lauragais		●			●			●						3 semaines
Cœur du Berry		France	Berry		●			●				●					2 semaines
Cœur Téotski		France	Tarn		●			●			●						3 semaines
Goutte		France	Agenais		●			●			●						2 semaines
Tétoun		France	Haute-Provence-Plateau de Valensole		●			●			●						15 jours
Tricorne de Marans		France	Poitou	●	●	●		●			●						15 jours
Trois cornes de Vendée	Sableau - Tribèche - Trébèche	France	Vendée	●	●	●		●			●						1 mois

La famille Maquis corse

et fromages apparentés

Le lait de brebis se prête volontiers à la confection de fromages à déguster frais. Très souvent y sont adjoints des herbes et des aromates.

Fromage	Autres noms	Pays	Terroir d'origine	Race				Lait			Produit			Label			Affinage optimal
				Vache	Chèvre	Brebis	Bufflonne	Cru	Thermisé	Pasteurisé	Fermier	Artisanal	Industriel	AOC-AOP	IGP	Monastic	
Old York		Angleterre	Yorkshire			●				●		●					Frais
Sussex Slipcote		Angleterre	Sussex			●		●			●						Frais
Burgos		Espagne				●		●				●					Frais
Queso fresco valenciano		Espagne		●	●	●		●			●						Frais
Villalón	Pata de mulo	Espagne				●		●		●		●					Frais
Brebis de Haute-Provence		France	Haute-Provence			●		●			●						Frais
Brousse de la Vésubie		France	Provence			●		●		●		●					Frais
Caillebotte d'Aunis		France	Poitou - Charentes			●		●				●					Frais
Gastanberra		France	Pays basque			●		●	●		●						Frais
Jonchée d'Oléron	Oléron	France	Aunis			●		●			●						Frais
Maquis Brunelli		France	Corse			●		●			●						Frais
Pigouille		France	Île d'Oléron			●		●			●						Frais

La famille Gardian
et fromages apparentés

Dans les régions d'élevage extensif, il est de tradition de mêler ou alterner les laits de différentes espèces, selon leurs rythmes propre de lactation. Tous ces fromages infidèles changent donc souvent de physionomie.

				Race				Lait			Produit			Label			
Fromage	**Autres noms**	**Pays**	**Terroir d'origine**	**Vache**	**Chèvre**	**Brebis**	**Bufflonne**	**Cru**	**Thermisé**	**Pasteurisé**	**Fermier**	**Artisanal**	**Industriel**	**AOC-AOP**	**IGP**	**Monastic**	**Affinage optimal**
Cádiz		Espagne	Andalousie		●	●		●		●		●					Frais
Cervera		Espagne	Sud		●	●		●		●		●					Frais
Cuajada		Espagne			●	●		●		●	●	●					Frais
Málaga		Espagne	Andalousie		●	●		●		●		●					Frais
Mato		Espagne	Catalogne	●	●			●			●						Frais
Puzol		Espagne	Sud		●	●		●		●		●					Frais
Juustoleipä		Finlande		●						●	●	●	●				Frais
Munajuusto	Ilves	Finlande		●						●	●	●	●				Frais
Caillebotte	Jonchée	France	Poitou-Charentes	●	●			●		●	●	●	●				Frais
Gardian		France	Provence		●	●		●		●	●	●	●				Frais
Feta		Grèce		●	●	●		●	●	●			●				Frais
Caciotta		Italie	Centre	●	●	●	●	●			●	●					Frais
Robiola		Italie	Piémont-Lombardie	●	●	●		●		●	●	●	●				Frais
Robiola di roccaverano		Italie	Piémont	●	●	●		●			●	●		●			Frais

La famille Provolone
et fromages apparentés

Grande spécialité italienne, la technique de la pâte filée donne, lorsqu'on leur laisse le temps de s'affiner (jusqu'à deux ou trois ans !), des fromages très secs, que l'on peut fumer. Ils sont surtout utilisés en cuisine.

				Race				Lait			Produit			Label			
Fromage	**Autres noms**	**Pays**	**Terroir d'origine**	**Vache**	**Chèvre**	**Brebis**	**Bufflonne**	**Cru**	**Thermisé**	**Pasteurisé**	**Fermier**	**Artisanal**	**Industriel**	**AOC-AOP**	**IGP**	**Monastic**	**Affinage optimal**
Pastorello		Australie	État de Victoria	●						●			●				6 mois
Provolone américain		États-Unis		●						●			●				6 mois
Kasseri	Kaseri	Grèce			●	●		●				●	●	●			3 mois
Caciocavallo		Italie	Italie du Sud	●				●		●	●	●	●				1 an
Caciocavallo silano		Italie	Italie du Sud	●				●		●	●	●	●	●			1 an
Provolone		Italie	Lombardie	●			●	●		●			●				6 mois
Provolone del monaco		Italie	Campanie	●				●				●					1 an
Provolone valdapana		Italie	Italie du Nord	●						●		●	●	●			1 an
Ragusano		Italie	Sicile	●				●				●		●			6 mois

La famille Mozzarelle
et fromages apparentés

Très acidulées, les pâtes filées de vache ou de bufflonne emplissent le palais d'une intense fraîcheur. Ces fromages très malléables acceptent toutes les formes possibles. Il suffit d'un peu d'imagination.

Fromage	Autres noms	Pays	Terroir d'origine	Race: Vache	Race: Chèvre	Race: Brebis	Race: Bufflonne	Lait: Cru	Lait: Thermisé	Lait: Pasteurisé	Produit: Fermier	Produit: Artisanal	Produit: Industriel	Label: AOC-AOP	Label: IGP	Label: Monastic	Affinage optimal
Haloumi		Chypre		●	●	●		●	●	●		●	●				Frais
Bocconcini		Italie	Toute l'Italie	●						●			●				Frais
Burrata		Italie	Pouilles	●				●			●	●					Frais
Burrata di Andria		Italie		●				●			●	●					Frais
Burrino	Butirro, burri	Italie	Italie du Sud	●				●		●	●	●	●				1 mois
Fior di latte	Mozzarella di vacca	Italie	Campanie-Latium	●			●	●		●		●	●				Frais
Mozzarella di bufala campana		Italie	Latium-Campanie				●	●				●	●	●			Frais
Scamorza		Italie	Italie du Sud	●				●		●	●	●					1 semaine
Vastedda del belice		Italie	Sicile			●		●		●	●	●					Frais

La famille Brocciu
et fromages apparentés

Utiliser le petit-lait issu d'une précédente fabrication pour concevoir un nouveau fromage est une méthode universelle. Elle donne des fromages très variés, qui peuvent être parfois enrichis avec de la crème ou relevés avec des épices ou aromates pour leur donner plus de caractère.

Fromage	Autres noms	Pays	Terroir d'origine	Race: Vache	Race: Chèvre	Race: Brebis	Race: Bufflonne	Lait: Cru	Lait: Thermisé	Lait: Pasteurisé	Produit: Fermier	Produit: Artisanal	Produit: Industriel	Label: AOC-AOP	Label: IGP	Label: Monastic	Affinage optimal
Requeson		Espagne				●		●					●				Frais
Brebis frais du Caussedou		France	Quercy			●		●			●						Frais
Breuil	Cenberona	France	Pays basque			●		●			●						Frais
Brocciu	Broccio - Brucciu	France	Corse		●	●		●	●	●	●			●			Frais
Gaperon	Gapron	France	Auvergne	●				●		●	●	●					2 mois
Greuilh	Zembera	France	Pyrénées			●		●			●						Frais
Sérac	Recuite	France	Savoie	●	●			●			●						Frais
Anthotyro		Grèce			●	●		●			●	●					Frais
Manouri		Grèce	Crète-Macédoine		●	●		●			●	●		●			Frais
Myzithra	Mitzithra	Grèce				●		●			●	●					Frais
Xynotyro		Grèce			●	●		●			●	●					Frais
Ricotta di pecora		Italie				●		●		●	●	●	●				Frais
Ricotta piacentina		Italie		●				●		●	●	●	●				Frais
Ricotta romana		Italie		●				●		●	●	●	●				Frais
Seirass		Italie	Piémont	●		●		●			●	●					Frais
Seirass del Fieno		Italie	Piémont	●		●		●			●	●					Frais
Requeijão		Portugal				●		●					●				Frais
Mesost		Suède		●						●			●				2 semaines
Zieger	Ziger	Suisse	Suisse alémanique		●			●		●		●					Frais

La famille Cancoillotte
et fromages apparentés

Les fromages fondus sont un dérivé de la fabrication fromagère. Ils sont fabriqués dans leur grande majorité à partir de restes ou de brisures de fromages, fondus ensemble.

Fromage	Autres noms	Pays	Terroir d'origine	Race				Lait			Produit			Label			Affinage optimal
				Vache	Chèvre	Brebis	Bufflonne	Cru	Thermisé	Pasteurisé	Fermier	Artisanal	Industriel	AOC-AOP	IGP	Monastic	
Abgesottener käse		Allemagne		•						•			•				Frais
Glundner käse		Allemagne		•						•			•				Frais
Kochkäse		Allemagne		•						•			•				Frais
Kacheke's		Belgique		•						•			•				Frais
Cook cheese		États-Unis		•						•			•				Frais
Cancoillotte	Colle	France	Franche-Comté	•				•	•	•		•	•				Frais
Rambol		France	Yvelines	•						•			•				Frais
Vache qui Rit		France	Franche-Comté	•						•			•				Frais
Smeltkaas		Hollande		•						•		•	•				2 mois
Fjäll Brynt		Suède		•						•			•				Frais
Crème de gruyère		Suisse		•						•		•					Frais

La famille Fromages forts
et fromages apparentés

Plus guère en odeur de sainteté, les fromages forts ont constitué l'ordinaire de générations de paysans qui conservaient ainsi les fromages en utilisant les vertus antiseptiques de l'alcool ou des épices, dans des pots hermétiques.

Fromage	Autres noms	Pays	Terroir d'origine	Race				Lait			Produit			Label			Affinage optimal
				Vache	Chèvre	Brebis	Bufflonne	Cru	Thermisé	Pasteurisé	Fermier	Artisanal	Industriel	AOC-AOP	IGP	Monastic	
Cabécou des mineurs		France	Aveyron - Région de Decazeville	•				•			•						1 mois
Cachaille		France	Provence		•	•		•				•					3 mois
Cachat	Fromage fort du mont Ventoux	France	Provence		•	•		•	•			•					1 mois
Confit d'époisses		France	Bourgogne		•			•	•			•					1 mois
Foudjou		France	Auvergne		•			•		•		•					3 mois
Fremgeye		France	Lorraine	•				•		•		•					3 mois
Fromage en pot		France	Lorraine	•				•		•		•					3 mois
Fromage fort de Lens		France	Nord	•				•				•					3 mois
Fromage fort du Lyonnais		France	Lyonnais	•	•			•		•		•					2 mois
Fromagée du Larzac		France	Larzac			•				•		•	•				3 mois
Pâte de fromage		France	Haute-Corse		•	•		•			•	•					6 mois
Pâtefine fort		France	Dauphiné	•				•				•					3 mois
Pétafine		France	Lyonnais	•				•				•					1 mois
Pitchou		France	Dauphiné	•						•		•					2 mois
Trang'nat	Gueyin	France	Lorraine	•				•		•		•					3 mois
Bruss		Italie	Piémont	•	•	•		•		•		•					4 mois
Ricotto forte		Italie	Pouilles	•		•				•		•					3 mois

Pour en savoir plus...

Informations pratiques

La revue *L'Amateur de Fromage*
Créée en 1994, cette revue française est l'une des rares au monde à avoir fait des fromages son seul centre d'intérêt.
Au sommaire : coups de cœur, suggestions d'accords vins et fromages, portraits, reportages, recettes... Elle est consacrée en quasi-exclusivité aux fromages au lait cru et de tradition. Diffusée par abonnement, elle paraît tous les trois mois. Elle s'adresse à la fois aux amateurs et aux professionnels. Totalement indépendante, elle est exempte de toute publicité.
Renseignements :
L'Amateur de Fromage,
Éditions ADS,
142, avenue de Paris
94300 Vincennes.
Tél. : 01 42 81 98 91.
Fax : 01 42 82 71 59.
Site Internet :
www.amateur-fromage.com
E.mail : editionsads@freesurf.fr

Les Confréries
➩ La Guilde des Fromagers - Confrérie de Saint-Uguzon : créée en 1969 et présidée par Roland Barthélemy, elle est présente dans 30 pays. Amateurs ou professionnels, plus de 4 000 personnes en sont ou en ont été membres. Elle organise régulièrement des chapitres (plus de 300 depuis sa création) et participe à des manifestations professionnelles (plus d'un millier). Lors des réunions officielles, les membres de la Guilde revêtent la tenue historique des marchands parisiens. Elle fonctionne selon le principe du compagnonnage.
Renseignements :
25, rue du Maillard
94567 Orly Cedex 417.
Tél. : 01 46 87 55 72.
Fax : 01 45 60 59 99.
➩ Confrérie des Chevaliers du Taste Fromage de France : créée en 1954, la Confrérie a intronisé, depuis sa création, plus de 15 000 personnes. Elle est présente dans une vingtaine de pays. Elle tient trois grands chapitres par an et participe à une vingtaine de manifestations : foires gastronomiques, concours de fromages... Son costume d'apparat est inspiré de la houppelande des bergers pyrénéens. Le couvre-chef emplumé est inspiré de celui de la Compagnie des Cadets de Bourgogne.
Renseignements :
André Ducoup,
60, bd de Clichy
75018 Paris.
Tél./Fax : 01 42 64 54 18.

Quelques sites Internet
➩ **www.fromage-beaufort.com**
Le site du beaufort : fabrication, accueil, recettes... (français)
➩ **www.camembert-aoc.org**
Le site de l'emblème fromager de la France. Pour tout connaître de la généalogie de Marie Harel (français, anglais, japonais)
➩ **www.fromagesdesuisse.com**
L'essentiel des principaux fromages de Suisse (français).
➩ **www.gruyere.com**
Le site de référence du gruyère (français, anglais, allemand, italien).
➩ **www.fromages.com**
Le site de référence de vente de fromages sur Internet (français, anglais).
➩ **www.lavache.com**
Un site dédié, avec beaucoup d'humour, aux vaches, avec notamment une bibliothèque de meuglements (français, anglais).
➩ **www.letyrosemiophile.com**
Le site d'un passionné d'étiquettes de fromage (français).
➩ **www.mozzco.com**
Pour fureter sur le site gourmand de Paula Lambert (voir page 75)
➩ **www.roquefort-papillon.com**
Le site de très belle facture du roquefort Papillon.

Quelques bons ouvrages
➩ *Formaggi italiani*, par Giacomo Fiori, EOS Editrice, 1999. La bible des fromages traditionnels italiens.
➩ *Fromages des pays du Nord*, par Philippe Olivier, Éditions Jean-Pierre Taillandier, 1998. Le meilleur du Nord de la France par un affineur passionné.
➩ *Pays, vins et fromages en Rhône-Alpes*, par Sophie Bloch et Jean-François Werner, Éditions Xavier Lejeune, 1998. Une balade intimiste dans une région richement dotée en trésors gastronomiques.
➩ *Auvergne, terre de fromages*, par Monique Roque et Pierre Soissons, Éditions Quelque part sur terre, 1997. Un ouvrage aussi somptueux que vivant à la gloire d'une grande terre à fromages.
➩ *Encyclopédie des fromages*, par Kazuko Masui et Tomoko Yamada, Éditions Gründ, 1997. Le guide qui a renouvelé le genre, écrit par deux Japonaises qui ont contribué à convertir l'archipel nippon au fromage.
➩ *Les Fromages, connaître et cuisiner*, Larousse Saveurs, 1998. L'un des rares ouvrages présentant une réelle dimension internationale.
➩ *The Cheese Lover's Cookbook Guide*, par Paula Lambert, Éditions Simon and Schuster, 2000. Plus de 150 recettes au fromage à l'accent méditerranéen.
➩ *Le guide des fromages*, par Catherine Payen et Michel Barberousse, Éditions Milan, 1999. Un tour de France très précis sous la houlette de cinq détaillants affineurs renommés.
➩ *Épousailles Bières et Fromages*, par Mario d'Eer, Éditions Trécarré, 2000. Un guide prodigieux d'érudition et de minutie par un grand amateur de bière québécois.
➩ *Le grand livre des fromages*, par Juliet Harbott, Éditions Manise, 1999. Un recensement détaillé de tous les fromages du monde, très précis sur les produits anglo-saxons.

Un peu de tourisme fromager...

➩ Fort des Rousses, Les Rousses (Jura). Des milliers de meules de comté à perte de vue... Visites sur rendez-vous. Tél. : 03 84 60 35 14.
➩ Fort Saint-Antoine, Granges-Narboz (Doubs). L'autre temple du comté, lui aussi bâti dans un ancien fort militaire. Visites de juillet à août sur réservation. Renseignements : Office du tourisme du Mont d'Or et des deux lacs. Tél. : 03 81 69 31 21.
➩ Caves Papillon, 8 bis, avenue de Lauras, Roquefort-sur-Soulzon (Aveyron). À visiter de préférence au cours du premier semestre. Ouvert 7 jours sur 7, sauf le 25 décembre et 1er janvier. Tél. : 05 65 58 50 08.
➩ Fromagerie fermière Garros, Col del Fach, Loubières (Ariège). Pour découvrir les secrets du cabri ariégeois sur les flancs des Pyrénées.
Tél. : 05 61 05 35 25
➩ La Graine au lait, 333 A, La Croix d'Orbey, Lapoutroie (Haut-Rhin). Ce site de fabrication et d'affinage de munster de la maison Haxaire, est spécialement aménagé pour les visites. Fabrication le lundi matin et le jeudi matin. Visites de 9 h à 12 h et de 14 h 30 à 17 h, tous les jours de la semaine ainsi que le samedi matin. Tél. : 03 89 47 50 76
➩ Fromages Agour, Route Louhossoa, Hélette (Pays basque). Sympathique magasin-exposition. Ouvert du lundi au vendredi, de 8 h à 12 h et de 14 à 18 h. Tél. : 05 59 37 63 86
➩ Musée du saint-marcellin, 2, avenue du Collège, Saint-Marcellin (Isère).
Tout sur le saint-marcellin et les objets traditionnels de sa fabrication. Ouvert toute l'année du lundi au samedi.
Tél. : 04 76 38 53 85
➩ Maison du val d'Abondance, plaine d'Offaz, Abondance (Haute-Savoie).
Visites et dégustation toute l'année, à l'exception des mois d'octobre et de novembre.
Tél. : 04 50 73 06 34

Les fromages modernes

Enfants de la pasteurisation et du marketing, les produits industriels ne prétendent pas au titre de fromages gastronomiques. Fabriqués à très grande échelle, destinés principalement à la grande distribution, ils se consomment tout au long de l'année en gardant une égale saveur. Leur notoriété s'appuie sur d'importantes campagnes publicitaires diffusées sur le petit écran. En France, les deux principaux spécialistes sont le groupe Bongrain et les Fromageries Bel. Voici quelques exemples des plus connus.

⇨ **Babybel**
Inspiré de l'édam hollandais, le babybel a été créé en 1931. Sa petite taille et sa coque de cire rouge le destinent tout particulièrement au grignotage et aux pique-niques.

⇨ **Belle des Champs**
Fabriqué au lait de vache, ce fromage à pâte molle et à croûte fleurie présente un goût très doux et une texture d'une grande souplesse.

⇨ **Boursin**
Porté par un slogan publicitaire devenu culte - « du pain, du vin, du Boursin » -, ce petit fromage frais, aromatisé à l'ail et aux fines herbes, a été créé en 1963.
Mou et fondant, il est fabriqué en Normandie à partir de lait de vache. Enrichi en crème et dénué de croûte, il existe en d'autres versions : au poivre, à la ciboulette ou encore aux noix.

⇨ **Bresse bleu**
Inspiré du gorgonzola, ce fromage bleu de petit format est né après la Seconde Guerre mondiale dans la Bresse. Il est fabriqué au lait de vache et se consomme crémeux.

⇨ **Caprice des Dieux**
Consommé dans quelque 150 pays, ce fromage à croûte fleurie en forme de calisson a été créé en Haute-Marne à Illoud-en-Bassigny en 1956, par Jean-Noël Bongrain. Fabriqué au lait de vache, il se distingue par sa texture fondante.

⇨ **Chaumes**
Lancé en 1972, ce fromage s'inspire du munster dont il évoque l'aspect. Son goût est en revanche beaucoup plus doux, évoquant davantage les fromages trappistes. Il est fabriqué dans le sud-ouest de la France. Il a commencé sa carrière dans les rayons à la coupe.

⇨ **Chavroux**
Ce fromage frais en forme de pyramide tronquée est fabriqué au lait de chèvre. Il a été créé en 1985. Il procure un grand sentiment de fraîcheur.

⇨ **Étorki**
Imitation des fromages traditionnels de brebis pyrénéens, l'étorki en fabriqué en Pays basque. Sa pâte est ferme, sa texture presque fondante, sa saveur sans excès.

⇨ **Kiri**
Le « fromage des gastronomes en culotte courte » est né en 1968. C'est un fromage frais fondu avec de la crème et destiné à être tartiné.

⇨ **Leerdamer**
Fromage hollandais inspiré de l'emmental suisse, le leerdamer offre un goût plus fruité et moins intense. Sa pâte est assez souple.

⇨ **Port-Salut**
Héritier du fromage créé par les moines de l'abbaye d'Entrammes en 1816, le Port-Salut est le plus célèbre des fromages trappistes. Sa saveur est très douce et sa texture moelleuse.

⇨ **Rouy**
Créé au début du siècle dernier en Bourgogne, le rouy s'inspire du pont-l'évêque. Sous sa croûte orange striée, la pâte fondante libère de douces saveurs de lait de vache.

⇨ **Saint-Albray**
Né dans le Béarn en 1977, ce fromage se reconnaît facilement à sa forme originale : une fleur à six pétales. Sa croûte orangée, couverte d'un fin duvet blanc, abrite une pâte moelleuse.

⇨ **Tartare**
Né pour concurrencer le boursin, le tartare existe lui aussi en plusieurs versions : ail et fines herbes, noix, trois poivres…
Il apprécie tout particulièrement la compagnie d'une tranche de pain grillé.

⇨ **Vache qui rit**
Lancée par Léon Bel en 1921, la Vache qui rit a depuis fait le tour du monde. Il s'agissait initialement d'un fromage fondu réalisé à partir de brisures de gruyère.

Les mots du fromage

Affinage : opération consistant à amener le fromage à maturation, à le faire " mûrir " pour qu'il atteigne son goût optimal.
Appellation d'origine contrôlée (AOC) : appellation définissant et protégeant des produits liés étroitement à un terroir spécifique.
Appellation d'origine protégée (AOP) : version de l'AOC au niveau de l'Union européenne.
Babeurre : liquide blanchâtre résultant de la fabrication du beurre.
Buron : en Auvergne, petit atelier de montagne où sont fabriqués et affinés les fromages en été.
Caillage : action de faire coaguler le lait et de transformer ainsi ce liquide en solide.
Caillé : lait coagulé.
Caillé lactique : le lait qui a coagulé principalement sous l'action de ferments lactiques. Il est assez acide. Ce mode de coagulation est assez lent et le caillé met du temps à s'égoutter.
Caillé présure (ou caillé doux) : le lait a coagulé principalement sous l'action de présure. Ce mode de coagulation est assez rapide et donne un caillé assez ferme.
Caillette : l'une des poches de l'estomac de jeunes ruminants, permettant de fabriquer la présure traditionnelle.
Caséine : principale protéine du lait. Plus le lait en est riche, plus il est apte à être transformé en fromage.
Cayolar (ou etchola) : en Pays basque, atelier de montagne où l'on fabrique les tommes de brebis l'été.
Coagulation : caillage (par agglomération des protéines du lait).
Croûte fleurie : croûte couverte d'une moisissure blanche.
Croûte lavée : croûte humide, d'aspect orangé, dégageant souvent une odeur prononcée. A fait l'objet de lavages (avec de l'eau saturée de sel) au cours de l'affinage.
Croûte brossée : croûte, souvent grisâtre, que l'affineur a brossée pour enlever des moisissures trop envahissantes.
Cujala : en pays béarnais, atelier de montagne où l'on fabrique les tommes de brebis l'été.
Décaillage : action de briser le caillé (pour favoriser son égouttage).
Double-crème : fromage enrichi en crème fraîche, qui contient au moins 60 % de matières grasses (par rapport à l'extrait sec).
Empresurage : adjonction de présure dans le lait pour le « faire prendre », afin qu'il se solidifie.
Ensemencement : adjonction de ferments ou de moisissures dans le lait, le caillé ou sur la croûte.
Estive : en zones montagneuses, période estivale d'une centaine de jours pendant laquelle les troupeaux paissent en altitude. Les fromages sont fabriqués sur place.
Etchola : voir Cayolar.
Extrait sec : ce qui resterait du fromage si l'on extrayait toute l'eau qu'il contient. Permet de calculer le taux de matières grasses.
Fermentation : processus par lequel, sous l'action de divers micro-organismes, le lait devient fromage.
Ferment : terme fourre-tout regroupant les bactéries (dont les bactéries lactiques), les champignons, dont différentes espèces de moisissures, et les levures.
Ferments lactiques : ferments qui se nourrissent des sucres du lait (lactose). Cette opération produit de l'acide lactique.
Fermier : se dit d'un fromage qui a été fabriqué par une seule exploitation avec le lait produit par cette seule exploitation.
Fleur : moisissure se développant à la surface des fromages. Peut être blanche, jaune, rouge, bleue… et plus ou moins bien répartie sur l'ensemble de la croûte.
Fruitière : dans les Alpes, atelier de transformation fromagère où les éleveurs apportent leur lait.
Hâloir : salle où sont entreposés les fromages juste après leur fabrication.
Indication géographique protégée (IGP) : appellation européenne définissant et protégeant des produits qui peuvent se prévaloir d'une certaine attache à un terroir spécifique.
Jasserie : dans le Forez, atelier montagnard de fabrication fromagère.
Lactose : sucre du lait.
Lactosérum : voir petit-lait.
Laîche : feuille de jonc aquatique qui permet de cercler le livarot. Devenue confidentielle par rapport à sa version en papier.
Lait cru : lait « brut », tel qu'il sort de la mamelle (à environ 37 °C) et qui n'a pas été réchauffé à plus de 40 °C.
Laitier : se dit, par opposition à « fermier », d'un fromage fabriqué à partir de lait issu de plusieurs exploitations.
Lainure : fissure pouvant apparaître dans les fromages à pâte dure. Il ne s'agit pas d'un défaut mais d'un processus naturel.
Moisissure : champignon microscopique pouvant se développer à la surface des fromages ou au sein de la pâte. La famille la plus célèbre est celle des pénicilliums.
Morge : couche visqueuse qui se forme à la surface des fromages à pâte ferme au fur et à mesure des lavages lors de l'affinage.
Pasteurisation : chauffage du lait à une température de 75 à 90 °C pendant quelques secondes. Le lait est ainsi débarrassé de la majeure partie des micro-organismes qu'il contenait.
Pâte filée : pâte dont le caillé forme des fils, à la suite d'ébouillantages successifs.
Pénicillium : famille de moisissures.
Petit-lait (ou lactosérum) : liquide résultant du décaillage ou de l'égouttage du caillé. C'est l'" eau du lait ".
Présure : enzyme digestive extraite de la caillette de jeunes ruminants (le fromage est ainsi un lait prédigéré). Il existe désormais de la présure de synthèse.
Report : technique permettant de différer la consommation d'un produit. Fabriquer un fromage affiné est une technique de report du lait.
Rocou : substance colorante (orange) extraite de la graine de rocouyer.
Saumure : eau saturée de sel.
Thermisation : chauffage du lait à une température de 63 à 68 °C pendant quelques secondes à plusieurs minutes. C'est une forme amoindrie de pasteurisation.
Tranche-caillé (ou brise-caillé) : ustensile permettant de découper le caillé en grains plus ou moins gros pour favoriser l'exsudation du petit-lait.
Triple-crème : fromage enrichi en crème fraîche, qui contient au moins 75 % de matières grasses (par rapport à l'extrait sec).

Index

Cet index répertorie le nom des fromages cités dans le texte courant (numéros de pages indiqués en maigre). Par ailleurs, il vous permet d'effectuer commodément vos recherches dans le tableau des « 1200 fromages du monde » placé en annexe (numéros de pages indiqués en gras).
Pour rechercher le fromage de votre choix dans ce tableau, reportez-vous d'abord à la famille indiquée, puis au pays concerné.

D

E

Remerciements

Les auteurs tiennent à adresser leurs plus chaleureux remerciements à tous ceux qui ont concouru, par leurs conseils, leur aide, leur disponibilité, à la réalisation de cet ouvrage : Philippe Abrahamse, Yves Adrian, Nicole Aigoin, Jean-Charles Arnaud, Noël Autexier, Louis-Marie Barreau, Alain Barthélemy, Patrick Beaumont, Jean Berthaut, Frank Bertrand, M. Biet, Sylvie Boubrit, Daniel Boujon, Eric Bourges, Frédéric Brand, Madeleine et Jean-François Brunelli, José Luis Ordonnez Casal, Caseificio Rossi, Charles et Simone Chabot, Thierry Chévenet, Christiana Clerici, Bruno Collet, Consortium Parmigiano Reggiano, Daniel Delahaye, Domaine de Deves Nouvel, Jean-François et Rosine Dombre, Gilles Dubois, Michel Dubois, Jacques-Alain Dufaux, Jean et Peyo Etcheleku, Carlo Fiori, Christian Fleury, Philippe Garros, Bernard Gaud, Sébastien Gé, Claudine Gillet, André Girard, Gilles et Odile Goursat, Thierry Graindorge, Fromagerie Guiguet, La Graine Johé Didier Jean, Gérard Gratiot, Claire Guillemette, Dominique Guzman, Virginie et Jacques Haxaire, Alain Hess, Eric Jarnan, Philippe Jaubert, Joe Joffre, Gérard Leclère, Claude Leduc, Christian Le Gall, Magali Legras, Jean-Claude Le Jaouen, Claude Leroux, Luc Lesénécal, M. et Mme Hervé Loussouarn, Juan Manuel Martinez Mora, Claudine Mayer, Philippe Meslon, Maryse Micheaud, Christian Moyersoen, Philippe Olivier, Joseph Paccard, Frère Paul, Marthe Pégourié, Roland Perrin, Denis Provent, Jean Puig, Baptiste Raynal, Jeff Rémond, Claudia et Wolfgang Reuss, Patricia Ribier, Olivier Richard, Jean Salat, René Schertenleib, Simone et Rémi Seguin, Isabelle Seignemartin, Hélène Servant, M. Sigonneau, Dragan et Chantal Téotski, André Valadier, Rudi et Helen Vehren, M. Vermot, M. Veyrat, Claudine Vigier.

Roland Barthélemy tient à remercier tout particulièrement Nicole et Claire, ainsi que toute l'équipe de la rue de Grenelle, Michel Rougeault et tous les membres de la Guilde des Fromagers, et tous ses amis. Sans eux, cet ouvrage n'aurait pu voir le jour.

Arnaud Sperat-Czar adresse ses remerciements particuliers à Anne-Sibylle Loiseau, aux proches collaborateurs de « L'Amateur de Fromage », Alexandre Espoir-Duroy, Jean Garsuault, Joseph Hossenlop, Loïc Kerjean, Serge Michels, Hubert Richard et François Sperat-Czar, ainsi qu'à Caroline et Joséphine pour leur soutien et leur infinie patience.

Daniel Czap remercie Marie-Line Salaün pour son aide efficace et « Madame est servie » pour ses précieux transports, et bien sûr Roland Barthélemy pour sa grande disponibilité.

L'éditeur remercie Marine Barbier pour son aide précieuse.

Malgré toute la rigueur et l'attention portées à la réalisation de cet ouvrage, et compte tenu de la très grande fluctuation des réglementations, des pratiques et des usages en la matière, les auteurs et l'éditeur ne sauraient en aucun cas engager leur responsabilité directe ou indirecte quant aux erreurs, omissions ou informations contenues dans cet ouvrage. Il est explicitement déclaré que l'objectif poursuivi par ce livre est de constituer un guide clair et pratique à l'usage des consommateurs, et non un ouvrage de référence destiné aux spécialistes en la matière.

Les photos de reportage illustrant cet ouvrage ont été réalisées par Jacques Guillard. Les photographies accompagnant les fiches « coups de cœur » ont été réalisées par Daniel Czap. Sauf archives personnelles de Roland Barthélemy.

Responsable éditoriale : Brigitte Éveno
Suivi éditorial : Catherine Donzel
Direction artistique : Chine
Réalisation : Florence Cailly - Chine
Fabrication : Caroline Artémon

Impression et reliure : Pollina s.a., 85400 Luçon - n° L84370
Dépôt légal : 14110 / octobre 2001
23-36-6531-01/0
ISBN : 2-012-36531-0